D0475996

Sentinel

Matthew Dunn bij Boekerij:

De rekruut
Sentinel

www.boekerij.nl

Matthew Dunn

Sentinel

BIBLIOTHEEK
HEERENVEEN

Achter in het boek is een verklarende woordenlijst opgenomen.

ISBN 978-90-225-6619-0
ISBN 978-94-6023-636-5 (e-boek)
NUR 330

Oorspronkelijke titel: *Sentinel*
Oorspronkelijke uitgever: William Morrow, HarperCollins
Vertaling: Herman van der Ploeg
Omslagontwerp: Wil Immink Design
Omslagbeeld: Stephen Mulcahey/Arcangel Images
Zetwerk: Text & Image, Gieten

© 2012 by Matthew Dunn
© 2013 voor de Nederlandse taal: De Boekerij bv, Amsterdam

Niets uit deze uitgave mag openbaar worden gemaakt door middel van
druk, fotokopie, internet of op welke andere wijze ook, zonder voorafgaan-
de schriftelijke toestemming van de uitgever.

Voor mijn kinderen en Margie,
voor het personeel van Special Operations
dat zonder vangnet in de hel moet werken,
en voor Russen en Amerikanen

Deel een

1

De Russische duikbootkapitein rende door het bos, speurend naar tekenen van moordzuchtige belagers. Het was nacht en het woud was dichtbegroeid. Natte sneeuw sloeg in zijn gezicht. Zijn lichaam trilde van kou en angst.

Op een kleine open plek bleef hij staan, ging op zijn hurken zitten en luisterde. De zee was slechts een paar honderd meter verderop en hij hoorde het geluid van de golven die op het kiezelstrand sloegen. Hij draaide zich langzaam om en zette zich schrap, half in de verwachting mannen op zich af te zien stormen met zaklampen, wapens en honden.

Hij bleef twee minuten zo staan voordat hij in de richting keek waar hij zijn auto had achtergelaten. Die stond uit het zicht geparkeerd tussen de bomen bij de dichtstbijzijnde weg. Het zou hem een minuut kosten om bij zijn voertuig te komen en nog eens twintig minuten om zijn marinebasis te bereiken. Hij mocht maar een uur van de basis wegblijven. De tijd begon te dringen.

Hij liep snel door, verliet de open plek en verdween in het bos. Hij telde elke stap, bleef staan als hij tachtig passen had gezet, veranderde van richting en liep nog eens vijftig passen. De boom stond voor hem. Hij leek precies op de bomen eromheen, hoog, dun, geen bladeren, licht gebogen door de oostelijke winden, maar hij wist dat het de juiste boom was. Hij was hier al een paar keer eerder geweest en hij verwenste deze locatie: bij elk bezoek vroeg hij zich af of dit de plek was waar hij in de val zou lopen en gedood zou worden.

Hij vouwde een dunne, waterdichte poncho uit, trok die aan over zijn hoofd, haalde een kleine zaklamp en een zakmesje tevoorschijn en knielde neer bij de voet van de boom. De grond onder hem was een kletsnatte, ijzige sneeuwbrij en zijn broek raakte snel doorweekt. Hij tilde de rand van de poncho op en legde die tegen de boomstam. Hij knipte de zaklamp aan en bescheen de stam. Hij vond snel wat hij zocht: een kleine cirkel met twee horizontale strepen die in de bast waren gekerfd. Eromheen zaten verschillende oudere kerven die in de loop der tijd onleesbaar waren geworden. Hij knipte het mes open en sneed zorgvuldig een derde horizontale lijn in de cirkel.

Hij bukte zich en liet de poncho van de boom losvallen zodat die zijn lichaam helemaal bedekte, als een geïmproviseerde tent. Natte sneeuw sloeg ertegenaan. Nadat hij het uiteinde van de zaklamp in zijn mond had gestoken, begon hij met het mes en zijn vrije hand in de grond pal onder het symbool te graven. Terwijl hij de koude natte aarde verwijderde sneed de pijn door zijn vingers, maar hij bleef graven. Ondertussen was hij zich er voortdurend van bewust dat hij dit alles zo snel mogelijk moest doen.

Het mes stuitte na een paar centimeter op iets hards. Hij tikte er met het lemmet tegen om zich ervan te verzekeren dat hij niet gewoon een wortel had geraakt, maar het object was duidelijk van metaal. Hij legde het mes opzij en stak beide handen in het gat. Zijn gezicht vertrok toen de pijn omhoogtrok in zijn armen. Op het moment dat hij de kleine doos voelde, verstevigde hij zijn greep. Hij trok hem naar boven en legde hem naast het mes. Hij stak zijn handen even onder zijn oksels in een poging ze warm te krijgen voordat hij de lichtstraal van zijn zaklamp direct op de doos liet vallen.

Hij veegde aarde van de bovenkant en zag dat het dezelfde staalgrijze doos was die hij altijd had gebruikt. Maar hij moest voorzichtig zijn, want er kon sprake zijn van een boobytrap. Hij tilde hem van de grond. Het gewicht voelde normaal aan hoewel hij wist dat dat niets zei. Het kleinste stukje op scherp gezette C4 was voldoende om zijn gezicht weg te blazen. Hij wrikte de punt van zijn mes onder het slotje, wachtte even en wipte het los. De regen roffelde nog harder op zijn poncho.

Hij staarde een tijdje in de doos. Zijn hart bonsde en het zweet liep hem over de rug, hoewel hij het nog nooit in zijn leven zó koud had gehad. Hij legde een hand op de onderkant en de andere op het deksel en begon te trekken. Toen hij de weerstand van de onzichtbare rubberen afdichting voelde, sloot hij zijn ogen en trok harder tot de klep halfopen was. Hij opende zijn ogen. Het enige wat er in de doos lag was een metalen sigarenkoker. Hij pakte hem behoedzaam op, schroefde de dop eraf, tuurde in de koker en voelde opluchting. Er zat slechts een stompje potlood in dat in een opgerold stuk papier zat. Hij streek het vel papier glad en begon te lezen.

Het gevoel van opluchting verdween.

Zijn hand trilde terwijl hij het potlood dichter bij het papier bracht.

De codes schoten door zijn hoofd. Hij identificeerde het numerieke equivalent van elke letter, voegde dat toe aan een set vanbuiten geleerde nummers die overeenkwamen met de letters en begon te schrijven.

Het kostte hem zes minuten om de eerste zin uit te schrijven. Hij had een bloedhekel aan deze vorm van communicatie, maar wist dat de code zo goed als onbreekbaar was, tenzij de sleutelcode werd ontdekt of hij werd gemarteld om de details te onthullen. Communiceren met moderne apparatuur was te riskant. Alle elektronische communicatiesignalen naar, van en in de buurt van de basis werden afgeluisterd. Door het zenden van een versleuteld bericht van dicht bij de basis kon hij gemakkelijk als spion worden gelokaliseerd.

Hij wilde net aan de tweede zin beginnen toen hij stopte. Zijn hand bleef boven het papier hangen. Hij hoorde een geluid in de verte, maar dichtbij genoeg om het lawaai van de kletterende regen te overstemmen. Het kwam van de kant van de weg. Het kwam dichterbij. Hij dacht aan een auto. Toen wist hij het: het was een vrachtwagen. In deze omgeving konden dat alleen militairen zijn.

Hij balde zijn hand onwillekeurig tot een vuist. Vanavond moest hij zijn dochter bellen om haar te feliciteren met haar bevordering bij de Russische militaire inlichtingendienst. Ze zou blij zijn met zijn telefoontje, want ze had respect voor de mening van haar vader en bewonderde zijn levenslange carrière in dienst van Rusland. Maar hij wist dat ze zich diep zou schamen als ze hem nu zou zien.

De vrachtwagen minderde vaart. Hij vroeg zich af of de patrouille zijn auto had gezien en of ze nieuwsgierig waren naar de eigenaar. Of waren ze op zoek naar een verrader? Hij probeerde helder te denken en wenste dat het zou ophouden met sneeuwen en regenen.

Hij kreeg een idee. Als zijn auto was ontdekt, zou hij de soldaten te woord staan en zeggen dat hij een hert had geschoten dat hij tot in het bos was achternagelopen. Dat was zeer geloofwaardig in deze omgeving. Ze zouden waarschijnlijk aanbieden om hem te helpen het gewonde dier te doden zodat ze het konden meenemen naar de basis.

De vrachtwagen remde, de motor draaide stationair.

De kapitein keek naar het geheimschrift. Hij moest de volgende zin opschrijven, maar er was weinig tijd.

Een portier werd dichtgeslagen. Toen nog een.

Hij had geen tijd.

Hij nam een besluit en mompelde in het Russisch: 'Meer kan ik jullie niet geven.'

Hij propte het papier en het potlood terug in de sigarenkoker, legde hem terug in de doos en begroef die op dezelfde plek. Zijn poncho wapperde in de wind en sloeg door een regenvlaag tegen zijn gezicht. Hij moest hier weg, maar hij aarzelde nog even. Huiverend herhaalde hij in stilte de boodschap die hij zojuist had opgeschreven.

'Hij heeft ons verraden en wil een oorlog ontketenen.'

2

Will Cochrane stond alleen op het dek van het roestige koopvaardijschip. Het was nacht, de boot deinde op de golven terwijl een sneeuwvlaag in zijn gezicht sloeg, maar de MI6-officier negeerde de bewegingen van het vaartuig en het ijskoude weer. Het enige wat hem interesseerde was zijn bestemming. De troosteloze Russische kustlijn kwam dichterbij. Hij werd naar een plek gevoerd waarvan hij wist dat hij daar kon sterven.

Zijn doel was aan land gaan, infiltreren in de afgelegen duikbootbasis Rybachiy en de kapitein lokaliseren. Het Russische duikbootbemanningslid, een MI6-agent die de codenaam Svelte droeg, had een versleuteld bericht gestuurd van zo'n groot belang dat het meteen was doorgestuurd naar de afdeling MI6-CIA Spartan-sectie die zich bezighield met topgeheimen. Het was duidelijk dat het bericht onvolledig was en men had besloten om de meest ervaren agent van de sectie in te zetten om uit te zoeken wie het Westen had verraden en ten strijde wilde trekken.

De grote officier borstelde de sneeuw van zijn stekelige, donkere haar, controleerde of zijn Heckler & Koch USP Compact Tactical-pistool veilig in zijn jas zat en wachtte. Hij was in het verleden op vergelijkbare missies uitgestuurd, gedurende zijn negen jaar bij MI6 en de vijf jaar daarvoor bij het Franse vreemdelingenlegioen als Special Forces-soldaat bij het *Groupement des Commandos Parachutistes*. Maar de vijfendertigjarige wist dat deze opdracht heel moeilijk zou worden, zelfs voor een man die de codenaam Spartan droeg, een titel die was voorbehouden aan de effectiefste en dodelijkste westerse inlichtingenofficieren.

De boot minderde vaart.

Het was tijd om te gaan.

Hij was van top tot teen gekleed in witte militaire poolkleding en laarzen; hij trok zijn capuchon op. Hij liep voorzichtig naar het gat in de reling, ging op zijn hurken zitten en liet zijn hand over het dek glijden totdat hij had gevonden wat hij zocht. De touwladder zou hem twaalf meter omlaag brengen, naar de kleine roeiboot die aan de stuurboordzijde van het schip lag. Het gebulder van de oceaan en de wind leek nog luider toen hij afdaalde. Bij elke stap omlaag sloeg hij zijn onderarmen om het touw heen om te voorkomen dat hij zou vallen. Ondertussen sloeg de touwladder hard tegen de zijkant van het koopvaardijschip. Hij bereikte de roeiboot en knoopte beide bevestigingen los. Het vaartuig lag nu vrij in zee. Het koopvaardijschip voer verder. Will bleef alleen achter.

Hij wachtte tot het nauwelijks verlichte schip uit het zicht was verdwenen, pakte de roeispanen en roeide naar zijn bestemming.

Hij deed er vier uur over om de kust te bereiken.

Toen hij aan land was stapte hij behoedzaam uit. Hij pakte de boot met beide handen beet en trok hem op het smalle strand dat bestond uit zand, losse stenen, sneeuw en ijs. Hij gebruikte zijn zaklamp om zijn kompas te lezen en haalde zich de kaarten voor de geest die hij van dit gebied had bestudeerd. De basis lag vijftien kilometer verderop, en de reis erheen zou hem over met bossen bedekte bergen voeren voordat hij het smalle schiereiland bereikte waar de marinebasis was gevestigd.

Hij klom tegen een grote met sneeuw bedekte zandrug op terwijl hij het strand achter zich liet en op hoger gelegen grond kwam. Het was inmiddels hevig gaan sneeuwen en de wind leek nog meer aan te wakkeren. Hij begon te rillen en wist dat hij snel moest bewegen om warm te blijven. Hij liep heuvelopwaarts naar het bos. Na twee uur van rennen, lopen en klauteren bleef hij staan.

Hij bevond zich op een bergtop. Om hem heen was weinig te zien, maar in de verte en ver beneden brandden meerdere kunstlichten. Will wist dat ze zich op zijn bestemming bevonden: een schiereiland van vijf kilometer lang en vijfhonderd meter breed, alleen toegankelijk via een smalle strook land. Het schiereiland werd omgeven door de ijzige wateren van de baai van Avatsja. De lichten die hij zag liepen van de smalle strook over de gehele zuidzijde van het schiereiland. Ze hoorden bij de duikbootbasis Rybachiy. Hij keek op zijn horloge en zag dat het drie uur in de ochtend was. Hij begon snel te rennen. Hij wist dat hij maximaal vier uur had om de basis in te komen, Svelte te vinden en te spreken en de militaire basis en het schiereiland weer te verlaten.

Nadat hij drie kilometer had afgelegd liet hij zich op de grond vallen. De smalle strook die toegang gaf tot het schiereiland lag voor hem, driehonderd meter onder de plek waar hij zich nu bevond. Er stonden niet al te grote gebouwen en hutten, er lagen een brede weg, smallere zijwegen en er stonden vier militaire jeeps. Er waren ook zeven marinebewakers. Twee van hen hadden een Duitse herder aan de lijn. Ze droegen allemaal marineblauwe jassen en stonden onder straatlampen bij een bord waar HALT op stond in het Russisch. Er waren geen slagbomen op de weg en de rest van de smalle toegangstrook was niet beveiligd. In de dekking van de gebouwen zou hij de basis gemakkelijk kunnen bereiken.

Will glimlachte. Svelte had MI6 eerder laten weten dat het land rondom de onderzeebootbasis van Rybachiy zo bar en afgelegen was dat de basis nauwelijks wachtposten nodig had, afgezien van de bewaking van de kern- en dieselonderzeeërs. Daar kwam nog bij dat die paar bewakers slecht getrainde dienstplichtigen waren. Will had gevreesd dat Sveltes inlichtingen niet klopten, maar hij was opgelucht te merken dat dat niet het geval was. Hij keek naar rechts en zag dat een viertonner langzaam over een weg naar de basis reed. Hij keek om naar de wachtposten en zag dat ze naar het voertuig keken maar dat ze hun geweren niet in de aanslag hielden. Het interesseerde hen duidelijk niet.

Will besloot dat het naderende voertuig een goede afleiding was. Hij stond op en rende snel naar rechts. Na tweehonderd meter bleef hij staan. Hij zag dat de vrachtwagen nu bewegingsloos bij de ingang stond. De bewakers stonden bij het portier van de chauffeur en stampten met hun voeten op de grond, hun armen om de borst gevouwen. Rechts van hen stonden gebouwen en barakken.

Hij stak schuin over, zodat hij in de richting liep van de smalle strook die het verst van de bewakers was verwijderd. Al snel blokkeerden bomen en gebouwen het zicht op de vrachtwagen. Hij vertraagde zijn looppas tot een jogtempo en stak een stuk open terrein over voordat hij de muur van een van de barakken bereikte. Hij drukte zich plat tegen het gebouw en bleef even staan luisteren. Hij hoorde niets, afgezien van het geluid van de wind en de zee.

Hij liep door een tussenruimte tussen de hut en een naastgelegen groter gebouw, ging op zijn hurken zitten toen hij het einde ervan had bereikt en stak zijn hoofd langzaam om de hoek. De toegang tot de weg was zichtbaar aan de andere kant van de smalle strook, maar de afstand was minstens tweehonderd meter. Niemand keek zijn kant op. Hij tuurde recht vooruit en zag andere gebouwen achter een open terrein dat in duisternis was gehuld. Hij wachtte een paar tellen en sprintte ernaartoe. Nadat hij de gebouwen had bereikt draaide hij zich snel om en keek naar de bewakers. Ze stonden nog steeds bij de vrachtwagen te niksen. Hij was erin geslaagd de buitenste ring van de duikbootbasis van Rybachiy binnen te dringen.

Op het moment dat hij verder wilde gaan hoorde hij in de verte motorgeluiden in de lucht. Het geluid zwol aan totdat het direct boven hem was. Het was duidelijk afkomstig van een vliegtuig en het diepe gedreun klonk erg vertrouwd. Hij vroeg zich even af of ze naar de basis vlogen, maar Svelte had nooit gezegd dat de basis een landingsbaan had. Hij mompelde 'shit' toen het tot hem doordrong waarom die geluiden hem zo bekend voorkwamen. Hij keek wanhopig naar de zwarte lucht en zocht naar wat hij wist dat zou gaan komen. Aanvankelijk was er niets te zien, maar toen ving hij een glimp op van de eerste, gevolgd door een andere, gevolgd door vele anderen. Paratroepers. Ze zweefden in stilte door de nacht en landden binnen dertig meter van de bewakers achter hem.

Will bleef volkomen roerloos. De soldaten droegen witte gevechtskleding, met een bivakmuts, singelband en sneeuwbril. Op hun borst zat een geweer gegespt. Hij telde er vijfentwintig en hij keek toe hoe de parachutisten hun parachute bij elkaar raapten, inpakten en naar de bewakers liepen.

Sommigen van de paratroepers hadden hun wapen losgemaakt, anderen niet. De bewakers bleven staan waar ze stonden en toonden geen enkele bezorgdheid om de naderende troepenmacht, die nu duidelijk werd verlicht door de lichten van de basis. De paratroepers liepen recht op de bewakers af, die leken te communiceren met een handjevol mannen. De honden werden overgegeven aan twee van de paratroepers. Toen draaiden de bewakers zich om en liepen nonchalant weg van de ingang naar de basis op het schiereiland.

De paratroepers verdeelden zich in twee groepen. Vier van hen namen twee van de jeeps en reden de basis op, zes mannen en een hond namen de beveiliging van de ingang op zich, de rest liep te voet de basis op. Nu had iedereen zijn wapen schietklaar in de hand.

Will schudde langzaam zijn hoofd; zijn hart klopte snel. Het leek erop dat de geruisloze en duidelijk uiterst professionele Russische paratroepers de beveiliging van de basis hadden overgenomen. Hij had geen idee waarom dit was gebeurd, maar het betekende dat alles was veranderd. Zijn kansen om deze missie tot een goed einde te brengen en weg te komen zonder gezien te worden waren nu praktisch nul.

Hij rende verder de basis op en gebruikte andere gebouwen en de duisternis als dekking, terwijl het gonsde in zijn hoofd. Hij stond voor een raadsel. Slechts twee mannen wisten dat hij zou proberen de onderzeebootbasis van Rybachiy te infiltreren – de baas van de CIA en de controller van MI6 die de leiding had over zijn eenheid – en hij wist dat die hem nooit zouden verraden. Hij kwam tot een grimmige conclusie: de Russische paratroepers zochten niet naar hem, ze zochten een andere man.

Hij controleerde of zijn militaire mes nog goed om zijn middel zat bevestigd, trok zijn pistool, keek naar links en rechts en begon snel te lopen.

Het terrein om hem heen was een mengeling van schaduwen, lichten, langwerpige barakken, loodsen, fabriekjes en wegen. Alles was bedekt met een laag sneeuw. Van zijn studie van de plattegrond van Svelte wist Will dat de basis een rechthoekige vorm had, ter grootte van een flinke stad. Hij herinnerde zich ook, en zag het nu daadwerkelijk, dat het gebied niet dichtbebouwd was en dat er grote open stukken tussen de gebouwen lagen. Hoewel hij nog steeds het voordeel had dat het nacht was, zou hij extreem voorzichtig moeten zijn als hij zich door Rybachiy verplaatste.

Hij stond in het duister naast een gebouw en nam zijn omgeving een tijdje in zich op. Hij bleef gebukt in de schaduw staan, bewoog omzichtig naar de rand van een barak terwijl hij zich plat tegen de muur gedrukt hield. Er lag een weg voor hem en hij keek naar links. Langs de weg lagen her en der verspreid gebouwen, sommige waren donker en andere werden van binnenuit verlicht. Hij wist dat de plek waar Svelte zat ongeveer anderhalve kilometer verderop langs de weg lag, naast de duikbootdokken. In de verte zag hij twee koplampen die dichterbij kwamen. Zo te zien had het voertuig een matige snelheid. Hij kon zien dat het ging om een gewone vracht-wagen. Hij besloot dat hij zou proberen achter op de vrachtwagen te klimmen om op die manier dichter bij zijn bestemming te komen.

De vrachtwagen minderde vaart en bleef op ongeveer honderd meter van zijn positie stilstaan. Twee mannen naderden het voer-tuig. Ze waren in het wit gekleed en droegen geweren. Ze spraken met de chauffeur van de vrachtwagen voordat ze hem een teken gaven dat hij door kon rijden. De vrachtwagen kwam dichter bij Will, maar de soldaten bleven roerloos midden op de weg staan en keken de wagen na. Hij wist dat als hij nu de weg op zou stappen hij gezien zou worden en gemakkelijk kon worden neergeschoten. De vrachtwagen was hem nu tot op enkele meters genaderd. Hij bleef staren naar de soldaten. De vrachtwagen reed langs de plek waar hij stond. Hij kon horen dat er werd geschakeld en de wagen trok op. Een van de soldaten draaide zich om naar de andere kant. De vrachtwagen passeerde Will en zou over een paar tellen zo ver buiten bereik zijn dat hij zijn plan niet meer ten uitvoer kon bren-gen. Hij staarde naar de andere soldaat. Draaide hij zich maar om, achter zijn collega aan. De soldaat legde de kolf van zijn geweer te-gen zijn schouder, keek naar links en naar rechts en keerde zich om. Will wachtte geen seconde langer meer. Hij sprong op, sprintte naar de weg en rende achter de vrachtwagen aan.

Die reed nu twintig meter voor hem en ging steeds sneller rijden. Hij vroeg zich af of hij genoeg uithoudingsvermogen en snelheid had om de wagen te bereiken en of de twee soldaten zich zouden omdraaien en hem in de rug zouden schieten. Hij hield zijn hoofd laag, rende sneller, kwam dichter bij de vrachtwagen, hoorde weer het geluid van de versnellingsbak en besefte dat de chauffeur ging accelereren. Hij zette nog meer kracht, kwam op twee meter van de achterkant en sprong.

Hij greep de achterbumper van het voertuig en sloeg zijn armen er stevig omheen. Aan beide zijden van zijn lichaam spatte sneeuw op terwijl hij ruw en slingerend over de grond werd meegesleurd. Hij probeerde zich op te trekken tot een hurkpositie maar gleed weg en werd in horizontale stand over de weg gesleurd. De solda-ten waren nu honderdvijftig meter van hem vandaan, maar door de achterlichten zouden ze hem nog steeds kunnen zien. Hij negeerde de paratroepers en keek snel naar links en naar rechts voor het geval de vrachtwagen een van de jeeps of andere paratroepers te voet passeerde. Hij trok zich nogmaals op, zette zich af tegen de snel onder hem bewegende grond, keek op, zag een portier met een hendel, ademde diep in en sprong. Hij greep de hendel met één hand beet juist op het moment dat de vrachtwagen iets draaide. Zijn lichaam werd in de lucht getild. Hij trok zich op met zijn ene arm aan de hendel en de andere op de bumper. Zijn lichaam sloeg met een klap tegen de achterkant van de vrachtwagen. Hij tilde zijn knieën hoog op en liet zijn voeten met kracht op de achterbumper neerkomen. Hij was buiten adem en voelde de pijn door zijn rug en benen schieten, maar hij zat nu veilig op het voertuig, buiten het gezicht van de chauffeur en buiten het zicht van de patrouille te voet.

De vrachtwagen reed een minuut door totdat hij hard remde. Hij gleed een stukje door over de ijzige grond en kwam tot stilstand. Will hield zich stevig vast en keek wanhopig om zich heen. Hij hoorde een portier van het voertuig open- en dichtgaan, stemmen van mannen, blaffende honden en hij zag licht op de grond. Hij stond nu volledig op de bumper, plaatste een voet op de deurhendel bij zijn middel, duwde zich omhoog en greep de bovenkant van de vrachtwagen vast. Hij hield zijn lichaam strak tegen het voertuig gedrukt, trok zich snel op naar het dak, ging er op liggen en maakte zich zo plat mogelijk. Om de vrachtwagen heen klonken overal stemmen. Te oordelen naar het geluid was er ten minste één hond aan zijn rechterkant en een aan zijn linkerkant. Hij bevond zich nu bijna vijf meter boven de grond, uit het zicht. De neervallende sneeuw zou zijn geur ontraceerbaar maken voor de honden. Maar hij was omsingeld en als een van de mannen zou besluiten het dak van de vrachtwagen te inspecteren zou hij geen andere keus hebben dan zich uit deze plek te vechten die duidelijk de hoofdcontrolepost was van de ingang van de duikbotendokken en de daaromheen liggende verblijven.

Hij hoorde dat de achterklep van de vrachtwegen werd geopend. Er klonken voetstappen direct onder hem. Ten minste een van de mannen doorzocht het interieur. De deur werd dichtgeslagen. Daarna het geblaf van een hond en stemmen. Hij bleef roerloos liggen en wachtte. Een portier van de cabine ging open en dicht.

Het voertuig schokte terwijl de chauffeur schakelde en gas gaf. Een man zei luid iets in het Russisch en de vrachtwagen trok langzaam op voordat hij vaart kreeg.

Will kroop snel over het dak tot hij zich midden op de bovenkant bevond. Hij bleef plat liggen voor het geval de toegenomen afstand de soldaten bij de controlepost meer zicht op zijn positie zou geven. Terwijl de vrachtwagen verder reed wachtte hij dertig seconden. Toen tilde hij zijn hoofd een paar centimeter op en keek om zich heen. Alles was helder verlicht. Hij zag gebouwen en onderzeeërs. De vaartuigen lagen aangemeerd langs steigers en terwijl de vrachtwagen doorreed telde Will zestien boten. Hij zag vier Delta III's, vijf Akula I's, een Akula II en zes Oscar II's. Van een daarvan was Svelte de kapitein.

De truck ging langzamer rijden en Will kroop snel verder vooruit over het dak totdat hij dicht bij de cabine was. Honderd meter voor hem stonden zes mannen op de weg. Vier van hen zagen eruit als bewakers van de marine, de andere twee waren soldaten van de paratroepers. Will kroop snel terug over het dak en besloot dat hij van het voertuig af moest voordat het de mannen bereikte. Hij keek om zich heen, liet zich aan de achterkant van de vrachtwagen naar beneden glijden en wachtte terwijl hij steeds links en rechts om zich heen keek. Toen hij niemand zag sprong hij op de grond.

Hij rolde over de sneeuw en bleef plat liggen totdat de achterlichten van de vrachtwagen voldoende van zijn positie waren verwijderd. Hij wachtte tot de vrachtwagen dichter bij de mannen was zodat die het zicht op zijn bewegingen zou blokkeren. Hij telde tot vijf, ging op één knie zitten en keek weer om zich heen voordat hij van de weg af de duisternis in dook. Hij trok zijn pistool, bevestigde de geluiddemper aan het wapen en liep voorzichtig langs de muur van een gebouw terwijl hij het wapen ondertussen stevig vasthield. Hij was nu heel dicht bij het woonverblijf van Svelte.

Hij bewoog zich naar de rand van het gebouw en bleef staan bij een smalle weg. Aan beide zijden van de route lagen gebouwen en ieder had een buitenlamp die een flauw schijnsel op de weg wierp. Maar in geen van de gebouwen zelf brandde licht, afgezien van in een kleine barak. Dat was het verblijf van Svelte. Dat moest de plek zijn waar hij sliep, zich waste, aankleedde en soms at als hij niet dineerde in de officiersmess of aan boord van zijn duikboot. Het gebouw lag ongeveer driehonderd meter van hem vandaan, aan de linkerkant van de weg. Hij controleerde beide kanten van de weg, keek op zijn horloge en wachtte een paar tellen voordat hij besloot te gaan.

Hij liep het steegje uit, keek naar het verblijf van Svelte en greep zijn pistool stevig beet. Hij wist dat hij niet veel tijd had om het verblijf van de man te bereiken. Hij begon te rennen.

Toen hij de barak van Svelte tot op enkele meters was genaderd, ging hij over op een wandelpas. Hij maakte zich klein en trok zijn militaire mes. Hij liep voorzichtig voorwaarts, keek om zich heen, met zijn pistool in zijn ene hand en het mes in de andere. De smalle straat was nog steeds rustig terwijl hij om zich heen over de weg keek. Hij kneep zijn ogen tot spleetjes. Een strook licht kroop langzaam over de weg. Het was daglicht.

Hij liep verder naar de deur van de barak toe en hield zijn mes gereed om het slot te forceren. Hij fronste zijn wenkbrauwen. De deur stond al op een kiertje. Hij duwde hem open en ging onmiddellijk met zijn rug tegen de aangrenzende muur staan zodat hij niet zichtbaar zou zijn voor iemand die binnen was. Hij wachtte en toen hij niets hoorde zwaaide hij in een lage houding de deuropening in, met zijn pistool voor zich uit. De kamer voor hem was klein. Er stonden een eettafeltje en een stoel in, een bank, een televisie, er brandde een lamp in de hoek, er waren planken met boeken en een vrijstaand rek met een klerenhanger met een keurig geperst gala-uniform van een marinekapitein. Achter de kamer lag een gang en Will liep die geruisloos in. Links van hem lag een kamer met een toilet, wasbakje en een douchecabine. Rechts lag een dichte deur. Hij ging op zijn hurken zitten, bewoog zich naar een kant van de deur en stopte zijn mes terug in de schede. Toen zette hij zijn capuchon af, tilde zijn pistool hoog op en gebruikte zijn vrije hand om de deur te openen.

In het midden van de kamer lag een man kreunend op de vloer. Wil rende naar hem toe en hurkte naast hem neer. Hij herkende de man meteen van een foto die hij had gezien in het MI6-hoofdkwartier. Het was Svelte, in uniform. Het gezicht van de Russische MI6-agent was verwrongen van pijn. Zijn buik was opengesneden met een mes.

In het Russisch zei Will nadrukkelijk: 'Ik ben een Britse inlich-

21

tingenofficier.' Hij schoof zijn handen onder het hoofd van Svelte en boog zich over hem heen zodat zijn gezicht maar enkele centimeters van dat van de agent was verwijderd. 'Wie heeft dit gedaan?'

Svelte opende zijn ogen half, zijn lippen bewogen, maar het enige geluid dat hij produceerde was een keelklank met opborrelend bloed.

Will schudde ongelovig zijn hoofd. Een van MI6's beste Russische agenten was stervende en hij kon niets doen om dat te voorkomen. Will had de halve wereld rondgereisd om hem te ontmoeten, maar die reis leek nu vergeefs. Hij boog zich nog dichter naar hem toe. 'Je hebt ons een bericht gestuurd. Wat betekende het?'

Svelte schudde zijn hoofd; tranen stroomden langs de zijkanten van zijn gezicht.

'Wie heeft dit gedaan? Wie wil een oorlog ontketenen?'

Svelte greep Will stevig bij zijn onderarm en opende zijn bebloede mond. Maar nog steeds slaagde hij er niet in iets te zeggen.

Will voelde woede, verdriet en frustratie dat hij Svelte niet eerder had bereikt. Het was zijn schuld. Hij was te laat gekomen om de Russische officier te kunnen helpen. 'Toe... probeer te praten.' Hij deed geen enkele poging zijn wanhoop te verbergen. 'Het spijt me ontzettend. Ik had je eerder moeten vinden.'

Svelte kromde zijn rug terwijl zijn lichaam in een kramp schoot en hij schreeuwde het uit van de pijn. Zijn lichaam zonk neer op de vloer en hij haalde snel en oppervlakkig adem. Hij sperde zijn ogen open en keek Will recht aan. 'Niet... jouw schuld.' Zijn stem was nauwelijks hoorbaar. 'Khmelnytsky... kolonel Taras Khmelnytsky. Oorlog tussen Rusland en Amerika.' Hij hoestte bloed op en knarsetandde. 'Alleen Sentinel kan hem tegenhouden.'

Zijn greep verslapte en zijn hand zakte op de vloer, maar zijn ogen bleven wijd open. Hij was dood.

Will sloot even zijn ogen en vloekte. Hij liet Sveltes hoofd op de grond zakken, legde zijn vingers behoedzaam op de oogleden van de Rus en sloot ze. Hij staarde naar de dode agent. Hij ging staan, draaide zich om en wierp met een onderdrukte vloek een blik door de kamer.

Hij zuchtte diep en probeerde zijn frustratie te beheersen. Hij moest de situatie onder controle krijgen. De laatste woorden van Svelte begreep hij niet en hij moest nu allereerst de basis zien te verlaten en die informatie voorleggen aan de mensen die vrijwel zeker wisten wat Svelte had bedoeld. Maar het daglicht en de aanwezigheid van paratroepers maakten elke heimelijke ontsnappingspoging tot een zelfmoordactie.

Hij zag een groot glas op een tafeltje naast het bed, met een centimeter of twee heldere vloeistof. Hij bracht het naar zijn neus en rook wodka. Snel liep hij de kamer door en opende de kastjes en laden. Alleen kleren en kantoorbenodigdheden. Hij ging het zitgedeelte in en zag in de hoek een kleine koelkast staan. Hij trok de deur open en zag acht volle flessen wodka. Hij keek naar de bank naast hem. Die was goedkoop en gemaakt van schuim, ideaal voor zijn bedoelingen. Hij opende de eerste fles, goot de inhoud over de bank en deed hetzelfde met een tweede fles voordat hij de inhoud van de overgebleven flessen over alle brandbare spullen in het woonverblijf van Svelte goot. Hij pakte een exemplaar van de krant *Izvestia* van de eettafel, scheurde hem in stukken, maakte er proppen van en strooide die over de bank en op andere plekken. Hij stak een paar proppen aan, keek hoe ze begonnen te branden en liep op een drafje terug naar de slaapkamer.

Hij zag door het raam dat deze kant van de woning grensde aan een steegje en andere gebouwen. Hij duwde het raam open en klom uit het huis van Svelte. De steeg was leeg en het sneeuwde hevig. Hij keek om naar de barak en zag dat er zwarte rook van de zitkamer naar de slaapkamer dreef. Hij liep snel door naar het einde van de steeg en bleef daar staan. Voor hem lag open terrein en rechts van hem lag de hoofdweg. Er kwam een dikke wolk rook uit Sveltes raam. Hij rende noordwaarts langs een groot pakhuis en dook een nauwe ruimte tussen de gebouwen in. Zijn enige hoop was dat hij de paratroepers naar het verblijf van Svelte kon lokken zodat hij te voet kon ontsnappen. Het was ijdele hoop. Het leek hem niet erg waarschijnlijk dat ze hier met zijn allen naartoe zouden komen.

Rechts van hem klonken motorgeluiden. Hij liep nog wat verder de tussenruimte in en zag twee jeeps uit de sneeuwstorm opduiken. Ze reden van de weg af en stopten op het open terrein dat voor hem lag. Vier soldaten stapten uit. Een van hen riep iets in de microfoon van een zender, de anderen hielden hun geweer in de aanslag. Geen van de mannen droeg een bivakmuts. Ze renden naar de steeg die naar de achterkant van Sveltes verblijf leidde.

Een minuut later arriveerde een vrachtwagen die tegenover de jeeps stopte. Zes paratroepers en vier marinemannen sprongen uit de vrachtwagen en renden over de weg naar de voordeur van het brandende gebouw. Toen ze uit het zicht waren, sprintte Will over het braakliggende terrein naar een groepje andere gebouwen, waar hij dekking had. Hij kreeg een idee en aarzelde. Gebukt en met zijn pistool in beide handen liep hij naar de jeeps. Een van hen stond daar met stationair draaiende motor.

Hij zag dat de soldaten uit het zicht waren in Sveltes barak, ging in de jeep zitten, stopte zijn pistool tussen de zitting en het portier, reed langzaam van de weg af en stak het open terrein over. Hij draaide en stuurde de jeep tussen twee lange barakken door voordat hij stopte en een blik over zijn schouder wierp. Op een stoel achterin lag een witte bivakmuts. Hij trok hem over zijn hoofd en reed het voertuig de steeg uit, over meer hobbelige, met sneeuw bedekte grond tot hij op de hoofdweg was beland.

Sneeuw dwarrelde tegen de voorruit. Hij zette de ruitenwisser op de snelste stand, deed de koplampen aan en liet het raampje aan de kant van de chauffeur zakken. Hij trapte het gaspedaal in totdat hij tachtig kilometer per uur reed. Voor hem zag hij een groepje dienstplichtigen over de weg lopen. Hij knipperde met zijn lichten en drukte op de claxon, hield zijn snelheid aan en wees heftig gebarend uit het raampje naar het vuur achter hem. Terwijl hij de groep passeerde begonnen ze naar de brandende barak te rennen.

Hij reed langs de duikboten tot hij drie kilometer van de barak van Svelte was verwijderd. Hij zag op het dashboard dat de tank halfvol was. Dat was meer dan genoeg, als hij van de basis af kon komen. Hij hoefde slechts zo'n twintig kilometer in zuidelijke richting te rijden over wegen en paden om de kust te bereiken. Daar zou hij worden opgewacht door de Russische koopvaardijkapitein die hem naar Rusland had gebracht. De kapitein, een medewerker van de CIA, zou hem vervolgens naar Alaska brengen.

Hij zag de koplampen van een viertonner. Het voertuig stopte bij de binnenste controlepost van de duikbootdokken. Toen hij die plek naderde doken vijf paratroepers op uit de jagende sneeuw en stapten in de vrachtwagen. Die trok op, kwam recht op hem af maar minderde geen vaart toen hij voorbij reed.

Will gaf gas. Binnen vijf minuten was hij genaderd tot de buitenste ring van de basis. Hij racete langs nog meer gebouwen, burgerarbeiders en twee marinesoldaten die geen aandacht aan hem schonken. Zijn enige hoop was dat er voldoende afstand was tussen hem en de soldaten die hij naar de brand had gelokt. Hij had die afstand nodig, want over een paar tellen zou de hele basis attent worden gemaakt op zijn jeep en vanaf dat moment zouden de paratroepers achter hem aan komen. Die waarschuwing zou een van de zes soldaten bereiken die nu voor hem stonden. Maar ze hadden hun wapens nog niet opgeheven. Hij zette zijn voet op de vloer en reed tot op honderd meter van hen. De soldaten bleven stilstaan. Toen hij op vijftig meter van hen was knipperde hij met zijn koplampen. Een van de soldaten hief een hand. Will maakte hetzelfde gebaar. De soldaten stapten weg van het midden van de weg, ongetwijfeld in de verwachting dat hij met piepende banden tussen hen tot stilstand zou komen. Hij minderde snelheid tot hij hen tot op tien meter was genaderd en gaf toen weer gas. De paratroepers sprongen opzij en Will raasde langs hen heen. Sneeuw spatte op over de wegduikende soldaten.

Will zwenkte de jeep naar links en naar rechts, reed de basis af en kwam op de bergweg. Er klonken schoten. Twee kogels doorboorden de achterruit en de voorruit en zoefden rakelings langs Wills hoofd. Hij zwenkte nogmaals, precies op het moment dat kogels in het portier aan de passagierskant sloegen. Veertig meter voor hem lag de bosrand. De weg maakte daar een bocht die hem uit het zicht van de paratroepers zou brengen. Zijn hart bonkte. Dat de kogels de banden, benzinetank of motor van de jeep zouden kunnen raken baarde hem evenveel zorgen als het feit dat hijzelf geraakt kon worden. Een aanhoudend salvo deed de sneeuw rond zijn voertuig opstuiven. Nog meer kogels vlogen door de kapotte ramen. Een ervan schampte zijn jack. Hij rukte hard aan het stuur, ging in volle vaart naar links en slipte. Hij probeerde wanhopig het voertuig onder controle te houden, trok het stuur naar rechts en haalde zijn voet even van het gaspedaal. De jeep bleef op de weg. Hij accelereerde snel en naderde de bocht. Er stonden nu bomen om hem heen. Nog enkele meters en hij had het gebied met dekking bereikt.

Hij hoorde een laatste salvo automatisch geweervuur.

3

'Je hebt geluk gehad dat je het er levend van af hebt gebracht.'

Will keek om zich heen in de grote, raamloze kamer en liet de woorden van Patrick bezinken. Hij zat aan een grote eikenhouten tafel in het CIA-hoofdkwartier in Langley. Afgezien van de tafel en twaalf stoelen stonden er geen andere meubels in de kamer. Felle plafondspotjes zetten de ruimte in een elektrisch blauw licht.

Naast Patrick zat Wills MI6-chef Alistair. Zij waren de gezamenlijke hoofden van de MI6/CIA-taakgroep. Beide officieren droegen een smetteloos pak. Patricks haar was zilvergrijs en Alistair was blond, maar verder leken ze in alle opzichten fysiek op elkaar: slank maar sterk, met gezichten die wijsheid, humor en droefheid uitstraalden. Beide mannen waren in de vijftig maar zagen er tien jaar jonger uit.

'Ja, ik denk dat ik geluk heb gehad. Wat of wie is Sentinel?'

Geen van beiden gaf antwoord.

Will liet zijn hand over zijn dure pak glijden. 'Begrijpen jullie er iets van?'

Ze bleven zwijgen.

'Als het gaat om geheime informatie laat me dan iets tekenen.'

Patrick keek Alistair even aan voordat hij begon te praten. 'Dat is niet nodig.' Hij richtte zich weer tot Will. 'We zullen je alles vertellen wat we weten, maar...' Hij liet een dik dossier zien waar SVELTE: TOPGEHEIM op stond, hield het even vast en liet het op tafel vallen. 'We zouden heel wat meer weten als Svelte nog leefde.'

Will wilde iets zeggen maar Alistair hief zijn hand en zei rustig: 'Niemand van ons kon voorzien wat er op die basis is gebeurd.'

'Dat is zo, maar ik had eerder bij hem moeten zijn.'

'Zet die gedachte uit je hoofd.' Patrick pakte een stapeltje papieren op. 'Het is niet jouw schuld dat Svelte is gestorven. Godzijdank heb je weten te ontsnappen, want de zaken escaleren snel.'

Alistair boog zich naar voren en wees op de papieren in Patricks hand terwijl hij zijn blik op Will hield gericht. 'We hebben meerdere rapporten van geheime inlichtingendiensten en openbare diplomatieke kanalen. De politieke en economische spanningen tussen Amerika en Rusland zijn sinds de Koude Oorlog nog nooit zo groot geweest.'

'Ik dacht dat het vrij goed ging.'

'Dat dachten de Russische en Amerikaanse leiders ook, tot...' Patrick wierp de papieren naast zich neer, '... we onlangs enkele Russische inactieve spionnen te pakken kregen in Amerika. We hebben hen ondervraagd. Als vergelding hebben de Russen een paar van onze spionnen opgepakt die ze in de gaten hielden en ze hebben hun de duimschroeven aangedraaid. Het resultaat daarvan was dat er wat ongemakkelijke zaken en zorgen aan het licht zijn gekomen.'

Alistair voelde aan de knoop van zijn Royal Navy-das en leunde achterover in zijn stoel. Hij bleef Will strak aankijken. 'Er werden collectieve leugens onthuld.'

Patrick knikte. 'Onze spionnen hebben de Russen verteld dat we minder dol zijn dan het lijkt op het feit dat Rusland een dominante economische rol speelt in de wto, dat we niet van plan zijn onze tactische nucleaire wapens uit Europa weg te halen, dat we nooit van plan zijn samen met de Russen een raketverdedigingssysteem op te zetten en dat we hen nog even hard bespioneren als we deden in de jaren vijftig en zestig.'

Alistair glimlachte maar zijn gezichtsuitdrukking was kil. 'En de Russische mannen en vrouwen die we in fbi-cellen hebben gesproken hebben ons verteld dat Rusland erop is gebrand weer een supermacht te worden, maar nu met een kapitalistische basis. Het kan ze niet schelen op wiens tenen ze moeten trappen om dat te bereiken.'

Patrick bracht een glas water tot dicht bij zijn mond en hield het daar. 'Bij voldoende tijd zouden diplomaten en politici in staat kunnen zijn de... misverstanden glad te strijken, om de verhoudingen weer te normaliseren. Maar we hebben betrouwbare informatie ontvangen dat er nu niets mag gebeuren wat de toestand kan verergeren. Het laatste wat we nu kunnen gebruiken is een escalatie.'

Will dacht aan de laatste woorden van Svelte en keek om zich heen. Buiten was het klaarlichte dag, maar hierbinnen kon het elk mogelijk tijdstip zijn. 'Zegt de naam Khmelnytsky jullie iets?'

'Ja,' zei Patrick.

Will keek naar de twee mannen. Alistair was altijd zijn chef geweest, maar Will had voor het eerst met beide mannen gewerkt tijdens zijn laatste missie om een Iraanse generaal op te pakken, codenaam Megiddo. Gedurende die tijd was hij te weten gekomen dat Alistair en Patrick een lange geschiedenis van samenwerking hadden die terugging tot de periode waarin ze beiden nog jonge officieren waren. In die tijd hadden ze samengewerkt met Wills vader, een CIA-medewerker, en ze waren er getuige van geweest dat hij gevangen was genomen door Iraanse revolutionairen. Hun door wraak gedreven werk tegen die revolutionairen had ervoor gezorgd dat beiden snel carrière hadden gemaakt en zodoende hun ongebruikelijk hoge posities hadden bereikt. De mannen voor hem hadden directe lijnen met de leiders van de vs en de Britten. In de praktijk rapporteerden ze niet aan de hoofden van de CIA en MI6 en ze hadden eigenhandig vele mensen gedood. Hoewel hij het zelden toonde, mocht Will hen, ondanks het feit dat beiden hem duidelijk hadden gemaakt dat ze hem beschouwden als hun meest onvoorspelbare en oncontroleerbare inlichtingenofficier.

Will glimlachte. 'Jullie mogen gerust ophouden met het geven van antwoorden van één lettergreep.'

'Niet zo brutaal.' Alistair keek naar Patrick, die naar hem knikte. Toen keek hij Will scherp aan. 'Toen ik bij MI6 kwam werken, was een van de rekruten van het trainingsprogramma anders dan wij. Hij was stil, hield zich afzijdig van de andere studenten. We ontdekten dat hij een voormalige SAS-officier was, maar dat is alles wat we van hem te weten kwamen. Na twee weken cursus hoorden we dat hij ongeschikt werd geacht voor de dienst en dat hij de opleiding had moeten verlaten.'

Alistair nipte van zijn thee. Patrick keek Will aan.

Alistair vertelde verder. 'Veel later kwam ik erachter wat er echt was gebeurd. Hij was helemaal niet gezakt voor die opleiding. In plaats daarvan was hij snel geïdentificeerd door een van de instructeurs als zeer ongewoon, als iemand die ingezet kon worden om te helpen bij de strijd tegen de Sovjet-Unie. Hij kreeg geheime MI6-training en zijn identiteit werd verborgen gehouden voor alle medewerkers van de Service, afgezien van de chef en een handjevol andere hoge officieren. Nadat hij had uitgeblonken in het trainingsprogramma kreeg hij de status van inlichtingenofficier. Tegelijkertijd kreeg hij te horen dat hij officieel niet bestond.' Alistair zat roerloos. 'De chef stuurde hem onmiddellijk overzee op een supergeheime missie. Zijn opdracht was de KGB te beschadigen: agenten tegen hen in te zetten, hun officieren om te vormen tot dubbelspionnen, tegen ons gerichte operaties te verstoren en iedere Sovjet-officier te vermoorden die hem in de weg stond. Hij opereerde in Oost-Berlijn, Polen en de Sovjet-Unie zelf. Hij veranderde constant van identiteit, wisselde steeds van locatie en was zich er altijd van bewust dat hij gemarteld en geëxecuteerd zou worden als hij werd gesnapt. Hij hield dit jaren vol en had zo veel succes dat de KGB een hele afdeling inzette om de man te vinden van wie zij vermoedden dat hij hun inlichtingendiensten ongehoord veel schade toebracht.

Maar hij was hen altijd enkele stappen vooruit, hield zijn identiteit altijd geheim, zijn verschillende dekmantels. Hij vertrouwde niemand en maakte geen vergissingen. Helaas,' zuchtte Alistair, 'maakten anderen een fout. Aan het eind van de Koude Oorlog was er een kort moment van euforie binnen de Londense medewerkers van MI6. Dat moment was extreem gevaarlijk: er werden geheimen gedeeld tussen Groot-Brittannië en het opkomende Rusland en de nieuwe omliggende staten. Veel MI6-Sovjet-agenten keerden terug naar hun vaderland. Hun werk voor de USSR was gedaan, maar hun hoofden zaten nog vol gevaarlijke geheimen. Uiteraard verschilde de Sluzhba Vneshney Razvedki niet wezenlijk van de KGB. Er werkte voor een groot deel nog hetzelfde personeel dat weinig verschil zag tussen de Sovjet-Unie en Rusland. En veel van die SVR-mensen wilden nog steeds dolgraag die officier van ons te pakken krijgen.'

'Ze namen contact op met een van onze onlangs gestopte Russische agenten en dwongen hem te vertellen waar ze onze man konden vinden,' zei Will.

Alistair knikte. 'We weten nog steeds niet wie hem heeft verraden. Maar ze kregen de locatie van een van de vele onderduikadressen van onze officier in Moskou. De SVR heeft die plek wekenlang in de gaten gehouden. Toen hij daar eindelijk opdook werd hij na een vuurgevecht gearresteerd. De FSB heeft hem naar de Lubyanka-gevangenis gesleept. Ze hielden hem vast in een kleine vieze cel en hebben hem zes jaar lang gemarteld, maar hij heeft hun niets verteld, zelfs zijn naam niet. Ongetwijfeld was hij daar gestorven als Rusland en het Verenigd Koninkrijk niet hadden besloten tot een vorm van amnestie waarbij bepaalde belangrijke politieke gevangenen zouden worden vrijgelaten. Onze officier was een van die gevangenen.

Toen hij uit het vliegtuig stapte op het militaire vliegveld in RAF Brize Norton verwachtten we een gebroken man te zien.' Alistair glimlachte. 'In plaats daarvan zette hij voet aan wal, keek hij de chef van MI6 aan, liet hem weten dat hij behoefte had aan een warme maaltijd, een glas singlemalt whisky, een krant om het wereldnieuws te lezen, en een nieuw pak, contant geld en een identiteit, zodat hij de volgende beschikbare vlucht naar Oost-Europa kon nemen om zijn werk voort te zetten. We moesten hem dwingen om een paar dagen in Engeland te blijven zodat we zijn door de martelingen veroorzaakte verwondingen konden verzorgen, maar daarna hebben we al zijn wensen vervuld. We hebben hem teruggestuurd naar de voormalige Sovjet-Unie.' Hij tikte met zijn vinger op tafel. 'Dat is nu vijftien jaar geleden. Hij zit daar in het diepste geheim. Hij heeft zich sinds die tijd voorgedaan als zakenman in Centraal- en Oost-Europa. Hij heeft talloze agenten die voor hem werken en hij probeert het werk van de SVR, GRU en FSB zo veel mogelijk te verstoren. Hij is de waardevolste bron van inlichtingen voor alle zaken die met Rusland hebben te maken.'

'Was hij Sveltes leidinggevende?'

'Ja, Svelte was een van zijn agenten, hoewel ze elkaar zelden hebben ontmoet. Om veiligheidsredenen werd Sveltes DLB altijd overgebracht door een van de Russische spionnen, die het bericht rechtstreeks naar Londen stuurde. We decodeerden het, hercodeerden het en zonden het in verbrokkelde vorm naar de officier. Maar nadat we het laatste bericht van Svelte hadden ontvangen, wisten we dat we die officier twee weken lang niet meer konden benaderen. We konden niet blijven afwachten en daarom hebben we jou naar de basis gestuurd.' Alistair zweeg even. 'Ik heb je om twee redenen verteld over die topgeheime officier. Ten eerste zijn er in de geschiedenis van MI6 slechts twee mannen geweest die geheim zijn gehouden voor alle anderen bij de Service. Een van hen is de man die ik heb beschreven, de andere ben jij.'

'Heeft hij het programma gevolgd?'

Alistair gaf een kort knikje.

Het programma waar Will op doelde was het Spartaanse Programma, een cursus van twaalf maanden die bestond uit meedogenloze, extreme fysieke en mentale testen. Slechts één MI6-cursist mocht per keer meedoen. Will had altijd gedacht dat hij de eerste en laatste man was die het Spartaanse Programma met succes had voltooid en die de bijbehorende codenaam mocht dragen.

Will knikte langzaam. Het begon hem te dagen. 'Hij is Sentinel: de waker.'

'Ja.' Alistair nipte van zijn thee. 'En dat brengt me op de tweede reden dat ik je dit vertel. Sentinel krijgt zijn inlichtingen van tien extreem waardevolle agenten, individuen die toegang hebben tot Russisch militair inlichtingenmateriaal dat topgeheim is, individuen die een voor een worden vermoord.' Alistair fronste zijn wenkbrauwen. 'We hadden geen idee wie dit deed.' Zijn gezicht vertrok. 'Maar jij hebt ons de naam gegeven.'

'Khmelnytsky.' Will zag de stervende Svelte voor zich en voelde weer een golf van spijt en mislukking. 'Kent de waker hem?'

'Ja, maar Sentinel weet nog niet dat hij de moordenaar is. Svelte was de vierde agent die tot op heden is vermoord.' Alistair pakte zijn kopje. 'Taras Khmelnytsky is kolonel en hoofd van Spetsnaz Alpha.'

Will wist dat Spetsnaz Alpha Ruslands effectiefste Special Forces-eenheid was, gespecialiseerd in antiterroristische operaties, bemachtiging van inlichtingen, persoonsbeveiliging, acties achter vijandelijke linies, sabotage, surveillance en directe actie. Het was onderdeel van de FSB en de leden van haar elitekorps waren gehuld in een waas van geheimzinnigheid.

'Sentinel heeft hem drie jaar geleden ontdekt en gerekruteerd als MI6-agent. Hij heeft hem de codenaam Razin gegeven en liet hem Rusland bespioneren.'

'Hoe heeft Sentinel dat in godsnaam voor elkaar gekregen?'

Patrick tuurde naar de papieren die voor hem lagen. 'Sentinel heeft Razin een aanbod gedaan dat hij niet kon weerstaan.' De CIA-medewerker schudde langzaam zijn hoofd en dempte zijn stem. 'Of dat dacht onze waker in ieder geval.'

Will vloekte in stilte. Plotseling drong er iets tot hem door. Razin was in Rybachiy geland met een parachute, samen met vierentwintig van zijn Alpha-soldaten. Hij had de basis laten weten dat ze op jacht waren naar een indringer en had Svelte vermoord. 'Waarom vermoordt Razin de agenten?'

'Dat weten we niet. Misschien op bevel van de FSB.'

'Eén man die ze eropuit sturen om tien agenten te vermoorden? Het zou gemakkelijker zijn als de politie hen arresteerde en hen in stilte liet verdwijnen.' Will schudde zijn hoofd. 'Hij handelt in zijn eentje.'

Een tijdje zweeg iedereen.

'Ik heb toegang nodig tot de dossiers van Sentinels agenten.'

'Uiteraard.' Patrick pakte de papieren en maakte er een stapeltje van. Hij zweeg even en zei toen: 'Morgen moet je naar Oekraïne om Sentinel te ontmoeten en hem vertellen dat Razin niet alleen de moordenaar is, maar ook een crisis wil veroorzaken om een oorlog tussen Rusland en Amerika te ontketenen.'

Will voelde een golf van ongeloof. 'Wat Razin ook doet, Rusland zou wel gek zijn als ze een oorlog tegen de VS begonnen. Ze hebben veel minder materieel.'

'Dat is waar.' Patrick keek somber. 'Maar ze hebben één ding op ons voor: ze zijn bereid miljoenen landgenoten op te offeren.'

Will dacht diep na. 'Hij gaat Alpha gebruiken om die crisis te veroorzaken.' Hij richtte zijn aandacht weer op de beide chefs. 'Hoewel ze loyaal aan hem zullen zijn, denk ik niet dat de mannen van Razin weten wat hij van plan is. Hij zal zodanig gebruik van hen maken dat ze niets vermoeden. Doen als of het een geheime training is of iets dergelijks. Razin is de sleutel. Als we hem kunnen uitschakelen, kunnen we deze hele operatie tegenhouden.' Hij keek op. 'Hebt u overwogen deze informatie te delen met de Russische premier?'

'Ja, en mijn president ook. Maar daarvoor zouden we hem eerst een begin van bewijs moeten laten zien. Het gevolg daarvan zou kunnen zijn dat we Sentinel en zijn agenten in gevaar brengen, en misschien zelfs ons hele netwerk in Rusland. De gevolgen daarvan zouden net zo verwoestend kunnen zijn als de acties van Razin.'

Will wist dat dit waar was. Hij sprak snel. 'Ik heb de mogelijkheid om hier heel snel een einde aan te maken. Ik moet Sentinel vragen een ontmoeting te regelen met Razin. Ik zal er zijn om hem te doden.'

'Vooropgezet dat Razin die bijeenkomst bijwoont.'

'Dat is het probleem.' Will dacht koortsachtig na. 'Razin zou dat kunnen doen als hij denkt dat zijn verraad nog steeds geheim is. Maar ik geloof dat ik hem heb gestoord in die barak waar Svelte zat; hij was nog niet klaar met Svelte. Ik denk dat hij me heeft horen binnenkomen. Mogelijk nam hij aan dat ik een van de marinemannen was en is hij vertrokken om geen gevaar te lopen. Later hebben Razins mannen het vuur op me geopend. Razin weet nu dat er een indringer is geweest. Hij zal zich zorgen maken over het feit dat ik met Svelte heb gesproken.'

'Nou, laten we hopen dat hij komt.'

Will schudde zijn hoofd. 'Er moet een reserveplan zijn.' Hij keek Alistair aan. 'Zoals u weet, moet ik een aantal van mijn alias-paspoorten hebben, maar ik heb ook een ongebruikt paspoort nodig met een onbeperkt visum voor Rusland.'

Alistair knikte. 'We hebben het paspoort voor je klaarliggen als je terugkomt uit Oekraïne.'

'Als ik terugkom?' Will schudde zijn hoofd. 'Ik kom pas terug als ik klaar ben. Zorg ervoor dat het paspoort beschikbaar is in Europa.'

'Wat is je reserveplan?'

Will ontspande zijn hand. 'Ik ben van plan Razin in diskrediet te brengen. Ervoor te zorgen dat hij wordt geschorst, misschien zelfs ontslagen... er hoe dan ook voor te zorgen dat hij buitenspel wordt gezet.' Zijn woorden klonken weloverwogen, hoewel hij persoonlijk betwijfelde of zijn plan zou werken. 'Als hij vervolgens geisoleerd en machteloos is, spoor ik hem op en jaag ik hem een kogel door het hoofd.'

4

Die avond zat Will aan een hoektafeltje in de discreet verlichte wijnbar van Washington DC's vijfsterrenhotel Willard Intercontinental. De bar was halfvol en om hem heen zaten ernstige, in dure kleding gestoken mannen en vrouwen in paren over hun drankjes gebogen. Ze zaten dicht bij elkaar en spraken met gedempte stem. Een lange man liep de barruimte door. Hij had glazen in zijn ene hand en ging tegenover hem zitten. Hij droeg een pak maar geen das. Hij zag er pezig en erg sterk uit, was drie jaar ouder dan Will, had strokleurig haar en een gezicht dat knap was maar getekend door de last van ervaringen die slechts weinig mensen hadden gekend. Hij zette twee glazen Maker's Mark whisky op het tafeltje, keek naar de mensen om hem heen en glimlachte. 'Lobbyisten, senatoren, zakenmensen, politieke adviseurs. Ik ken hen allemaal maar ze kennen mij niet.' De man schoof een van de glazen over tafel en keek Will aan. 'Neem een drankje.'

Will keek naar zijn glas voordat hij de paramilitaire officier van de CIA Special Operations Group aankeek. Hij glimlachte. 'Hallo, Roger.'

Roger Koenig hief zijn glas en toostte met Will. 'Goed om je weer te zien.'

De laatste keer dat Will Roger had gezien lag de officier met kogelwonden in een ziekenhuis in het dorpje Saranac Lake in New York. Hij was Wills enige vriend. 'Sinds wanneer ben je terug in actieve dienst?'

'Een paar maanden alweer.' De voormalige DEVGRU SEAL nam een slok van zijn whiskey. 'Hoe lang blijf je hier in de stad?'

Will dronk wat whiskey. 'Ik vertrek over een paar uur.'

'Jammer. Mijn vrouw had je willen uitnodigen voor een etentje.'

'Ik...'

'Ja, ja. Je werk komt eerst.' Hij keek Will indringend aan. 'Maak je geen zorgen, ik weet dat je een hekel hebt aan dat soort dingen.'

Hij grijnsde. 'Je kunt je uit elke netelige situatie kletsen, maar je bent doodsbang voor een familiedinertje en gesprekken over koetjes en kalfjes. Je moet het leven echt eens wat minder zwaar gaan opnemen.' Zijn gezichtsuitdrukking en de klank van zijn stem veranderden. 'Patrick heeft me verteld dat je net terug bent uit Rusland en dat je bijna bent gesneuveld.'

'Heeft hij je hierheen gestuurd om te controleren hoe het met me gaat?' Zodra hij die woorden had uitgesproken, had Will er spijt van.

Een uitdrukking van woede gleed over Rogers gezicht. 'Je zou me beter moeten kennen. Ik ben hiernaartoe gekomen om iets te drinken met de man die mijn leven heeft gered.'

'Stomme vraag. Sorry.'

De woede op Rogers gezicht trok weg, maar zijn gezichtsuitdrukking bleef streng. 'Probeer me niet weg te duwen, Cochrane. Ik ben niet als de anderen.'

Will knikte langzaam. Hij vroeg zich af waarom Roger hem trouw bleef. Het was waar dat hij het leven van de CIA-officier had gered, maar hij had de levens van zo veel mensen gered en geen van die mensen had langer dan noodzakelijk in zijn gezelschap willen blijven.

'Heb je nog iets van je zus gehoord?'

Will schudde zijn hoofd. 'Ze reageert niet op mijn telefoontjes en beantwoordt mijn brieven niet.'

'Geef het tijd.'

Dat had Will al gedaan. Hij had Sarah in de afgelopen negen jaar slechts één keer bij toeval gezien. Zijn aanwezigheid herinnerde haar aan de dag dat criminelen haar en hun moeder hadden geprobeerd te vermoorden toen Will en zijn zus nog tieners waren. Will had de mannen gedood, maar hij had niet kunnen voorkomen dat zijn moeder was omgekomen. 'Ik heb wat cadeautjes gekocht voor je kinderen.' Hij gaf Roger een Duty Free-tas van het vliegveld.

Roger keek wat erin zat. 'Teddyberen? Mijn tweelingzoons zijn twaalf en besteden al hun vrije uurtjes aan het vermoorden van elkaar met hun Xbox-spelletjes. Mijn dochter is net veertien geworden en begint over heel andere knuffels te denken.' Hij glimlachte. 'Maar bedankt voor de attentie.'

Will voelde zich opgelaten. 'Hoe is het met Laith?'

Laith was een CIA-SOG-officier en een ex-Delta Force-medewerker die met beide mannen had samengewerkt tijdens hun vorige opdracht. Net als Roger had Will Laith voor het laatst gezien in Saranac. Op dat moment was Laith' maag opengesneden met een mes.

'Hij heeft een tijdje in het ziekenhuis gelegen, maar hij kan nu weer aan het werk.' Rogers mobieltje piepte. Hij keek geïrriteerd op het schermpje.

'Werk gaat voor.' Will glimlachte.

'Dat geloof ik ook.' Hij stond op, nu met een zuur lachje. 'Zoek een aardige vrouw en trouw met haar. Dat is de oplossing voor al je problemen.'

Een uur later zat Will in zijn hotelkamer. Zijn tas was gepakt, hij zou gauw vertrekken. Hij zette de televisie aan en zapte langs de zenders tot hij een kanaal had gevonden met klassieke muziek. Een orkest speelde de zesde symfonie van Pjotr Iljitsj Tsjaikovski. Hij ging zitten, sloot zijn ogen en zette zijn vingertoppen tegen elkaar.

Toen het derde deel begon schoot hem een van zijn zeldzame mooie herinneringen te binnen. Hij was zestien jaar oud en hij had voor het eerst een echt afspraakje, met een meisje dat Mary heette. Hij kende haar al enkele jaren – ze hadden samen viool gespeeld in het schoolorkest – maar hij had pas kort tevoren de moed gevat om haar mee uit te vragen. Ze gingen naar een uitvoering van het National Symphony Orchestra in het John F. Kennedy Center for the Performing Arts. De muzikanten gaven een uitstekende uitvoering van de zesde symfonie. Will was zenuwachtig en zijn vriendinnetje ook, maar halverwege tijdens het derde deel had hij Mary aangekeken, geglimlacht en haar hand vastgepakt.

Het concert op televisie was even stil voordat men aan het vierde deel begon. De herinnering verdween en werd vervangen door een andere. Hij was twintig en hij zat in een café aan de oever van de Barada-rivier in Syriës hoofdstad Damascus. Hij droeg een spijkerbroek en een overhemd met open kraag en nipte aan een glas arak. De vroege avondzon voelde goed op zijn gebruinde huid en hij glimlachte terwijl hij luisterde naar het vierde deel van Tsjaikovski dat klonk uit de oude luidsprekers van het café. Verschillende tafeltjes van hem verwijderd zat een vrouw van ongeveer zijn leeftijd. Ze was erg knap, dronk een glas wijn en las een boek. Ze wierp hem een blik toe; Will glimlachte breder en ze reageerde. Drie mannen liepen de zaak in. Ze droegen mooie pakken en leken van middelbare leeftijd. Ze gingen aan een vrij tafeltje zitten, bestelden drankjes en begonnen met elkaar te praten met ernstige gezichten. Will keek weer naar de vrouw en vroeg zich af of ze beledigd zou zijn als hij haar iets te drinken aanbood. Hij keek naar de drie mannen en zag een ober op hen toe lopen met een blad met glazen. Een van de mobiele telefoons van de mannen rinkelde. De man stond op, luisterde, sloot zijn telefoon en sprak met de andere mannen terwijl hij de ober wegwuifde. Het was duidelijk dat ze snel ergens anders naartoe moesten.

Dat was niet de bedoeling.

Ze hadden er moeten blijven tot sluitingstijd, als er geen onschuldige toeschouwers meer in het café zouden zijn.

Will legde geld op tafel om voor zijn drankje te betalen, trok een pistool en schoot de drie mannen in het hoofd.

Will opende zijn ogen terwijl de herinnering vervaagde, maar hij kon zich de gezichtsuitdrukking van de vrouw nog goed voor de geest halen. Die veranderde van geschoktheid in walging terwijl ze hem aankeek. Hij kon het geschreeuw van de andere mensen in het café nog horen. Hij herinnerde zich hoe hij voor zijn GCP-leidinggevende had gestaan en een anonieme Franse inlichtingenofficier van de DGSE drie dagen voor die gebeurtenis. En hij herinnerde zich de woorden die de commandant tot hem had gericht.

Dit is je eerste zwarte operatie. Als je deze taak goed volbrengt, zullen er nog heel wat meer volgen.

5

De businessclass van de Boeing 737 van Ukraine International Airlines zat vol. De meeste passagiers zaten te lunchen. Will keek uit het raampje en zag dat ze over de met sneeuw bedekte Transsylvanische Alpen van Roemenië vlogen. Hij had nog niet geslapen sinds het vertrek uit Washington DC veertien uur geleden. Hij was via Londen naar Wenen gevlogen en vandaaruit naar Odessa. Het vliegtuig zou over ongeveer een uur landen. Spoedig daarna zou hij een ontmoeting hebben met Sentinel.

Niet voor de eerste keer tijdens deze reis vroeg Will zich af wat voor iemand Sentinel zou zijn. Alistair had hem gewaarschuwd dat Sentinel een gecompliceerde, moeilijke man was, en terecht. Er waren maar weinig mannen, zo ze er überhaupt al waren binnen de westerse inlichtingendienst, die zozeer en gedurende zo'n lange periode hun waarde hadden bewezen.

Hij probeerde te slapen maar zijn geest was te actief. Maar hij voelde zich vooral totaal niet op zijn gemak.

Will liep snel door de lobby van hotel Otrada naar de ingang. Hij was zes uur geleden in Oekraïne geland, had een kamer genomen in het luxehotel en was nu op weg naar zijn afspraak met Sentinel. Buiten schemerde het. Het was ijzig koud en boven Odessa hing een dichte mist. Hij nam een taxi en liet zich in noordelijke richting door de kuststad rijden. Overal stonden ouderwetse lantaarns die de weg beschenen met een mat, goudkleurig schijnsel. De Zwarte Zee lag naast hem, maar was nauwelijks te onderscheiden in het wegstervende avondlicht. Na drie kilometer naderde hij de oude stad en de naastgelegen haven. De taxi minderde vaart en de chauffeur mompelde in het Russisch, de voertaal in Oekraïne, dat ze vlak bij zijn bestemming waren.

Ze reden naar het noordwesten met de haven aan hun rechterhand. Het was hier beter verlicht maar de mist leek hier dichter.

Slechts af en toe kon je een glimp opvangen van de vrachtschepen en ferry's die afgemeerd lagen langs grote aanlegsteigers. Het krioelde van de voetgangers en auto's. De taxi stopte bij een hoofdweg die toegang gaf tot een van de steigers en de chauffeur hield zijn hand op. Will stopte hem wat hryvnia-biljetten toe en stapte uit in de Prymors'kastraat.

Het was nu bijna licht en erg koud, hoewel er geen sneeuw lag. Will sloeg de kraag van zijn jas op en keek in de richting van de haven. Oprijzend langs de weg lagen de beroemde, brede stenen treden van de Potemkintrappen, honderdtweeënveertig meter lang. Op een gewone dag zouden toeristen die naar boven liepen uitzicht hebben over de gehele haven. Maar vandaag kon je niet verder kijken dan dertig meter.

Will fronste zijn wenkbrauwen, keek links en rechts de weg af, zag hoe auto's voorzichtig door de mist reden, keek naar de haven achter hem en keek weer terug naar de Potemkintrappen en de weinige toeristen die hij er zag lopen. Er was hem verteld dat dit de ontmoetingsplek was, maar nu hij hier stond voelde het verkeerd: het was er te druk, en er leidden te veel routes vandaan en naartoe.

Een suv reed langs hem. Hij zag de achterlichten uit het zicht verdwijnen in de dichte mist. Hij keek weer om zich heen en hoorde het geluid van machines. Het klonk alsof ze hoorden bij andere grote voertuigen, en ze reden snel. Zijn hart sloeg over. Hij draaide zich snel om in de richting van de voertuigen en zag twee koplampen snel op hem af komen.

In een flits begreep hij precies wat er gebeurde.

Hij wist ook dat hij het moest toelaten.

Twee suv's kwamen hard remmend tot stilstand op de plek waar hij stond. Acht mannen sprongen eruit en renden naar hem toe. De suv die hem een paar tellen eerder was voorbijgereden dook weer op en reed snel achteruit naar waar hij stond voor hij stopte. De mannen grepen hem vast en draaiden zijn armen op zijn rug. Hij werd ruggelings naar de suv's gesleept, in een van de auto's gesmeten en er werden laarzen en knieën tegen zijn hoofd gezet. Alles gebeurde in minder dan zes seconden. Daarna schoten de suv's weg. Will werd tegen de grond gedrukt door grote en erg sterke mannen.

Het was onmogelijk te zien waar ze naartoe gingen. Will keek naar de twee mannen die hem stevig in hun greep hielden. Hun gezicht was in het duister gehuld en ze spraken niet. Ze maakten een erg professionele indruk, hoewel Will pas kon beoordelen hoe goed ze waren als hij zou besluiten iets te doen.

Het konvooi van drie voertuigen reed een uur lang door voor het stopte. Een mobiele telefoon ging af. Een van de vijf mannen in het voertuig van Will trok zijn telefoon tevoorschijn, luisterde ernaar, zei niets en knikte vervolgens naar de twee mannen die Will vasthielden. Portieren werden geopend. Will werd uit de suv gesleept en op de grond gegooid. Laarzen drukten zijn hoofd tegen de bevroren aarde. De drie suv's stonden bij elkaar en het enige licht in de omgeving was afkomstig van de voertuigen zelf. Je kon zien dat ze langs een weg met bomen stonden. Hij zag elf mannen te voet, allemaal gehuld in donkere winterkleding. Een van hen liep naar Will toe, knikte naar de man die hem tegen de grond gedrukt hield, liep drie passen weg van hen en richtte een pistool op Wills hoofd.

Handen grepen Will bij zijn kin en dwongen hem een knielende houding aan te nemen. Iedereen ging in een grote cirkel om hem heen staan, afgezien van de man met het pistool. Will en de man met het wapen vormden het middelpunt van die cirkel.

Will hief zijn hoofd en keek de man met het wapen aan. 'Krijg de klere.'

De man glimlachte, deed drie passen naar voren en schopte hem tegen zijn borst zodat hij achterover op zijn rug viel. Will spande onmiddellijk zijn spieren. Hij overwoog even een poging tot ontsnappen te doen, maar wist dat het zinloos was.

De man duwde het pistool ruw in Wills mond en zijn glimlach verbreedde zich. Daarna kreeg zijn gezicht een koude uitdrukking. Hij trok het wapen terug en knikte naar sommigen van de mannen. Een van hen sloeg Will met zo veel kracht op zijn achterhoofd dat hij op de grond viel. Zodra hij met zijn gezicht op de weg was beland, stampte er een laars in zijn nek die hem daar stil hield. Handen doorzochten de zakken van zijn overjas en zijn pak. Er zat niets in behalve zijn portemonnee en zijn paspoort. Beide werden afgepakt.

Er werd snel gesproken. De man met het pistool kwam voor Will staan, ging op zijn hurken zitten en smeet zijn paspoort en porte-feuille op de grond, een paar centimeter voor zijn gezicht. Will keek naar de man en sprak door op elkaar geklemde tanden. 'Heb ik de test doorstaan?' De man zei een tijdje niets voordat hij knikte. 'Hij moest zeker weten dat je de juiste persoon was en dat je niet werd gevolgd. Je bent ergens aan de rand van het dorp Dalnik. Wacht hier.' De laars op Wills hoofd werd weggehaald. Alle mannen stapten in twee van de auto's en reden snel weg. Will bleef alleen achter op de grond met de derde lege SUV naast hem. De motor liep en de lichten brandden nog. Will klauterde overeind en raapte zijn paspoort en portefeuille op. Hij keek naar het terrein voor zich dat werd verlicht door de koplampen. Het was nu erg rustig en stil. De ijskoude mist was overal. Hij veegde ijs van zijn kleren maar hield zijn blik op de omgeving gericht. Hij wachtte en probeerde elke nieuwe omtrek of beweging te ontwaren. Nadat hij twee passen naar voren had gezet bleef hij tien minuten stilstaan, luisterend, kijkend. Hij liep nog wat verder naar voren totdat hij volledig in de koplampen van de SUV stond. Zo bleef hij nog een kwartier staan. De motor van de SUV achter hem draaide bijna geruisloos stationair. Uitlaatgassen dreven door de lucht en mengden zich met de mist die hem nu bijna volledig omhulde. Hij stond volledig in het zicht en hij verafschuwde het dat hij zo kwetsbaar was. Maar hij wist dat hij kalm moest blijven. Het was nu erg koud, zo koud dat elke inademing pijn deed.

Het stadje Dalnik klonk bekend en hij probeerde zich te herinneren waarom. Het had te maken met iets wat hij lang geleden had geleerd, misschien op school. Toen wist hij het weer. In 1941 hadden met de nazi's sympathiserende Roemeense soldaten vijfentwintigduizend Joden bij elkaar gedreven in Odessa. Ze werden gedwongen de dertig kilometer te lopen die hij per auto had gereden om hier te komen. Drieduizend van hen, voornamelijk de ouderen, kinderen en de fysiek en mentaal gehandicapten, konden niet snel genoeg lopen en werden onderweg doodgeschoten of opgehangen. Degenen die het levend tot hier haalden werden in vier pakhuizen gedreven, waarschijnlijk vlak bij de plek waar Will nu stond. De Roemeense troepen maakten gaten in de gebouwen die groot genoeg waren voor machinegeweren, sloten de deuren, zetten de wa-

41

pens in de gaten en openden het vuur. Later staken ze de gebouwen in brand en smeten ze er granaten in om er zeker van te zijn dat geen enkele Jood het zou overleven.

Hij hoorde een geluid en keek snel in de richting waar het vandaan kwam. Hij hoorde eerst niets meer, maar toen hoorde hij iets wat leek op een voetstap op de ijzige grond, gevolgd door nog een en nog een. Hij wachtte. De geluiden hielden op. De roerloos hangende mist bedekte alles als een deken. Je kon geen hand voor ogen zien. Alles was weer rustig. Toen klonk er weer een knerpend geluid, en daarna nogmaals.

Toen zag hij hem. Eerst was hij slechts een donkere schim, maar toen hij dichterbij kwam zag Will dat het iemand was die behoedzaam en weloverwogen zijn kant op liep. Hij was tien meter van hem verwijderd, zijn gezicht nog steeds verborgen in de mist, en hij hield iets vast. Het was bijna zeker een pistool en dat was waarschijnlijk al de hele tijd op hem gericht. De man bleef staan, nog steeds zo ver van hem af dat hij zijn gelaatstrekken niet kon onderscheiden. Hij hief zijn wapen hoog zodat Will duidelijk kon zien dat het op hem was gericht. Hij hield het met twee handen vast en liep plotseling snel op hem af. Binnen een fractie van een seconde zag Will dat hij een lange man was, atletisch, van middelbare leeftijd, gladgeschoren, met goed verzorgd kort blond haar. Hij droeg een windjack, een spijkerbroek en wandelschoenen.

Sentinel. De waker.

Hij naderde tot op drie meter, bleef staan en blafte in een goed Engels accent: 'De Service kan maar beter een verdomd goede reden hebben voor het organiseren van deze afspraak.' Hij hield zijn pistool op het hoofd van Will gericht. 'Je hebt tien seconden om me ervan te overtuigen dat ik de trekker niet moet overhalen.'

6

Gedurende de eerste minuten na zonsopkomst waren er bosgebieden, her en der verspreide rode bessen, met sneeuw bedekte grond en sneeuwvlokken die sereen uit de lucht vielen te zien. Er hingen nog steeds mistflarden, waardoor het oord iets griezeligs kreeg. Will draaide zich af van het uitzicht en keek om zich heen in de grote kamer. Zes grote ramen in een ruimte die eruitzag als een ruime gezinskeuken. Dat was zoals het moest zijn, want Sentinels onderduikadressen zagen er allemaal uit als echte gezinswoningen.

Sentinel stond in het midden van de kamer en sprak in rap Sloveens in zijn mobieltje. Hij beëindigde het gesprek, schonk zwarte koffie in een mok en ging aan de keukentafel zitten.

Will ging bij hem zitten.

Sentinel haalde drie pistoolmagazijnen uit zijn broekzak en haalde er voorzichtig kogels uit. Hij zette ze op tafel totdat er tien verticaal op een rij stonden met het ontstekingshoedje op tafel. Hij pakte nog een magazijn, pakte achter zijn rug een Sig Sauer P229-pistool en ramde het nieuwe magazijn in het wapen. Hij plaatste de mond van het wapen tegen een van de kogels, tikte het projectiel omver en deed hetzelfde met nog eens drie kogels. Hij keek Will aan met ijskoude blauwe ogen. 'Ik heb nu tweehonderdzeventig agenten die voor me werken. Honderdtachtig ervan zijn Russen die binnen hun eigen land werken, zeventig zijn Oekraïense, Wit-Russische, Letse, Estlandse en Finse mannen, zoals die kerels die je aan de voet van de Potemkintrappen hebben gegrepen, en twintig ervan zijn West-Europese, ondersteunende agenten – grotendeels rijke individuen, wapenhandelaren, en valsemunters die ik gebruik om mijn operaties te financieren en te onderhouden als MI6 me niet kan helpen. Maar in het voorste gelid,' hij keek weer naar de kogels, 'staan mijn Russische agenten, mijn eersterangs inlichtingenverschaffers. Ik had er tien van, nu nog maar zes. Ze riskeren allemaal hun leven voor me zodat het Westen kan profiteren van hun inlichtingen over Rusland. Weet je waarom ze dat doen?'

Will zei niets.

Sentinel gleed met zijn vingers over de vier liggende patronen en sloot even zijn ogen. Gedurende een zeer kort moment trok er een golf van droefheid over zijn gezicht. Daarna werd zijn gezichtsuitdrukking weer koud. 'Ze doen het omdat ze van Rusland houden en ze haten de mensen die er de leiding hebben.'

Will knikte.

Sentinel keek naar de kogels. Hij trok de slede van de Sig Sauer terug, deed een patroon in de kamer, legde het pistool op tafel en mompelde bij zichzelf: 'Klootzak.'

'Verdacht je hem niet?'

'Daar had ik geen aanleiding toe. Ik heb die moorden onderzocht, maar tot nu toe heb ik niets ontdekt. Ik was tot de conclusie gekomen dat de moordenaars afkomstig waren van de SVR of FSB.'

'Hoe is Khmelnytsky achter de identiteit van je agenten gekomen?'

Sentinel staarde hem aan.

'Heb je operationele fouten gemaakt? Misschien heeft Razin je gevolgd naar bijeenkomsten met je agenten.'

Sentinel verroerde zich niet.

'Je kunt me vertrouwen.'

'Vertrouwen?' Het volume van Sentinels stem deed de ruimte trillen. 'Ik vertrouw niemand, en zeker niet iemand die ik pas enkele uren ken.' Hij draaide het pistool rond zodat de vuurmond in de richting van Will wees. 'Werk je in het Ruslandteam van de Service?'

'Nee.'

'Afdeling Security?'

'Nee.'

'Wat heb je dan verdomme met mij te maken?'

Will negeerde de vraag. 'Je moet een bijeenkomst met Razin organiseren zodat ik hem kan doden.'

Sentinel lachte. 'Heb je zijn dossier gelezen?'

'Uiteraard.'

Sentinels gezicht kreeg een andere uitdrukking. 'Dan weet je dat het waarschijnlijker is dat hij ons zal doden.'

'Dat risico ben ik bereid te nemen. En jij?'

Sentinel legde een hand over het pistool. 'Hoe lang werk je al voor de Service?'

'Lang genoeg om me niet te hoeven bewijzen door op dit soort vragen antwoord te geven.'

'We zullen zien.' Sentinel sprak snel. 'Ik heb geen idee hoe Razin de identiteit kent van mijn andere agenten, en ik weet ook niet hoe Svelte erachter is gekomen dat hij een verrader is.' Hij verhief zijn stem. 'Ik heb géén operationele fouten gemaakt.'

Will sloeg zijn ogen niet neer. 'Razin heeft als hoofd van Alpha een heel krachtig wapen, maar hij heeft meer dan dat nodig om een oorlog te ontketenen. Enig idee wat hij zou kunnen doen?'

'Ja.'

'Ik luister.'

Stilte.

Will legde een vinger tegen de punt van Sentinels pistool en duwde die opzij zodat de loop niet langer zijn kant op wees.

Maar Sentinel bleef zijn hand boven het pistool houden. 'Je had hier niet moeten komen. En je moet nu onmiddellijk vertrekken want ik zal je verder niets meer vertellen.'

Will haalde zijn mobieltje tevoorschijn. 'We dachten al dat je zoiets zou zeggen.' Hij drukte op enkele toetsen, schakelde de luidspreker in en legde de telefoon tussen hen in op tafel.

Een man antwoordde. '*Een ogenblik, we verbinden het gesprek door.*'

Dertig seconden later zei dezelfde man: '*Oké, u hebt verbinding met de chef.*'

De hoogste baas van MI6.

De uitdrukking op Sentinels gezicht bleef vijandig terwijl hij een blik op Will en op het mobieltje wierp. 'Jullie loopjongen stelt te veel vragen. Ik heb gezegd dat hij moet opdonderen.'

De chef antwoordde met afgewogen en diepe stem. '*Hij heeft mijn toestemming om te blijven.*'

Sentinel schudde zijn hoofd. 'Je hebt niets over mij te zeggen.'

'*Zo mag je niet tegen me praten.*'

'Dat mag ik wel. Sinds ik in het veld werk, heb ik met zes verschillende chefs te maken gehad. Ze komen en gaan. Maar ik ben gebleven.'

'*Je doet wat je wordt opgedragen!*'

Sentinel boog zich dichter naar de telefoon toe. 'Ik doe waar ik zelf zin in heb. En als ik wil, passeer ik jou en praat ik rechtstreeks met de premier. Ik zal hem vertellen dat je je met mijn zaken bemoeit en dat ik daar niet van houd. Onze premiers hebben altijd gedaan wat ik zei dat ze moesten doen.' Hij leunde achterover. 'Je weet dat ik die macht heb. Zeg tegen je loopjongen dat hij vertrekt, of het zal onplezierig voor je aflopen.'

De chef was vijf seconden stil voordat hij zei: '*Ik bemoei me nergens mee, ik geef je hulp.*'

'Hulp waar ik niet om heb gevraagd. Je neemt dergelijke beslissingen niet zonder eerst met mij te overleggen.'

Meer stilte. Toen: '*De man die ik heb gestuurd wordt geleid door een controller die bij jouw intake was toen je voor* MI6 *ging werken.*'

Sentinel kneep zijn ogen tot spleetjes. 'Naam?'

'*Alistair McCulloch.*'

Op Sentinels gezicht verscheen een flauw lachje. 'Ik heb gehoord dat hij is bevorderd. Ik heb ook gehoord dat hij de leiding heeft gekregen over een onbelangrijke administratieve afdeling.'

'*Dat is wat jij en alle anderen te horen moesten krijgen.*'

De glimlach verdween. 'De Service houdt geen informatie achter voor mensen zoals ik.'

'*Wanneer heb je Alistair voor het laatst gezien?*'

Sentinel antwoordde met op elkaar geklemde kaken. 'Negen jaar geleden.'

'*Dat moet een ongemakkelijke bijeenkomst zijn geweest. Toen ben je immers je Spartaanse codenaam kwijtgeraakt.*'

Het feit dat die codenaam werd genoemd verraste Sentinel duidelijk. 'De Spartaanse Sectie werd opgeheven.'

'*Waarom?*'

'Lees de dossiers.'

'*Ik vraag me af waarom mijn voorganger Alistair heeft gestuurd om je van het nieuws op de hoogte te stellen.*'

'Waarschijnlijk omdat de eerdere chef te bang was om het zelf te doen.'

'*Ik heb de dossiers gelezen. Je bent je titel kwijtgeraakt omdat er dingen zijn gebeurd sinds je gevangen werd genomen. Rusland was niet langer de enige grote dreiging. De Spartaanse Sectie kan alleen van belang zijn als haar officier wereldwijd inzetbaar is. Dat konden ze met jou niet doen omdat je van te groot belang was voor de Russische operaties.'*

Sentinel schoof het pistool dicht naar zijn lichaam, buiten het bereik van Will.

'Je was te specialistisch geworden.'

'Pech voor hen.'

'Juist des te beter voor hen. MI6 kon zich niet veroorloven jouw belang te onderschatten.'

'Je mag wel een verdomd goede reden hebben om hier over te praten.'

'Die heb ik ook. Alistair is om een zeer specifieke reden naar je toe gezonden. Het moest hem zijn, omdat hij net de leiding had gekregen over de vernieuwde Spartaanse Sectie.'

Sentinel staarde naar de telefoon en zijn gezichtsuitdrukking veranderde. Hij leek diep in gedachten verzonken. Na een tijdje keek hij op naar Will en vroeg: 'Is dit hem?'

'Ja.'

Sentinel knikte langzaam, keek weg en mompelde: 'Ze zijn ermee doorgegaan.'

'Het was niet gemakkelijk. Acht rekruten voor hem... hebben gefaald. De toekomst van de Sectie hing volledig af van iemand die het programma zou halen. Ik heb hem naar jou gestuurd uit respect voor wie jij bent.' Hij zweeg even. *'Hij zou graag met je samenwerken. Maar ik geef toe dat ik je niet kan bevelen dat te doen.'*

Het was stil in de kamer. Will bleef zijn blik op Sentinel gericht houden.

Sentinel pakte de telefoon op. 'Oké, ik doe het. Maar geen verrassingen meer. Begrepen?'

'Dat begrijp ik heel goed.'

Sentinel beëindigde het gesprek en gooide de telefoon naar Will. Hij sprak op rustige, afgewogen toon. 'Razin en zijn mannen hebben instructies ontvangen van het Russische opperbevel om in het geheim te trainen met twintig wapenprototypen. Dat zijn apparaten ongeveer ter grootte van een kleine koffer. Ze zijn uiterst geavanceerd. Ze kunnen naar men aanneemt worden gebruikt op conventionele strijdperken en in onconventionele situaties van oorlog en vrede. Het is Alpha's taak om te bewijzen dat die veronderstelling juist is en ook om te bewijzen dat de wapens kunnen worden binnengesmokkeld in zwaar verdedigde gebieden. Gedurende de laatste paar maanden hebben Razin en zijn mannen Russische luchthavens, marine-installaties, legerdepots en regeringsgebouwen in het geheim bezocht om deze wapens te plaatsen. Tot nu toe heeft elke infiltratie met succes plaatsgehad. De wapens zijn sindsdien door Razins mannen verwijderd en in hun bezit gehouden. De trainingsoefening wordt in de komende weken voltooid, en op dat moment zullen de geheime wapens worden teruggegeven aan het leger.'

'Is dat de manier waarop hij een oorlog wil ontketenen?'

'Dat moet wel.' Sentinel keek weer naar de liggende patronen en schudde zijn hoofd. 'Ik zal een urgent bericht naar Razin sturen dat we elkaar moeten ontmoeten op een geheim adres bij de Russische grens. We hebben dat adres eerder gebruikte dus hij zal geen argwaan koesteren. Ik zal in dat bericht ook melden dat er mensen zijn gedood, dat ik me zorgen maak om zijn veiligheid en dat ik hem op de hoogte moet brengen van nieuwe beveiligingsprotocols.'

Will voelde dat zijn buikspieren zich samentrokken. 'Die geheime wapens?'

Met het pistool in zijn hand stond Sentinel op en liep naar het raam. Buiten viel de sneeuw steeds heviger, opgewaaid door een harde wind. Hun omgeving maakte niet langer een griezelig serene indruk en leek nu eerder hardvochtig en gewelddadig. Sentinel wendde zich langzaam naar Will. Toen hij sprak klonk zijn stem diep en somber.

'Het gaat om kernbommen.'

7

Will stond naakt in zijn kamer van hotel Otrada en staarde naar zijn spullen die op bed lagen uitgespreid. Hij koos wat kleren, controleerde elk kledingstuk zorgvuldig om er zeker van te zijn dat nergens een compromitterend voorwerp in zat, een of ander bonnetje bijvoorbeeld, en kleedde zich aan. Hij keek in de spiegel en vond dat hij eruitzag als iemand die op het punt stond een winterwandeling te maken. Hij stopte contant geld in zijn jaszak en deed alle andere zaken, inclusief zijn portefeuille en paspoort weer in zijn koffer. Die koffer zou hij achterlaten bij de conciërge. Hij keek door het raam naar de drukte van het verkeer rond lunchtijd dat langzaam onder hem voort kroop door de sneeuw. De mist was inmiddels opgetrokken. In de verte was de Zwarte Zee goed zichtbaar.

Hij verwarmde water, scheurde drie theezakjes open en strooide de inhoud in een mok. Hij schonk langzaam kokend water over de losse thee en roerde voorzichtig. Hij pakte de mok, keek naar de luxueuze bank en de twee armstoelen in de kamer, negeerde die en ging op de grond zitten met zijn rug tegen de muur. Hij wachtte een paar minuten tot de theeblaadjes op de bodem van de mok tot rust waren gekomen, nipte van de hete drank en sloot even genietend zijn ogen. Hoewel deze thee niet te vergelijken was met zijn favoriete Schotse ontbijtthee, was hij best goed. Hij had altijd geweten dat zelfs de minst verfijnde thee nog redelijk smaakte als de blaadjes op de juiste manier werden behandeld en je er niets anders dan heet water bij deed.

Hij dacht na over Sentinel. Hij vroeg zich af of hij op middelbare leeftijd hetzelfde zou zijn. Of zou er iets gebeuren dat zijn levenspad drastisch zou veranderen? Die man had veel eigenschappen die Will niet alleen begreep maar ook herkende in zichzelf: wantrouwen jegens anderen, een leven van extremen, een leven met een voortdurende focus, een leven dat alleen werd geleefd. Maar

Sentinel had iets wat hij nog niet had: een acceptatie van die manier van leven, het besef dat er nooit een alternatief zou zijn voor dat bestaan.

Will herinnerde zich de woorden die negen jaar geleden tegen hem werden gezegd toen een anonieme MI6-officier vroeg of hij bereid was het Spartaanse Programma te doorlopen.

Voordat je toestemt moet je dit begrijpen. Er is geen weg terug. Als je dit programma overleeft, zal alles anders voor je zijn. Je lichaam, je geest, je leven. Alles.

Hij herinnerde zich dat hij naar de rand van een bos in Schotland werd gesleept, na twee weken van gevangenschap, slaaponthouding en marteling door MI6 en instructeurs van de Special Forces. Daarvoor was hij opgejaagd door gewapende spoorvolgers en speurhonden, over een bevroren terrein van honderdvijftig kilometer. Terwijl hij op de grond werd gesmeten liep een instructeur snel op hem toe, trok zijn hoofd overeind, wees op het bos en gaf hem zijn volgende taak.

Het bos is drie kilometer lang en anderhalve kilometer breed. Er zitten vier zeer geoefende SBS-soldaten in. Ze zijn gewapend. Jij niet. Je moet hen vinden en uitschakelen, maar wel in leven laten. Als je het bos verlaat voordat je dat hebt gedaan, ben je gezakt voor het programma. En vergeet niet dat dit geen kunstmatige test is. De mannen in dat bos hebben toestemming om je zwaar aan te pakken.

Hij nam nog een slok thee en opende zijn ogen. Vele jaren voor Will zou Sentinel ook in dat bos zijn geweest. Hij zou uitgeput zijn geweest, gedesoriënteerd, wanhopig pogend om die mannen te vinden voordat ze hem vonden, maar voortdurend met de twijfel of hij wel over de snelheid, kracht en de vaardigheden beschikte om hen te verslaan. Hij zou zich hebben afgevraagd of die dag zijn laatste dag op aarde was, net zoals hij zich dat op de andere dagen had afgevraagd tijdens de twaalf maanden van het Spartaanse Programma.

Net als Sentinel had Will die test in het bos met succes afgelegd. Maar er was één ding dat hij nooit te boven was gekomen: de fantasie over een ander, gewoon leven. Negen jaar geleden had hij even de kans gehad om zijn leven die wending te geven. Hij stond op het punt af te studeren aan de universiteit van Cambridge toen een van zijn professoren hem apart nam en hem een volledige beurs aanbood zodat hij kon promoveren en een academische carrière kon opbouwen.

Ik weet hoe moeilijk het voor je is geweest na je ervaringen in het leger. Ik weet waarom je zo stil bent, terwijl de andere studenten dol zijn op het geluid van hun eigen stem. Maar je hebt een messcherp intellect en je krijgt nu de kans om er iets goeds mee te doen. Blijf in Cambridge.

Ik hoor hier niet, had Will geantwoord.

Waar hoor je dan wel thuis? had de professor tegengeworpen. *Heb je wel een helder idee waar die plek zou kunnen zijn? Ik denk het niet. Pas maar op, want op een dag kijk je om je heen en merk je dat je helemaal alleen bent.*

Will wist dat die dag voor Sentinel al lang voorbij was, maar Will had heel even werkelijk medeleven en droefheid op Sentinels gezicht gezien toen hij terugdacht aan zijn vier gesneuvelde agenten. Will begreep het. Sentinels agenten en contactpersonen waren zijn familie, een familie die je met niets anders kon vergelijken.

Maar hoewel hun werk gevaarlijk was en ze een geïsoleerd bestaan leidden, was Will er zeker van dat geen van hen de last droeg die Sentinel torste. Will had gewerkt met veel moedige en machtige mannen en vrouwen, maar Sentinel was een klasse apart. Zo lang overleefd te hebben in het grootste geheim was op zichzelf al opmerkelijk, maar Sentinel had dat gedaan terwijl hij tegelijkertijd een inlichtingennetwerk had opgebouwd dat met niets te vergelijken viel. Will had nog nooit iemand ontmoet die zo capabel was.

Hij dronk zijn thee op, keek op zijn horloge en zuchtte. Hij moest weg, hij moest zijn krachten bundelen met de man wiens evenbeeld hij waarschijnlijk ooit zou zijn. Razin had gereageerd op het bericht van Sentinel en hij had ingestemd met een ontmoeting. Niets wees erop dat Razin argwaan koesterde.

Maar Razin was dan ook een professional.

Als ze elkaar zouden ontmoeten, hoogstwaarschijnlijk binnen de komende vierentwintig uur, zou ten minste een van hen drieën om het leven komen.

8

De sedan reed in oostelijke richting door het besneeuwde Oekra-
iense landschap. Ze hadden een afstand van ruim zeshonderd kilometer afgelegd, met de Zwarte Zee en later de Zee van Azov aan
hun rechterhand. Will zat naast Sentinel op de achterbank. Een
jonge Oekraïense man die Oleksandr heette zat achter het stuur.
Niemand sprak tijdens de rit.

Het was nacht toen de auto de helder verlichte industriële ha-
venstad Mariupol bereikte. Daarna reden ze nog tweehonderdne-
gentig kilometer verder naar het noordoosten. Na vijftien uur van
bijna voortdurend rijden sinds hun vertrek uit Odessa, met slechts
twee tussenstops om te tanken, bracht Oleksandr de auto tot stilstand op een schemerig verlichte, verlaten weg. Hij zette de motor
uit, doofde de lichten en wees voor hem naar de duisternis. 'Rusland.'

Sentinel opende het portier, strekte zijn ledematen en stapte uit.
Will en Oleksandr deden hetzelfde en de Oekraïner liep naar de
achterkant van de auto om de kofferbak open te maken. Het
sneeuwde hevig. Uit een rugzak haalde Oleksandr twee HS-2000-
pistolen en extra magazijnen. Hij gaf ze aan de MI6-agenten die de
pistolen en munitie in hun jas staken.

De chauffeur sloeg de kraag van zijn dikke jas op en stak zijn
handen in zijn zakken. In het licht van een naburige straatlantaarn
was te zien dat de man er uitgeput en koud uitzag. Hij keek naar
Will. 'Ben je hier eerder de grens overgestoken?'

'Nee, dat heeft hij niet eerder gedaan.' Sentinel keek de kant op
van Rusland.

Oleksandr knikte. 'Normaal gesproken is het gemakkelijk. Er
zijn geen hindernissen, alleen open velden in het grensgebied. De
Oekraïense grensbewaking is onderbemand en niet toegerust om
de duizenden kilometers grens te kunnen bewaken. Ze hebben ongeveer een bewaker per dertig kilometer.' Hij keek Sentinel aan.

'De dingen zijn veranderd. De Russen en Oekraïners hebben hun grensbewaking onlangs versterkt, het aantal bewakers verhoogd en ze zijn nu uitgerust met thermische apparatuur en infraroodtechnologie. Ze maken zich zorgen over illegale immigranten die de grens oversteken vanuit Rusland.' Hij haalde twee IR/TG-7 warmtegevoelige kijkers met hoofdband uit de kofferbak. 'Die zullen van pas komen. Maar jullie zullen uiterst voorzichtig moeten zijn.'

Sentinel keek naar Oleksandr. 'Stop ergens acht kilometer hiervandaan op een rustig plekje en probeer een paar uur te slapen. Wacht daar op ons.'

Hij knikte en wreef over zijn vermoeide gezicht. 'Goed, baas.'

Sentinel glimlachte met sympathie terwijl hij de jonge Oekraïner bij de schouder greep. 'Doe de groeten aan je broer en je oom en zeg tegen je moeder dat ik haar nog wat meer geld zal geven voor de begrafenis van haar echtgenoot als ik terug ben.'

Oleksandr reageerde nijdig. 'Mijn vader had nu hier bij u willen zijn.' Hij spuwde op de grond. 'Verdomde FSB. Ze hadden hem moeten arresteren toen ze hem in Moskou in de val hadden gelokt. Ze hadden hem niet als een hond moeten neerschieten.'

Sentinel knikte langzaam. 'Het was een voorrecht om met hem te mogen werken.'

'Het allerbeste, chef.' Oleksandr zuchtte, zocht iets in zijn jaszak en haalde er een plat metalen doosje uit. 'Geeft u dit alstublieft aan Polina. Twintig sigaretten, met de hand gerold door mijn moeder. Ze bevatten haar geliefde zongerijpte Ottomaanse tabak.' Hij gaf Sentinel het doosje. 'We hadden geen tijd om meer te maken.'

Sentinel stak het in een van zijn binnenzakken. 'Ze zal er heel blij mee zijn.'

Oleksandr vouwde zijn armen voor zijn borst over elkaar en wierp een blik op Rusland. 'Kom veilig thuis, chef.'

'De grens is hier acht kilometer vandaan. We moeten zorgen dat we aankomen als het nog donker is. Kom, we gaan.'

Will bevestigde de thermische kijker op zijn hoofd en keek om zich heen. Hoewel er geen enkele lichtbron was, gaf zijn TG-7 hem een perfect zwart-witbeeld van zijn omgeving tot op driehonderd meter. Sentinel en hij lagen plat op de grond. In de vlakke, open velden voor hen stonden geen bomen of andere grote obstakels. Het sneeuwde nog steeds. Ze bevonden zich op anderhalve kilometer van de grens.

Ze bleven zo tien minuten liggen, toen kwam Sentinel langzaam overeind tot een hurkzit. Hij greep zijn pistool en bewoog zich snel voorwaarts. Na honderd meter stopte hij, liet zich op de grond vallen, wachtte en wenkte Will. Will bewoog snel maar bleef gebukt, zijn pistool in de aanslag. Hij bereikte Sentinel, ging plat op de grond naast hem liggen, keek om zich heen, zag niets en wierp een blik op zijn collega. Sentinel knikte en wees voor zich uit. Will kwam overeind en sprintte tweehonderd meter naar voren. Ondertussen keek hij onophoudelijk naar links, naar rechts en voor zich. Hij bereikte de rand van het veld en zorgde dat zijn hoofd niet boven de lage heg uitstak. Er lag nu een ander veld voor hen, maar dit veld was een stuk groter. Hij hief zijn arm en seinde Sentinel dat hij zich bij hem kon voegen.

Toen Sentinel er was, ging hij op één knie zitten. Hij keek honderdtachtig graden in de rondte zodat hij alles voor hem had gezien. Toen sprong hij over de heg en rende door totdat hij zich ongeveer tweehonderdvijftig meter voor Will bevond. Will hield zich roerloos en lette uitsluitend op de witte contouren van Sentinel. De MI6-agent lag plat op de grond, roerloos. Hij bleef ongeveer tien minuten zo liggen. Will wist dat er iets niet in de haak was.

Sentinel stak een hand op en gebaarde dat Will naar voren moest komen maar dat hij wel moest bukken. Will zette zich in beweging, greep zijn pistool met beide handen beet en rende zo snel als hij dat gebukt kon doen. Hij hield daarbij Sentinel voortdurend in het oog. Toen hij hem op vijftig meter was genaderd, dook Will naar voren en landde met een bonk op de grond. Hij bleef enkele minuten stil liggen, zijn ogen gericht op Sentinel en zijn omgeving. Sentinel bewoog zijn hand. Will tijgerde over de met sneeuw bedekte grond naar Sentinel toe.

Sentinel lag roerloos, stil en tuurde naar voren. Will keek dezelfde kant op. Tweehonderd meter voor hen liepen twee soldaten. Beiden droegen automatische geweren. Een van de mannen keek door een verrekijker.

Sentinel kroop naar Will toe, maakte met zijn handen een kommetje rond Wills oor en fluisterde: 'Oekraïense grensbewakers. De man rechts heeft een thermische kijker, maar hij heeft me niet gezien dus zijn verrekijker heeft waarschijnlijk maar een beperkt zicht. We lopen om hen heen.'

Will knikte en Sentinel ging weer plat liggen. De bewaker met de verrekijker draaide rond en stond vervolgens weer een paar tellen stil voordat hij zich verder ronddraaide. Hij bekeek zijn hele omgeving, maar waarschijnlijk zag hij niets van wat zich op meer dan honderdvijftig meter afstand van hem bevond. De andere soldaat stond stil en hield zijn geweer vast. Will kwam behoedzaam overeind en liep twintig meter naar achteren. Sentinel deed hetzelfde. Voorovergebogen rende Will naar links, terwijl hij ondertussen de route voor hem in de gaten hield. Sentinel bevond zich direct achter hem en Will wist dat hij niet voor zich uit keek, maar in plaats daarvan de soldaten in de gaten hield om te controleren of ze de MI6-agenten hadden ontdekt.

Na vierhonderd meter veranderde Will van richting zodat hij terugliep naar de grens, maar nu ver genoeg van de twee soldaten verwijderd om buiten hun zicht te blijven. Rechts van hem kon hij de mannen net zien; ze stonden nog steeds stil. Hij keek voor zich, bleef abrupt staan en liet zich op de grond vallen. Twee andere soldaten bevonden zich op een afstand van honderdvijftig meter van hem vandaan, zijdelings van zijn positie. Beiden zaten op een knie. Een keek door een groot telescoopvizier van een geweer naar de weg pal voor hen, de ander stond met zijn rug naar zijn collega en hield door het vizier van zijn geweer de andere kant in de gaten.

Sentinel kroop naast Will. De man zei nu even niets, maar Will wist dat ze beiden hetzelfde dachten. Dit waren eveneens Oekraïense grensbewakers. Maar deze mannen beschikten zo te zien over krachtige nachtkijkers en ze waren zodanig gepositioneerd dat ze minstens duizend meter land in beide richtingen konden observeren. De soldaten stonden roerloos stil en keken niet hun kant op.

Sentinel zette opnieuw zijn handen om Wills oor. 'Het wordt gauw licht. Kom achter me aan, snel.'

De grond was inmiddels al bedekt met dertig centimeter sneeuw en er viel snel meer. Ze sprongen overeind en renden parallel aan de bewakers weg. Na tien minuten stopte Sentinel opnieuw. Hij greep Will bij zijn arm en trok hem omlaag. Beide mannen ademden snel. Sentinel keek om in de richting waar ze vandaan waren gekomen voordat hij Will aankeek. 'Ik weet zeker dat ze ons nu niet meer kunnen zien.'

Sentinel draaide zich om in de richting waar Rusland lag en liep snel die kant op, met Will vlak achter hem. Het was duidelijk dat hij precies wist waar hij naartoe moest en dat hij zijn route met precisie had gekozen. Af en toe stopte hij, gebaarde naar Will dat hij hetzelfde moest doen, keek om zich heen, deed een paar passen naar rechts of naar links en liep door. Na drie kilometer minderde Sentinel vaart en toen bleef hij staan. Het landschap om hen heen was glooiend en bebost.

'Welkom in Rusland.'

Ze liepen naar een gebied met dicht bos. Will was blij met die bescherming, hoewel hij voortdurend rond bleef speuren naar verdekt opgestelde soldaten. Na nog eens twintig minuten begon het bos uit te dunnen. Will zette zijn nachtkijker af en keek om zich heen. De eerste tekenen van daglicht begonnen door te dringen tot het bos, hoewel de bodem nog steeds donker was. Hij wilde zich net verroeren toen hij geluiden voor hem hoorde. Ze waren eerst nog ver, maar ze werden snel herkenbaar.

'Honden!' Sentinel keek haastig om zich heen.

De naderende honden betekenden dat er gewapende soldaten in de buurt waren. Will hoopte dat de honden niet los liepen, want dan zouden ze worden gevonden. Maar als hij de honden neerschoot zou dat de grensbewaking alarmeren en zouden de kansen om terug te keren naar Oekraïne veel kleiner zijn.

Hij zag ze. Het waren twee grote Duitse herders. De eerste liep vijftien meter voor de andere. Ze blaften en renden over een smal stuk open terrein. Het was duidelijk dat ze de MI6-officieren hadden ontdekt. Will rende naar voren, ging op zijn hurken zitten en wachtte. De dichtstbijzijnde hond was nu vijftien meter van hem vandaan.

Vier seconden gingen voorbij.

Plotseling was de hond hem tot op enkele meters genaderd. Hij sprong met zijn bek wijd open door de lucht.

Will dook op de in de lucht hangende hond, sloeg een arm om zijn nek, hield hem strak vast, klemde zijn lichaam tegen de hond aan en smakte op de grond. De hond lag verslapt onder hem; zijn nek was gebroken. Maar toen de tweede hond zijn krachtige lijf op hem stortte was hij volkomen machteloos.

Sentinel stapte naar voren en stompte de hond met volle kracht tegen de zijkant van zijn kop. Hij liep naar de plek waar de hond verdoofd was neergevallen, stampte een laars op zijn keel en hield zijn voet daar totdat het kronkelende beest niet meer ademde.

Beiden begonnen de honden te bedekken met sneeuw totdat ze niet meer te zien waren. Ze kropen voorwaarts over het pad dat zich al vrij snel in twee richtingen vertakte. Ze bleven staan, luisterden en wachtten voordat ze het linkerpad namen. Het pad vertakte zich nogmaals en deze keer sloegen ze af naar rechts. Voor hen bewoog iets. Ze gingen op hun hurken zitten en schoven opzij het struikgewas in. Zestig meter voor hen liepen twee soldaten op het pad. Ze naderden langzaam. Ze hadden zaklampen bij zich die ze opzij van hun automatische geweren hielden. Ze hadden de MI6-officieren nog niet gezien. Will en Sentinel verstopten zich dieper onder het struikgewas en gingen voorzichtig op de grond liggen. De soldaten spraken niet maar Will ving af en toe een glimp van hen op tussen het met sneeuw bedekte gebladerte om hem heen. Hij legde zijn vinger om de trekker van zijn pistool toen de mannen hem tot op tien meter waren genaderd. Ze liepen door en liepen vlaks langs hem heen. Will hield zijn adem in en verroerde zich niet. De mannen passeerden. Het ging bijna zeker om de hondenbegeleiders en ongetwijfeld waren ze op zoek naar de 'immigranten' van wie hun honden het spoor hadden geroken.

Toen ze uit het zicht waren gingen Will en Sentinel dieper het bos in totdat ze uitkwamen bij een klein weggetje. Will keek naar rechts en zag niets. Van links zag hij een vrachtwagen aankomen op zo'n zeventig meter afstand. Ernaast liepen drie soldaten en nog twee honden aan de lijn. Alle soldaten rookten. De koppen van de honden bewogen zenuwachtig van links naar rechts.

Ze liepen weg van de patrouille, met de weg aan hun linkerhand totdat bomen het zicht op de soldaten ontnamen. Ze staken de weg over en liepen weer een bos in.

Sentinel greep Will bij de arm. 'Ze patrouilleren niet zo ver van de grens. Maar blijf opletten.'

Ze renden en liepen een uur en kwamen door bos, open velden, langs met sneeuw bedekte sporen van auto's, wegen, nog meer bossen en meer open terrein. Sentinel liep voorop, voortdurend van richting veranderend, voortdurend om zich heen kijkend om te controleren of ze niet in de gaten werden gehouden. Hij koos steeds routes die zo veel mogelijk dekking gaven.

Sentinel ademde snel. 'We zijn dichtbij.'

Will volgde zijn collega, die nu behoedzaam voortliep. Ze staken nog meer velden over totdat ze bij een hek met zes stangen kwamen. Achter het hek lag een bandenspoor en in de verte lag een eenzame boerderij.

Sentinel ging aan een kant van het hek staan en knielde op de grond. 'Dat gebouw is het toevluchtsoord. We hebben de achterstand ingelopen, we liggen op schema. De bijeenkomst staat pas over drie uur gepland.'

Ze bleven een half uur zo zitten. Will hoorde het geluid van een voertuig. Hij bewoog zijn hoofd langzaam uit zijn verscholen positie en keek naar de weg. Een pick-up reed langzaam hun kant op. Hij kwam voorbij het huis, bleef doorrijden en stopte tweehonderd meter van het gebouw en vijftig meter van hun positie. Will wierp een blik op Sentinel en zag dat hij naar de auto staarde. Will keek ook naar de truck. Een kleine vrouw stapte uit. Ze droeg dikke, donkere kleren en een hoofddoek die haar gezicht verborg, maar te oordelen naar haar postuur en bewegingen was ze erg oud. De vrouw boog zich in de truck en knipperde zes keer met de koplampen.

Sentinel sprong meteen over het hek. Will volgde. Ze renden over de landweg en minderden vaart toen ze de truck naderden. Sentinel had zijn pistool gereed maar hij richtte het niet op de vrouw maar op de weg erachter. De vrouw trok haar hoofddoek weg en liep naar Sentinel toe. Ze moest minstens vijfenzeventig jaar zijn, misschien ouder.

Ze glimlachte en sprak in het Russisch. 'Mijn engel.'

Sentinel liet zijn pistool zakken, liep naar de vrouw toe, omhelsde haar en gaf haar in het Russisch antwoord. 'Polina. Ik had je niet moeten vragen naar buiten te komen met dit weer.'

Polina haalde haar schouders op. 'Ik moet het huis openmaken en voor je in gereedheid brengen.' Ze wreef haar broze handen tegen de onderarmen van Sentinel. 'Ik heb wat eten meegebracht voor de vriezer. Hoewel ik hier niet meer woon, zorg ik toch dat de vriezer altijd goed vol zit in verband met jouw komst hier. Wil je dat ik wat lekkere *shchi* voor je maak? Warme soep zal je goed doen.'

Sentinel glimlachte en schudde zijn hoofd. 'Je moet over tien minuten terug naar huis.' Hij pakte het metalen doosje uit zijn binnenzak en gaf het aan de vrouw. 'De moeder van Oleksandr heeft die voor jou gerold. Mijn Oekraïense vrienden doen je de hartelijke groeten.'

Polina nam het doosje glimlachend in ontvangst. Toen stierf haar glimlach weg. 'Zeg alsjeblieft tegen hen dat ik hun verlies heel erg betreur. Juriy was een groot soldaat.' Ze keek naar Will. 'Sommigen van ons worden misschien oud, maar er zijn in deze streek maar weinig mensen die sterven van ouderdom.'

Will zag dat de mouw aan een van haar armen was opgekropen. Hij zag een paar centimeter huid met zware littekens aan haar onderarm.

Polina zag hem kijken en trok haar mouw snel omlaag.

'Het was niet mijn bedoeling...'

'Het is al goed.' Ze wierp een blik op Sentinel en keek toen weer naar Will. 'Ik was negen jaar toen het vernietigingskamp Majdanek werd bevrijd door Sovjet-soldaten. Sommige andere overlevers hebben me gezegd dat ik moest vluchten of me moest verstoppen omdat mijn nazitatoeage bewees dat ik Joods was. Ik ging in een hut zitten en heb de huid weggekrabd met mijn vingernagel totdat de tatoeage was verdwenen. Toen ik klaar was zag ik dat het allemaal in orde was.' Ze glimlachte maar haar gezichtsuitdrukking was bitter. 'Ik was een naïef kind. De Sovjets wisten dat ik mijn Joodse identiteit had proberen te verbergen, en straften me door me vijftien jaar op te sluiten in de Kolyma-goelag.' Ze keek Sentinel aan en stak haar armen naar hem uit.

Sentinel kuste de hand van de oude Russische vrouw. 'De volgende keer zal ik langer blijven en wat soep voor jou klaarmaken.'

'Dat hoop ik.' Ze stapte in de auto, keerde en reed naar de boerderij.

Sentinel zei: 'We moeten het huis pas in gaan als hij is gearriveerd. Dan schieten we hem neer en gaan we terug naar Oekraïne.'

Polina zette de auto bij het gebouw stil, was even bij de voordeur bezig met de sloten en stapte over de drempel.

Terwijl ze dat deed blies een zware explosie haar lichaam en het grootste gedeelte van het huis aan stukken.

9

Ze hadden er twintig uur over gedaan om terug te keren naar het onderduikadres in Odessa. Sentinel zat op de vloer in de zitkamer, met zijn hoofd in zijn handen.

'We krijgen hem wel.'

Sentinel keek op. 'En als het zover is, zal ik degene zijn die hem doodt.'

Will knikte en rekte zijn vermoeide rugspieren. Hij had tijdens de terugreis in de auto niet kunnen slapen, hij had alleen maar aan Polina kunnen denken. Hij vroeg zich af wat Sentinel van hem dacht. Het was Wills idee geweest om een bijeenkomst met Razin te beleggen. 'Het spijt me.'

Sentinel schudde zijn hoofd. 'Razins bom was voor ons bedoeld, niet voor Polina.' Hij balde zijn hand tot een vuist. 'We moesten het proberen.'

'Ik hoop dat hij denkt dat we dood zijn.'

'Hij weet dat we nog leven.'

Will dacht even na. 'Informatie van de politie?'

Sentinel wreef over zijn ongeschoren gezicht. 'Hij zal zijn FSB-status gebruiken om toegang tot hun gegevens te krijgen.'

Minuten na de explosie was er een tweehonderd meter hoge rookkolom boven de boerderij te zien. Hoewel het gebouw afgelegen lag, zou het niet lang duren voordat de hulpdiensten werden gealarmeerd. Ze zouden een forensische analyse van de zaak maken en vaststellen dat een conventionele bom een oude vrouw had gedood.

'Alles is anders nu hij weet dat we achter hem aan zitten.' Will keek Sentinel onderzoekend aan. 'Wat ga je nu doen?'

Sentinel zei tien seconden niets. 'Ik heb nagedacht over elke bijeenkomst die ik heb gehad met mijn belangrijkste agenten sinds ik Razin ken, elke geheime route die ik heb gekozen naar die bijeenkomsten, alle geheime communicatie die ik met hem heb gehad, wat dan ook dat hun identiteit in gevaar gebracht zou kunnen hebben.' Hij schudde zijn hoofd. 'Alles was waterdicht.'

'Dat kan maar één ding betekenen.'

Een schending van de veiligheidsmaatregelen door iemand die toegang had tot hun namen.

Sentinel sloeg zijn handen in elkaar. Hij leek weer geconcentreerd. 'Het is een gok, maar een van mijn agenten zou kunnen helpen. Hij is FSB. We moeten met hem afspreken in Hongarije.'

'Ik kan niet me je mee.'

'Waarom niet?'

'Ik moet elders zijn.'

Er trok een vlaag van woede over Sentinels gezicht. 'Wat kan er belangrijker zijn dan dit?'

'Niets.' Will probeerde verzoenend te klinken. 'Maar ik moet mijn eigen operatie op touw zetten om Razin op te pakken.'

Sentinels ogen vernauwden zich. 'Vertel op.'

'Nee. Ik ga een andere invalshoek proberen, maar ik kan tegen niemand zeggen wat ik ga doen. Zelfs Alistair is niet van alle details op de hoogte.'

Sentinel sprak afgemeten en kortaf. 'Je bevindt je op mijn terrein. Vertel me wat je van plan bent.'

Will schudde zijn hoofd. 'Juist omdat ik me op jouw terrein bevind kan ik je niets vertellen. De Russen hebben al tientallen jaren geprobeerd je in handen te krijgen. Als ze jou oppakken en martelen, zou mijn operatie ten dode opgeschreven zijn. Dan zouden we Razin nooit kunnen tegenhouden.'

'Mag ik je eraan herinneren dat ik zes jaar lang niet heb doorgeslagen tijdens martelingen.'

'De technieken zijn... geavanceerder geworden.'

Sentinel zei niets.

'Razin zou zich gedeisd kunnen houden, niet het risico nemen nog meer agenten te vermoorden.'

'Mogelijk.' Sentinel aarzelde. 'Anderzijds is hij nooit iemand geweest die zich door gevaar heeft laten afschrikken.'

'Hoe heb je hem gerekruteerd?'

Hij verwachtte dat Sentinel zou zwijgen. In plaats daarvan mompelde de MI6-officier: 'Ik heb van zijn kracht een zwakte gemaakt.'

'Ambitie?'

Sentinel knikte. 'Het is duidelijk dat je zijn dossier grondig hebt gelezen.'

Dat klopte.

Uit het dossier was gebleken dat Taras Khmelnytsky een briljant student aan de staatsuniversiteit van Moskou was. Hij had de mogelijkheid gekregen om snel carrière te maken in de Russische diplomatieke dienst. Hij kon ook een prestigieuze aanstelling krijgen bij de marine. Razin weigerde beide aanbiedingen en in plaats daarvan werd hij een jonge luitenant bij de 98ste Guards Airborne Division. Mensen die hem kenden dachten dat hij gek was, maar dat bleek niet het geval te zijn. Hij diende drie jaar bij het 217de Guards Airborne Regiment van de divisie, gelegerd in Ivanovo, waarna hij werd uitgekozen voor de afmattende selectie voor Spetsnaz GRU. Hij slaagde met lof en diende zes jaar bij de GRU, standplaats Moskou. Hij bereikte de rang van majoor en was actief bij geheime overzeese operaties. Hoewel dat zeer ongewoon was, werd hij vervolgens gevraagd medewerker te worden van Spetsnaz Vympel, dat meer onder controle van de FSB stond dan van de GRU. De GRU probeerde de overplaatsing vergeefs tegen te houden, maar het was duidelijk dat Razin was opgemerkt door de Russische hoge heren, die hem een zo breed mogelijke ervaring wilden geven op het gebied van speciale operaties en acties. In Vympel kreeg hij verdere training als scherpschutter, ongewapende strijd, geneeskunde, talen en infiltratie in en exfiltratie uit vijandige gebieden. Hij deed mee aan geheime acties in verschillende gebieden, inclusief de noordelijke Kaukasus. Uiteindelijk ontving hij Ruslands hoogste eerbetoon, de titel Held van de Russische Federatie, omdat hij in zijn eentje een eenheid van vier mannen van Spetsnaz GRU had gered die in moeilijkheden waren gekomen bij het observeren van een kerncentrale in Noord-Korea en die het risico liepen gevangen te worden genomen en geëxecuteerd. Vier jaar eerder bevorderde de FSB hem tot kolonel en gaven ze hem de leiding over hun kroonjuweel: Spetsnaz Alpha. Op dat moment was hij vijfendertig en was hij de jongste kolonel in het hele Russische leger.

Sentinel zei: 'Ik wist dat Razin absoluut trouw aan zijn moederland was en dat hij geen ondeugden had of andere zwakke plekken die gebruikt konden worden om hem over te halen voor mij te werken.' Hij glimlachte. 'Ieder ander bij MI6 zou terecht hebben geconcludeerd dat het onmogelijk was om hem te rekruteren.' Zijn gezicht werd ernstig. 'Maar zijn ambitie intrigeerde me en ik vroeg me af of dat tegen hem gebruikt kon worden.'

Will zei niets.

'Mijn contactpersonen kwamen erachter dat Razin voor een kort bezoek naar Afrika ging als militair adviseur. Ik ging er meteen ook naartoe en zat naast hem toen hij van Nigeria naar Moskou vloog via Frankfurt om terug te keren naar zijn werk bij Alpha. Halverwege die vlucht legde ik een brief op zijn schoot. Daarin stond dat ik werkte voor MI6, dat ik een idee had dat zijn carrière het hoogste niveau zou kunnen bereiken en dat ik drie zeer capabele mannen bij me had op deze vlucht die zijn hoofd er langzaam af zouden snijden met hun etensmessen als hij iets raars zou proberen.

Razin en ik gingen in Frankfurt van boord. We gingen in de businessclasslounge van Lufthansa zitten en spraken een uur met elkaar.' Sentinel sprak erg zacht. 'Ik zei dat ik van hem mijn belangrijkste agent wilde maken voor alle zaken die te maken hadden met Russische speciale operaties. Hij weigerde en zei dat hij nooit iets zou doen dat de Spetsnaz-eenheden of de GRU en de FSB zou verzwakken. Ik antwoordde met een leugen en zei dat het Westen er integendeel juist behoefte aan had dat die eenheden sterker werden, om op die manier de Amerikaanse en Britse uitgaven voor onze eigen inlichtingendiensten en Special Forces te rechtvaardigen; dat het Westen een nieuwe, zeer professionele tegenstander nodig had nu de zogenoemde *war on terror* werd gewonnen. Tot slot zei ik dat zijn inlichtingen zowel hem als mij van nut zouden kunnen zijn.' Sentinel zweeg even. 'Hij wilde nog steeds niets toezeggen. Dus toen gaf ik hem iets onweerstaanbaars wat echt waar was. Ik zei hem dat ik informatie had over een terroristische eenheid van twaalf man uit de noordelijke Kaukasus die Moskou als basis hadden en die van plan waren bommen te plaatsen in de stad. Ik zei dat hij zijn Alpha-mannen moest gebruiken om de terroristen te doden om vervolgens wederom te worden bejubeld als Russische held. Als hij dat voor me deed, en als hij me de inlichtingen gaf die ik nodig had, zou ik doorgaan hem missies te geven waardoor hij onvermijdelijk bevorderd zou worden tot het niveau van het Russische opperbevel en misschien zelfs nog hoger.' Sentinel sloeg zijn armen over elkaar. 'Hij stemde in met mijn voorwaarden. Ik had hem stevig aan de haak.'

Will liet niets blijken, maar stiekem bewonderde hij de manier waarop Sentinel Razin had benaderd.

Sentinel zuchtte. 'Dat was drie jaar geleden. Het leek allemaal goed uit te pakken.' Hij staarde naar de muur en fronste zijn wenkbrauwen. 'Waarom wil hij mijn agenten vermoorden en een oorlog beginnen? Welk voordeel heeft hij bij die ontwikkelingen?'

Will dacht koortsachtig na terwijl hij dacht aan de dossiers die hij in Langley had gelezen. 'De meesten van je agenten zijn hoge militairen of inlichtingenofficieren. Als ze allemaal worden vermoord, wat zou dan het gevolg zijn voor de militaire macht van Rusland?'

'Dat zou vervelend zijn, maar al die agenten zijn vervangbaar.'

'Dat dacht ik al.'

Sentinel zag duidelijk waar dit naartoe ging. 'Van de andere kant zouden de inlichtingen van de agent de vs een belangrijk voordeel geven in een oorlog met Rusland.'

Will was het met hem eens. 'Voorkennis van troepenbewegingen, de locatie van mobiele strategische raketinstallaties, inzet van de marine, onder andere. Zo'n oorlog zou een eenzijdig bloedbad zijn.'

Sentinel zette zijn vingertoppen tegen elkaar. Zijn ogen schoten alle kanten op. 'En toch, Amerika is militair gezien veruit superieur aan Rusland. Ook zonder mijn agenten zouden we die oorlog winnen.'

Will dacht aan de woorden van Patrick.

Rusland heeft één ding op ons voor: ze zijn bereid miljoenen landgenoten op te offeren.

Hij kreeg een idee.

Maar voordat hij het onder woorden kon brengen, sloeg Sentinel met zijn handen op zijn benen en uitte hij dezelfde gedachte. 'Pat.'

'Precies.'

Ze bespraken de kwestie dat indien Rusland een oorlog wilde beginnen met Amerika, de vs geen andere keuze zouden hebben dan met overweldigende kracht te reageren. De inlichtingen van Sentinels agenten zouden ervoor zorgen dat die reactie precies en snel zou zijn. Maar als de agenten dood waren, zou Rusland in staat zijn om een soort machtsevenwicht te bereiken en miljoenen mensen in te zetten tegen de militaire macht van de vs. En op een zeker moment tijdens de voortdurende slachting van Russen zou Amerika zich afvragen of ze daar nog wel mee door konden gaan.

Will knikte. 'Daar gokt Razin op.'

'Rusland kan niet worden vernietigd...'

'... omdat Amerika dat niet zal aandurven.'

'En dus wordt halverwege de oorlog een patstelling bereikt.'

'Er wordt onderhandeld over vrede.'

'En Rusland zal zijn helden eren.'

Beide mannen staarden elkaar aan. Ze dachten exact hetzelfde, hoewel het Sentinel was die die gedachte had verwoord.

'De grootste held van allemaal zou degene zijn die naar voren kwam en zei dat hij in het geheim mijn mi6-spionnen had gedood zodat Rusland niet in de pan gehakt kon worden.' Hij stond snel op en beukte met een vuist tegen de muur. 'Razin zal zich niet gedeisd houden of stoppen; hij wil zelf de held uithangen. En verdomme, als hij daarin slaagt krijgt hij het presidentschap van Rusland op een presenteerblaadje.'

10

De zon ging onder boven Istanboel terwijl Will door de Grote Bazaar van de Turkse stad liep. Het was een uitgestrekte doolhof van steegjes, straten en overdekte passages, sommige alleen toegankelijk voor voetgangers, andere vol met zwaarbeladen auto's en vrachtwagens die goederen van en naar de winkels aan beide zijden van de wegen brachten. Hij was omgeven door de geluiden van straatverkopers die het winkelende publiek toeschreeuwden, claxons van auto's, wrakkige transistorradio's die Turkse volksmuziek lieten horen en een moskee in de buurt van waaruit de *Aksam*-oproep tot gebed klonk. Het was weliswaar winter, maar de lucht voelde warm aan en was doortrokken van de geuren van kebabs, *Gozleme*-pannenkoekjes, geroosterde groenten, *Simit*-brood en kruiden. Hij kwam langs winkels waar kleren en stoffen werden verkocht, thee, gedroogde vruchten en noten, keukengerei, backgammonspelen, kaneel, kurkuma, en pistolen.

Terwijl hij zich een weg baande door de mensenmassa klonk de oproep tot gebed dichterbij en algauw stond hij voor de hoofdingang van de kleine zestiende-eeuwse Rüstem Pasha-moskee. Moslimmannen en -vrouwen stonden buiten in de rij om het prachtige gebouw binnen te gaan. Hij observeerde hen een tijdje voordat hij de route die hij zojuist had afgelegd inspecteerde. Het was een menigte van woelende mensen, die winkels in en uit liepen, stil bleven staan, doorliepen. Er waren zo veel mensen dat hij niet met zekerheid kon zeggen of hij al dan niet werd gevolgd. Maar hij keek toch. Iemand zou hem kunnen opvallen.

Iemand van in de twintig of dertig, een man of een vrouw die zich snel kon bewegen als dat nodig was.

Iemand uit wiens houding bleek dat hij extra veel aandacht voor zijn omgeving had.

Bewegingen van de ene etalage naar de andere die te snel gingen en waar geen patroon van winkelen in viel te ontdekken.

Iets wat gewoon niet leek te kloppen.

Hij liep snel weg van de moskee en zette koers naar de waterkant van de Bosporus. Straatlantaarns, lampen van winkels en woningen. De koplampen van auto's werden aangezet terwijl het begon te schemeren. De alle kanten uitdijende stad baadde in een elektrische gloed onder een heldere hemel met een maansikkel en sterren.

Hij kwam bij de haven van Eminönü en bleef staan in de buurt van de drukke Galata-brug en wachtte. De Bosporus werd druk bevaren door verlichte veerboten. Sommige legden aan, andere staken het water over of voeren in de richting van Azië. Een zeebriesje woei in zijn gezicht en even genoot Will van de sensatie. Hij keek op zijn horloge.

Hij zag de tram; hij werd een en al waakzaamheid.

De tram was een moderne Bombardier Flexity Swift; twee lange rijtuigen met halverwege een harmonicastuk dat bij het nemen van bochten in elkaar schoof. De tram minderde vaart. Will haastte zich naar een kiosk en kocht een kaartje voor de drie haltes naar het Yenikapi-station. De tram stopte voor zijn neus. Hij zat halfvol.

Hij liep door het gangpad naar het eerste rijtuig en ging in een lege stoel naast een man van middelbare leeftijd zitten. Hij hoopte dat de reis niet langer dan tien minuten zou duren. Als het langer zou duren zou hij de persoon die hij moest ontmoeten in gevaar brengen.

Zijn naam was Luka. Een svr-officier met als standplaats Istanboel. Zijn aanwezigheid in de stad was bekend bij de Turkse inlichtingendienst, Milli İstihbarat Teşkilatı. Maar hoewel het voor werk noodzakelijk was om nauw samen te werken wat betreft gezamenlijke Russisch-Turkse kwesties weerhield dat hen er niet van om hem stiekem overal te volgen.

Hij kende Luka al drie jaar. In die tijd had de Russische agent vaak geheime informatie doorgespeeld aan Will. Luka was geen dubbelspion, hij was gecompliceerder dan dat. Hij had zelf toegegeven dat hij Will alleen informatie gaf waarvan hij geloofde dat die de relaties tussen West en Oost zou verbeteren. Will wist dat Luka hem grotendeels leugens vertelde, maar af en toe kwam hij met uiterst waardevolle informatie waar zowel hij als mi6 van kon profiteren.

Niet dat Luka wist dat hij met MI6 sprak. Voor zover hij wist heette Will Emile Villon en was hij een medewerker van Frankrijks Direction Générale de la Sécurité Extérieure.

Terwijl de tram optrok wendde Will zich tot de man naast hem.

Luka glimlachte en begon in vloeiend Frans te praten. 'Mijn vrienden bevinden zich in het rijtuig achter ons.'

De agenten van de MIT.

Will keek weer voor zich en gaf ook in het Frans antwoord. 'Probleem?'

'Dat geloof ik niet. Maar je weet het nooit. Ze kunnen... behoorlijk vervelend zijn als ze willen.'

De tram volgde de Turkse kustlijn. Het was een schilderachtige avond, hoewel Will nauwelijks oog had voor zijn omgeving. In plaats daarvan probeerde hij het achterste rijtuig te visualiseren. Hij wist dat ze uit het zicht van het MIT-team waren, maar hij besefte ook dat ze binnen een paar tellen bij hem konden zijn. 'Wat is jouw mening over de huidige Russisch-Amerikaanse betrekkingen?'

Luka antwoordde met een vleugje sarcasme in zijn stem. 'Ben je helemaal hiernaartoe gekomen om me dat te vragen?'

'Nee, maar ik hecht aan je opinie.'

'Opinie?'

'Inzicht.'

Luka zweeg even. 'De betrekkingen zijn beroerd.' Hij legde een hand op de achterkant van de zitting voor hem. Je kon zijn dure Cartier-horloge zien. 'Lees de kranten.'

'Dat heb ik gedaan, maar die vertellen me niet wat ik wil weten.'

'En je denkt dat ik dat wel zal doen?'

'Ik denk dat je dat graag zou willen.'

De tram stopte bij het Sirkeci-halte, naast de Zee van Marmara. Beide mannen zwegen terwijl mensen in en uit de wagon stapten. Twee oude dames namen plaats op de stoeltjes voor hen.

Luka staarde naar hen voordat hij mompelde: 'Morgenochtend wordt de ambassadeur van de VS in Moskou ontboden op het Kremlin om uitleg te geven over de vraag waarom de VS de economische onderhandelingen met Rusland hebben stopgezet. Ongetwijfeld zal de ambassadeur antwoorden dat Rusland een provocerende houding heeft aangenomen door haar agressieve olieprijspolitiek terwijl ze tegelijkertijd proberen een leidende rol te verkrijgen in de WTO.' De tram trok op en het lawaai binnen het rijtuig nam toe, maar hij bleef op gedempte toon praten. 'Met die ontbieding worden de zaken alleen maar erger: meer paranoia, meer woede, meer wantrouwen, meer... shit.'

Will koos zijn volgende woorden zorgvuldig. Hij was zich er continu van bewust dat hij erg voorzichtig moest zijn met Luka. Het geringste verkeerde woord zou de SVR ter ore komen en kon bijzonder veel schade veroorzaken. 'Wat zou er gebeuren als er een incident plaatsvond in Rusland – een gewelddadige gebeurtenis, een bom die ontploft, of verschillende bommen die tegelijk ontploffen?'

Luka zweeg tien seconden voordat hij vroeg: 'Gaat dat gebeuren?'

Will schudde zijn hoofd. 'Niet dat ik weet. Maar Amerika is doodsbang dat een terroristische daad Rusland tot de verkeerde conclusie zou kunnen brengen... misschien zouden ze denken dat het een aanslag van de VS was.'

'Amerika is daar terecht bang voor. Rusland is nog nooit zo nerveus geweest.'

De tram stopte bij de halte Cankurtaran. Er stapten meer mensen uit dan in en de wagon was nu nog voor een derde gevuld. Will wilde niets liever dan over zijn schouder kijken om te zien wie er zich achter hem bevond. Hij had bijna geen tijd meer; bij de volgende halte moest hij uitstappen. 'Ik moet je om een gunst vragen.'

Luka lachte zachtjes. 'De agenda van vandaag lijkt me een beetje eenzijdig.'

Will negeerde die opmerking. 'Ik moet een naam hebben – een wapenhandelaar, bij voorkeur iemand die is gespecialiseerd in militaire blauwdrukken. Moet een agent van de SVR of de FSB zijn die op dit moment actief is.' Hij voegde daaraan toe: 'Kun je proberen of je iemand kunt vinden die aan dat profiel voldoet?'

'Dat is niet nodig. Ik heb al een naam.'

Will wachtte.

Maar Luka zei: 'Waarom zou ik je die informatie geven? Je hebt me vandaag niets gegeven.'

'Wat wil je?'

Luka legde een hand op Wills onderarm. Toen hij sprak, was het alsof hij hardop nadacht. 'Het zou interessant zijn om te weten wat de positie van de Franse regering is als de spanningen tussen mijn land en Amerika zouden toenemen.'

Will dacht koortsachtig na. Hij had absoluut geen idee wat het antwoord was. Maar Luka zou verwachten dat Emile Villon van de DGSE dat zou weten. 'En wanneer wil je dat antwoord hebben?'

'Op het moment dat jij de identiteit van die SVR-agent wilt weten.'

Shit.

De tram minderde vaart. Halte Yenikapi kwam in zicht.

Als Will hem een antwoord gaf, zou zijn informatie bijna zeker van invloed zijn op de manier waarop Rusland Frankrijk beoordeelde. Maar hij moest iets zeggen. 'Frankrijk is en public een loyale bondgenoot van Amerika, maar stiekem zijn ze neutraal.'

'Als zich een situatie zou voordoen, zou Frankrijk ons dan in de weg staan?'

Will aarzelde. 'Nee.'

Luka knikte langzaam. 'En de rest van Europa?'

'Die informatie gaat mijn salarisschaal te boven.'

'Dat betwijfel ik.' Luka haalde zijn hand weg.

De tram stopte.

Mensen begonnen uit te stappen.

Will bleef roerloos zitten. Zijn hart bonsde. 'Toe. Meer kan ik je niet geven.'

Luka zuchtte. 'Otto von Schiller. Duits. Woont in Berlijn.'

'Hoe kan ik hem bereiken?'

'Meer kan ik jóú niet geven.'

Will stond op en wilde vertrekken, maar bleef staan toen Luka een vinger opstak.

'Sommigen van onze generaals zouden die bommen dolgraag zien afgaan. Het zou hun de gelegenheid geven waarop ze hebben gewacht.'

11

De volgende middag zat Will in een dure suite in hotel Kempinski in Praag. Drie uur daarvoor was hij aangekomen in de Tsjechische Republiek. Buiten daalde een stevige sneeuwbui neer op het drukke verkeer en het gedrang van de winkelende voetgangers, maar in de luxe kamer was het warm en stil. Hij zat aan een sierlijk bureau, legde wat pennen en papieren voor zich neer en logde in op de computer die bij de kamer hoorde. Hij was uitgeput, maar zijn geest was volledig alert en hij glimlachte terwijl hij nadacht over elke zet in het schaakspel dat hij op het punt stond te beginnen.

Nadat hij gedurende een half uur lang allerlei websites van bedrijven had bekeken, vond hij een site die voldeed aan zijn doel: een grote, bekende accountingfirma in Londen. Hij bekeek de profielen van de partners van de firma, koos er een uit, noteerde de gegevens van die persoon en belde hem. Hij stelde zich voor als Thomas Eden en legde uit dat hij de firma nodig had als vertegenwoordiger van een NV van Companies House, bij voorkeur iemand met ten minste tien jaar ervaring op het gebied van accountancy en een achtergrond als consultant. Hij kreeg te horen dat dit binnen vier uur geregeld kon worden. Hij zei tegen de partner dat hij moest worden opgevoerd als de enige directeur van het bedrijf, dat hij de naam van het bedrijf wilde wijzigen in Thomas Eden Limited en dat het bedrijf zich bezighield met militaire research en analyse voor defensie en specialistische militaire tijdschriften. De partner stelde enige vragen.

Bankrekening van het bedrijf?

Dat was al geregeld in Londen bij HSBC, op naam van Thomas Eden, met een banksaldo van ongeveer 90.000 pond.

Adres?

Hij gaf hem de details van een privéwoning in Barnes, Londen. Hij zei er niet bij dat het ging om een geheim adres voor operationele acties en dat het werd geleid door een jonge vrouw die zijn post zou doorsturen naar een postbus van MI6.

Contactgegevens?

Hij gaf het mobiele nummer van een BlackBerry en een e-mail-adres. Hij voegde eraan toe dat hij op dit moment op zakenreis was in Europa en pas over een paar weken terug in Londen zou zijn. Was het mogelijk om alle documentatie die getekend moest worden per koerier te laten bezorgen in hotel Otrada in Oekraïne?

Uiteraard. De documenten kunnen er morgen zijn, en vooropgesteld dat wij ze een dag later terugkrijgen, kunnen de handelsregistratie, de statuten en het bewijs van opneming nog diezelfde dag worden opgesteld.

De partner legde uit dat een aanbetaling van duizend pond was vereist om alles officieel te maken en hij gaf Will de bankgegevens van het bedrijf. De man klonk erg verheugd dat hij een nieuwe klant had binnengehaald en zei tot slot dat hij hoopte dat dit het begin was van een lange zakelijke relatie.

Will beëindigde het gesprek en ging op internet weer op zoek naar een andere website. Een half uur later had hij gesproken met de manager van Servcorp, een bedrijf dat was gespecialiseerd in het verschaffen van kantoorruimte en andere faciliteiten, inclusief telefonistes en afzonderlijke telefoonlijnen met mogelijkheden om gesprekken door te verbinden naar mobiele telefoons. Nadat ze een maandelijkse prijs waren overeengekomen voor de deal en hadden beloofd om kopieën van de bedrijfsdocumentatie op te sturen zodra die gereed waren binnen de komende dagen, gaf Will de vrouw zijn bankgegevens. Thomas Eden Limited had nu een adres in Canary Wharf, Londen, en zou legaal lijken als iemand gegevens over het bedrijf opzocht.

Hij belde een laatste keer naar Hotel Otrada, liet de receptionist weten dat hij morgenavond terug zou zijn in het hotel en vroeg of iemand hem kon helpen bij het laten maken van visitekaartjes. Nadat hij was doorverbonden met een medewerker kreeg hij te horen dat er kosten aan verbonden waren maar dat het geen probleem was. Will gaf de man zijn bedrijfsnaam, het adres in Canary Wharf en alle contactgegevens. Het ontwerp? Dat kon Will niets schelen. Misschien gewoon een wit kaartje met blauwe letters en cijfers.

Hij schonk zich een mok zwarte koffie in, zette de computer uit en rekte zijn stramme rugspieren. Hij draaide zijn stoel naar de luxueuze slaapkamer. De kamers in vijfsterrenhotels. Hij had in duizenden van die kamers geslapen en hij haatte ze allemaal, omdat ze hem herinnerden aan zijn vluchtige bestaan en zijn ontwrichte persoonlijk leven.

Hij ging op het tweepersoonsbed liggen. Over twee uur moest hij weg. Misschien was dat genoeg tijd om uit te rusten, hoewel hij niet wist of hij zou kunnen slapen. Hij verplaatste zijn arm naar de lege kant van het bed, gleed met zijn hand over de sprei en liet hem daar liggen.

Het Petrin-park was een van Praags grootste parken en meestal erg populair, maar nu leek het bijna verlaten. Het was schemerdonker, een dun laagje sneeuw bedekte de grond en de bomen en de temperatuur lag een flink stuk onder nul. Will liep rond met behulp van het navigatiesysteem van zijn Blackberry totdat hij de juiste lantaarnpaal had gevonden. Hij keek op zijn horloge. Drieëntwintig minuten voor op schema. Hij keek naar het met bomen omzoomde voetpad voor hem en zag dat het na ongeveer zestig meter een bocht maakte. Hij keek nogmaals op zijn horloge en wachtte tot de secondewijzer de twaalf had bereikt. Toen begon hij in een normaal tempo te lopen. Hij liep door de bocht en zag een opvallend grote boom. Toen hij die had bereikt keek hij weer naar de horlogewijzer. Hij had er drieënvijftig seconden over gedaan. Hij draaide zich om naar de uit het zicht verdwenen lantaarnpaal, sloeg zijn armen over elkaar, huiverde lichtjes vanwege de kou en wachtte.

Vluchtige contacten vonden nauwelijks plaats met mensen die je kende. Vandaag had Will geen idee of zijn contactpersoon een man of een vrouw zou zijn, jong of oud. Om die reden was het van belang om precies op tijd te zijn. Alistair was zeer precies geweest met zijn instructies.

16.39 uur, 50°4'58.73"NB, 14°23'58.19"OL.

Hij keek om zich heen. Het park was dicht bebost en er liep verder niemand op het pad. Hij bleef twintig minuten staan en keek alleen af en toe hoe laat het was. maar toen het moment om in actie te komen dichterbij kwam, hield hij zijn ogen onafgebroken op het verlichte vensterglas van het horloge.

Nog dertig seconden.

Twintig.

Tien.

Nu.

Hij begon te lopen en moest zich inhouden om zijn pas niet te versnellen. Terwijl hij de bocht in het pad naderde hoopte hij vurig dat de contactpersoon ervaring had in dit soort zaken, en niet was vergeten zijn of haar horloge van te voren gelijk te zetten met de online atoomklok. Na de bocht zag hij dat er drie mensen op het pad liepen. Twee heel dicht bij elkaar, de andere dichter bij hem. Hij negeerde hen voorlopig en concentreerde zich op het vasthouden van zijn normale wandeltempo. Hij wist dat zoiets buitengewoon moeilijk vol te houden is als je je er bewust van bent.

Hij kwam ter hoogte van de dichtstbijzijnde persoon maar deed geen poging hem te benaderen. Pech gehad als hij de contactpersoon was – hij was ver van de lantaarnpaal verwijderd en bevond zich niet op de juiste positie. Maar dat gold niet voor de twee mensen die voor hem liepen. Hij probeerde vast te stellen of ze bij elkaar hoorden, maar hij kon dat niet met zekerheid vaststellen. In het donker waren hun gezichten niet goed te onderscheiden.

Hij kwam dichterbij en kon nu zien dat de twee personen niet naast elkaar liepen zoals hij eerder had gedacht; de een liep iets voor de ander.

Nog tien meter tot de lantaarn. De man die vooropliep was er te dichtbij. Maar misschien had hij een fractie te snel gelopen. Algauw was hij de lantaarn gepasseerd en liep hij in de richting van Will. Ze passeerden elkaar. Er gebeurde helemaal niets. Will liep door.

Hij was op drie meter van de lantaarn.

Dat gold eveneens voor de oude vrouw wier gelaatstrekken nu scherp te zien waren in de gloed van de lamp.

Oudere mensen liepen met een constantere snelheid dan jongeren. Een goede keus voor een vluchtige ontmoeting.

Hij bleef aan de rechterkant van het pad zodat hij direct langs de lantaarn zou lopen. De vrouw volgde een route die een lichaamsbreedte van de lantaarn was verwijderd.

Twee meter. De armen van de vrouw hingen langs haar lichaam. Een meter.

De lantaarn. Ze liepen nu naast elkaar. De vrouw tilde haar arm een tikje op. In haar hand lag een pakje.

Toen lag het in Wills hand.

Will bleef doorlopen en stopte het paspoort met zijn alias en de Russische visa in zijn zak.

Een uur later ging hij de Bunkr Parukářka-bar in. Hij was moeilijk te vinden, verstopt in de krochten van Praag. Hij liep omlaag over de metalen wenteltrap en trad binnen in de omgebouwde atoomschuilkelder uit de jaren vijftig. Hij wenste dat hij geen pak had aangetrokken. De muren waren bedekt met gettograffiti. Uit de vensterloze kelderbar schalde industriële rock en de clubleden van in de twintig staarden hem achterdochtig aan. Ongetwijfeld vroegen ze zich af of hij van de geheime politie was.

Hij bestelde een glas bier en ging aan een laag tafeltje zitten. De zaak was niet vol, daar was het nog te vroeg voor, maar de sfeer was claustrofobisch en intens. Hij deed zijn das af, trok zijn jasje uit en maakte de bovenste knoopjes van zijn overhemd los, strekte zijn benen, nam een grote slok bier, woelde met een hand door zijn haar en probeerde niet op een politieman tijdens diensturen te lijken.

Om zich heen kijkend vroeg hij zich af waarom Kryštof deze ontmoetingsplek had uitgekozen. De voormalige inlichtingenagent van Bezpečnostní Informační Služba, tegenwoordig privédetective, was eind veertig en zou zich net zomin als Will thuis voelen in dit soort bars.

Kryštof was vijf minuten te laat. Dat was niet ongewoon; het kwam wel voor dat hij uren te laat kwam. Achter in de kelder was een band bezig met het opstellen van de instrumenten. Te oordelen naar hun uiterlijk zou hun muziek later die avond luidruchtig en eng zijn. Will nam nog een slok bier en keek naar de groepjes mensen rond de bar. Sommigen waren gothic types met lang haar, anderen landerige bohemiens. Allemaal leken ze volkomen op hun gemak in deze omgeving. Hij had zelf geen ervaring met dat gevoel van ergens thuishoren of culturele rebellie en even benijdde hij de op een vreemde manier mooie mensen om hem heen. Maar toen vroeg hij zich af of hij iets gemeen had met deze mannen en vrouwen. Misschien waren ze hier gelukkig omdat gewone plekken hen diep ongelukkig maakten.

Kryštof verscheen onder aan de trap. Hij droeg een versleten bruin pak. Zijn stropdas zat los en het bovenste knoopje van zijn overhemd stond open. Een sigaret bungelde in zijn mondhoek. Hij bleef staan bij de bar en boog zich naar de barman om iets tegen hem te zeggen voordat hij naar het tafeltje van Will liep. Hoewel de bunker schemerig verlicht was, kon Will zien dat de Tsjech ongeschoren was en dat hij dikke wallen onder zijn ogen had.

Will stond op, stak zijn hand uit en zei in het Engels: 'We hadden ook ergens anders kunnen afspreken.'

Kryštof schudde hem de hand. 'Wat is daar voor lol aan, David?'

David Becket. Een MI6-officier wiens profiel opzettelijk veel gemeen had met dat van Kryštof – overgeslagen voor bevordering, schulden, vermoeid, cynisch, mislukte huwelijken achter de rug, adolescente kinderen die hem niet langer wilden kennen. Het enige verschil tussen hen was dat Davids fictieve dochter het goed deed op de middelbare school terwijl Kryštofs echte dochter zes maanden geleden op brute wijze was verkracht door een groep mannen, waarna ze was gewurgd.

Ze gingen zitten en de barman bracht een fles Becherovka en twee glazen naar hun tafeltje. Kryštof schroefde de dop los en schonk de glazen bijna tot de rand toe vol. Hij doofde zijn sigaret en tilde het glas naar zijn lippen. 'Gezondheid,' mompelde hij en goot het glas achterover.

'Gezondheid.' Will nam een teugje en zette het glas neer.

Kryštof vulde zijn glas tot aan de rand toe bij en greep het beet terwijl hij Will aanstaarde. 'Werk je nog voor ze?'

Will haalde zijn schouders op. 'Ik probeer het nog tien jaar uit te houden, totdat ik met pensioen kan.'

Becket was vijfenveertig; hij moest het vooral hebben van zijn jeugdige uiterlijk. Kryštof had zelfs dat niet. Leeftijd, stress en depressie hadden zijn ooit knappe gezicht geen goed gedaan.

Kryštof dronk nog wat meer en stak opnieuw een sigaret op. 'Ik wilde je nog bedanken.'

'Waarvoor?'

'De bloemen en de kaart.' Hij keek weg, een uitdrukking van droefheid en irritatie op zijn gezicht. 'Haar moeder wou me niet naar de begrafenis laten komen.'

'Dat vermoedde ik al. Daarom heb ik ze naar je huis gestuurd.'

Kryštof keek hem aan. 'Ze zei dat ik ongetwijfeld blij was dat ik nu voor een kind minder alimentatie hoefde te betalen.' Hij leegde de inhoud van zijn glas en schonk het weer vol.

Will voelde meeleven met Kryštofs moeilijkheden, hoewel hij zich bezorgd afvroeg of de man nog wel helemaal geestelijk in orde was. Hij draaide zijn glas rond op tafel. 'Ik heb werk voor je als je wilt.'

Kryštof blies rook uit. 'Geven ze je nog steeds taken?'

'Een paar.'

Kryštof knikte. 'Het is geen kwestie van willen, maar van nodig hebben.' Hij goot nog wat drank door zijn keelgat. 'Wat wil je?'

'Namen.'

'Prijs?'

Will zuchtte. 'De Service eiste dat ik je voor weinig geld zou inhuren.'

'Smeerlappen.'

'Smeerlappen, inderdaad.' Will glimlachte. 'Het is oké. Ik heb me niet laten vermurwen. Ze hebben ingestemd met het normale tarief.'

Kryštof wist wat dat betekende: 5000 pond als voorschot, en nog eens 5000 pond na succesvolle levering.

Kryštof drukte zijn peuk uit en stak een nieuwe op. 'Vertel op.'

'Otto von Schiller. Ooit van gehoord?'

De voormalige Tsjechische inlichtingenofficier wreef over zijn stoppelbaard. 'Klinkt bekend.' Hij kneep zijn ogen samen. 'Wapenhandelaar?'

'Ja, woont in Berlijn.'

Kryštof dronk zijn glas leeg en schonk Becherovka bij. 'Ik weet nog, een paar jaar geleden...' Hij begon te slissen. '... toen ik nog bij de BIS werkte... hebben we vergeefs geprobeerd een van zijn Tsjechische deals te saboteren.'

Will gaapte in een poging de indruk te wekken dat David zich verveelde. 'De Service wil meer weten over de partners van Von Schiller. Met name of sommigen van hen Brits of Amerikaans zijn.'

Kryštof reikte naar de fles. Hij was duidelijk vergeten dat hij zijn glas al vol geschonken had. 'Best, ik zal eens wat rondvragen.'

Will overhandigde de Tsjech een bruine envelop met het voorschot en zei: 'Geef het uit aan eten en nieuwe kleren.' Hij wierp een blik op de fles. 'Niet aan andere dingen.'

De Tsjechische onderzoeker keek om zich heen in de bunker. 'Ze kwam hier vaak.' Hij glimlachte maar zijn gezichtsuitdrukking was bitter. 'Je zou geschokt zijn geweest als je haar zag. Piercings in haar oren, neus, overal. Maar dat vond ik niet erg: ze was en bleef mijn meisje.' Hij staarde naar het plafond en zei met op elkaar geklemde kaken: 'Die mannen hebben haar te pakken gekregen toen ze vanhier naar huis liep.' Hij keek Will aan met vochtige ogen. 'Ik kon hier niet in mijn eentje naartoe, maar al mijn kennissen mijden me. Toen je een afspraak met me wilde maken, had ik eindelijk de kans om hier te komen en afscheid van haar te nemen.' Hij duwde de fles weg. 'Was dat verkeerd?'

Will staarde hem aan. Hij dacht er niet meer aan dat hij eigenlijk moest spelen dat hij David was. Hoewel hij het niet tegen Kryštof kon zeggen, wist hij precies hoe die zich voelde. En dat was de vloek van het hebben van agenten als Kryštof. Hoeveel lagen van bedrog er ook waren, geen daarvan kon de werkelijke emoties wissen op momenten als deze. Hij slikte hard om zijn stem in bedwang te houden, legde zijn met littekens bedekte hand op die van de Tsjech en antwoordde: 'Je hebt er goed aan gedaan.'

Kryštof keek naar het tafelblad; een traan viel in zijn glas. 'Die naam die je nodig hebt... is die echt van belang voor het een of ander?'

Will boog zich naar voren en zei zachtjes: 'Zorg goed voor jezelf, beste vriend. Die opdracht is voor mij van vitaal belang. Die naam is cruciaal voor mijn plan. Als je mij die informatie geeft, heb je mogelijk geholpen bij het redden van miljoenen levens.'

12

Sentinel woog zijn mobiele telefoon in een hand en staarde ernaar. Zijn gezicht stond moe. 'Borzaya heeft iets voor me. Maar deze keer kan ik niet het risico nemen hem te ontmoeten zonder dat jij erbij bent.'

Borzaya was de codenaam van de FSB-officier die Sentinel drie dagen geleden in Hongarije had ontmoet. Hij was een van de voornaamste agenten van de MI6-officier.

Will knikte. Nu hij terug was in Odessa, was er niets wat hij kon doen totdat Kryštof iets van zich liet horen. 'Natuurlijk. Ik heb nog wel een dagje tijd.'

'Dat is buitengewoon aardig van je.'

Will fronste zijn wenkbrauwen. 'De kans dat Razin er zal zijn is miniem. De kans is groot dat hij zal proberen je van het leven te beroven als je hem ontmoet.'

Sentinel keek Will aan en herhaalde: 'Ik kan geen enkel risico nemen.'

'Dat begrijp ik.'

'Nou, dat vind ik nog eens fijn!' Sentinel liep snel de kamer door trok de deur van de koelkast open, haalde er een pak vruchtensap uit en scheurde het open. Nadat hij een teug had genomen, verzachtten zijn gelaatstrekken. Rustig zei hij: 'Het spijt me. Ik ben niet gewend samen te werken met andere MI6-agenten. Let maar niet op mijn toon.'

Die excuses verbaasden Will. 'Ik werk gewoonlijk ook alleen, trouwens.'

'Hoe is het voor jou geweest, die negen jaar?' vroeg Sentinel.

Uitputtend, gevaarlijk, stimulerend, frustrerend en hartverscheurend. Maar dat was niet het antwoord dat Sentinel wilde horen.

In plaats daarvan zei Will: 'Je wéét toch hoe erg het kan zijn.'

De voortdurende angst dat hij op een dag zijn geïsoleerde bestaan zou accepteren.

Sentinel begreep het. Er klonk compassie in zijn stem toen hij sprak. 'Dat zal niet gebeuren.'

'Het is jou overkomen.'

Sentinel fronste zijn wenkbrauwen. 'Dat... dat lijkt misschien zo voor jou, maar ik kan je verzekeren dat het tegendeel waar is. Als ze me uiteindelijk uit het veld zullen halen...' Zijn stem stierf weg. 'Nou, ik neem aan dat ik van dezelfde dingen droom als andere gewone mensen.' Er was nu droefheid op zijn gezicht te lezen. Hij knikte en leek tegen zichzelf te spreken. 'Ja, dat soort dingen wil ik. Misschien nog wel sterker dan andere mensen.'

'Je kunt toch vertrekken?'

Sentinel staarde hem aan en schudde zijn hoofd. 'Ik ben vrijwillig teruggekomen na mijn gevangenschap. Ik moet dit doorzetten.'

Will voelde een vlaag van woede. 'De Service weet dat je zo denkt. Ze maken misbruik van je plichtsgevoel.'

'Uiteraard.' Hij glimlachte, maar even later stond zijn gezicht weer ernstig. 'Om 16.50 uur vandaag gaat er een Malév-vlucht naar Boedapest en wij zitten daar in.'

De presidentiële suite van hotel Gresham Palace was een van de meest luxueuze suites in heel Boedapest en keek uit op de Donau, de Kettingbrug, het koninklijk paleis en de heuvels van Boeda. In de art-decolounge van de suite stonden twee grote sofa's tegenover elkaar. Will en Sentinel zaten op de ene sofa, Borzaya op de andere. Tussen hen in stond een glazen salontafel met mokken en een fles erop.

Wills aanwezigheid in de hotelkamer maakte de FSB-officier duidelijk nerveus.

De mollige agent zat met zijn benen over elkaar geslagen. Hij zag er tot in de puntjes verzorgd uit en droeg een antracietgrijs pak, een overhemd met dubbele manchetten en een zijden das met een Windsor-knoop. Zijn haar was achterovergekamd en te oordelen naar de geur die hij verspreidde had hij zijn gladde gezicht besprenkeld met een ruime hoeveelheid aftershave.

Hij staarde naar Will en leek onwillig om te praten. Toen vroeg hij: 'Spreekt u mijn taal?'

'Ja,' antwoordde Will in het Russisch.

Borzaya keek Sentinel scherp aan. 'Honderd procent zeker dat hij te vertrouwen is?'

81

Sentinel boog zich iets naar voren. 'Als dat niet zo was zou hij hier niet zijn.'

Borzaya's gezichtsuitdrukking bleef vijandig. Hij keek weer naar Will en vroeg: 'Naam?'

'Richard Bancroft.'

'Echte naam?'

'Nee.'

'De naam die je gebruikte als je naar Hongarije reisde?'

'Nee.'

Borzaya knikte. 'Goed.' Hij haalde een dunne, zilveren sigarettenkoker tevoorschijn, tikte hem met één hand open en haalde er een sigaret uit die hij aanstak met een gouden aansteker. 'Maar je hebt nog steeds niet uitgelegd waarom je hier bent.'

Sentinel kwam tussenbeide. 'Richard komt van het hoofdkwartier. Alles wat je weet kan hij mee naar Londen nemen.'

'Londen?' Borzaya klakte met zijn tong. 'Dat zou een zeer ernstige fout zijn.'

Will stond op het punt iets te zeggen maar Sentinel beduidde hem zijn mond te houden.

Borzaya zat een tijdje te roken. Zijn ogen schoten heen en weer tussen de twee mi6-officieren. 'Ik ben niet op de hoogte gebracht van de verblijfplaats van Taras Khmelnytsky. Ik heb geprobeerd die te achterhalen, maar ik ben alleen te weten gekomen dat hij op een uiterst geheime trainingsmissie was.'

Sentinel sloeg zich met zijn handen op zijn benen. 'Verdomme!'

'Zijn verblijfplaats wordt slechts geheimgehouden voor de duur van de trainingsmissie. Als die voorbij is, zal ik in staat zijn hem voor je op te sporen.' Borzaya zweeg even. 'Tenzij... dat te laat is.'

Sentinel schudde zijn hoofd. 'Veel te laat.'

De fsb-officier doofde zijn sigaret zorgvuldig en leek diep in gedachten verzonken. Hij richtte zijn blik strak op Sentinel en zei: 'Alles is nog niet verloren.'

'Heb je iets in het archief gevonden?'

Borzaya knikte. 'Iets zeer ernstigs.' Hij keek Will aan. 'Als je van plan bent wat ik zeg voor te leggen aan Londen, moet je deze kamer nu meteen verlaten.'

Will schudde zijn hoofd. 'Ik ga nergens naartoe totdat Khmelnytsky wordt tegengehouden.'

'Tegengehouden van wat?' Borzaya wierp een blik op Sentinel. 'Ik weet dat je hem wilt vinden, maar je hebt me nog niet verteld waarom.'

'Dat was voor je eigen veiligheid,' antwoordde Sentinel.

Borzaya lachte. Het was duidelijk dat hij de redenen die Sentinels had genoemd voor zijn zoektocht naar Razin niet geloofde.

'Wat heb je in het archief gevonden?'

Borzaya wierp een scherpe blik op Will. 'Vertrek je of blijf je?'

Will sloeg zijn ogen niet neer. 'Ik blijf.'

'Ik hoop dat het de juiste beslissing is.' Borzaya stak een nieuwe sigaret op en keek naar een van de ramen van de hotelkamer. 'Er zijn tienduizenden KGB-dossiers in het archief van de FSB en de SVR. Het zou jaren duren om ze allemaal te lezen.'

'Maar je hoefde ze ook niet allemaal te lezen. Ik heb je een zeer specifieke opdracht gegeven,' snauwde Sentinel.

'Dat is zo.' Borzaya keek hem schalks aan. *Geef me bewijsmateriaal van een schending van de MI6-veiligheidscode.* Toch heb ik geluk gehad.'

'Hoezo?'

De FSB-officier haalde zijn schouders op. 'De dossiers die je me vroeg te lezen zijn nog steeds topgeheim. Ik had moeten uitleggen waarom ik er zo in geïnteresseerd was dat ik toestemming vroeg ze te lezen.'

'Hoezo heb je geluk gehad?' herhaalde Sentinel.

Borzaya glimlachte. 'Een van de dossiers ontbrak. Ik vond dat vreemd en daarom heb ik in het register nagekeken wie de laatste was die het bestand had gelezen.' Hij blies rook uit. 'Herinner je je die idioot Filip Chulkov nog?'

'Jazeker.'

Will keek Sentinel aan. 'Chulkov? Was hij een van de onzen?'

Sentinel schudde zijn hoofd. 'Nee. Hij was een FSB-officier. Is twee jaar geleden vermoord. Een zaak die nooit is opgelost.' Hij keek weer naar Borzaya. 'Stond zijn naam in het register?'

Borzaya knikte. 'Die vent was een imbeciel maar hij had wel toestemming om die dossiers te lezen.' Hij grinnikte. 'Het hogere management heeft hem die toestemming waarschijnlijk gegeven omdat ze dachten dat hij te stom was om te snappen wat hij las.' Zijn gezichtsuitdrukking veranderde. 'Ik heb de afgelopen twee dagen doorgebracht met het lezen van minder geheime dossiers om te zien of er verwijzingen in voorkwamen naar het ontbrekende dossier. Uiteindelijk heb ik er een gevonden. Het bevatte een kort KGB-rapport uit 1987. Er stond in dat een jonge, in Moskou gestationeerde MI6-officier de moeite van het benaderen waard zou kunnen zijn. De volledige naam van die MI6-officier stond in het rapport.'

Sentinel luisterde in opperste concentratie.

Borzaya leunde achterover op zijn sofa. 'Ik heb de omstandigheden rond de dood van Chulkov onderzocht. In het rapport stond een lijst van de telefoontjes die die officier de dag voor zijn dood had gepleegd. Alle gebelde nummers leken normaal: gesprekken met de collega's van de FSB, SVR en GRU, met hoge militairen en bepaalde politici.' Hij glimlachte. 'Ik begrijp waarom geen van die mensen als verdachte werd beschouwd.'

Will dacht razendsnel na. 'Een van die gesprekken was met Taras Khmelnytsky.'

'Correct, meneer Bancroft.'

'En wie was die junior MI6-officier?'

Borzaya keek Sentinel aan. Toen hij sprak, klonken zijn woorden afgemeten en gespannen. 'Alles moet binnen deze vier muren blijven.'

'Zeker.'

Borzaya wendde zijn blik weer af, diep in gedachten verzonken. Na twintig seconden knikte hij lichtjes en zei: 'Eind jaren tachtig was hij undercover als tweede secretaris op de Britse ambassade in Moskou. De KGB ontdekte dat hij een clandestiene relatie had met een Sovjetdiplomaat, iets wat in die dagen absoluut verboden was.'

'Kennelijk hebben ze hem toch gerekruteerd, want waarom zouden ze anders zo'n geheim dossier over hem hebben?'

'Misschien.'

'Je hebt twijfels?'

Borzaya schudde zijn hoofd. 'Ik denk dat de KGB iets uit hem heeft gekregen. Maar ik ontdekte dat die officier maar heel kort op zijn post heeft gediend. Waarom zou hij halverwege zijn termijn teruggaan naar Londen als hij een KGB-agent was? Ze zouden hem hebben gestimuleerd zijn volledige tijd in Moskou vol te maken om maximaal profijt van hem te hebben.'

'Hij is gevlucht,' zei Sentinel.

'Dat ben ik met je eens.'

Sentinel liet zijn hoofd zakken. 'Het is jammer dat we niet weten wat hij tegen de KGB heeft gezegd.'

'Dat weten we wel. Dat werd duidelijk uit het dossier dat ik heb gelezen. Die officier werd als interessant beschouwd omdat de KGB dacht dat hij hun kon onthullen wat de locatie was van de verschillende onderduikadressen van MI6 in Moskou.'

'Onderduikadressen?'

'Onderduikadressen.'

Zoals het huis waar Sentinel werd opgepakt voordat hij voor zes jaar werd vastgezet in de Lubyanka-gevangenis.

Sentinel stond op en liep naar het raam. Met zijn rug naar Will en Borzaya zei hij: 'Ik heb altijd gedacht dat het een agent was die me aan de Sovjets had verraden, niet een MI6-officier in actieve dienst.' Hij draaide zich langzaam om en keek Borzaya direct aan. 'Wie is hij?'

Borzaya tikte drie keer met zijn hand op zijn knie. 'Hij is...'

Tik tik.

'Niets van deze informatie mag Londen bereiken. Je hebt me je woord gegeven.'

Tik.

'Ik verkeer nu al in gevaar, en ik zit er niet op te wachten dat je mijn naam noemt in het kader van een onderzoek.'

Hij hief zijn hand opnieuw, maar liet hem in de lucht hangen.

'De verrader is het huidige hoofd van MI6 in Moskou.'

13

Borzaya had de hotelkamer een kwartier eerder verlaten. Will en Sentinel zaten in een ander deel van de suite tegenover elkaar met een mok zwarte koffie op de vloer tussen hen in.

'Laten we eens nadenken over de verschillende mogelijkheden.' Sentinel nam een slok koffie; zijn gezichtsuitdrukking verried nog steeds woede maar ook concentratie. 'De MI6-officier wordt benaderd door de KGB en krijgt te horen dat ze zijn affaire zullen onthullen aan de Britse autoriteiten tenzij hij meewerkt. Hij had moeten zeggen dat ze konden opdonderen, maar hij is jong en bang.'

'Dus geeft hij hun de locaties van de onderduikadressen en vlucht vervolgens naar Londen voordat ze hem nog vaster in hun klauwen kunnen krijgen.'

'Normaal gesproken,' zei Sentinel terwijl hij zijn mok op de grond zette, 'zou de KGB hem hebben achtervolgd en geprobeerd hebben hem uit Londen te krijgen, maar...'

'De Sovjet-Unie stort ineen, het Russische element van de KGB wordt getransformeerd tot de SVR, agenda's veranderen en ergens tijdens dat proces glipt de MI6-officier door de mazen van het net.'

Sentinel knikte. 'Of men heeft besloten dat hij niet meer van nut is voor het vernieuwde Rusland – te jong, te onbereikbaar.'

'Hoe dan ook, ze gingen achter jou aan en kregen je te pakken op een van je onderduikadressen.' Will probeerde zich dat moment voor te stellen. Zelfs voor een veteraan als Sentinel moest het een beangstigende ervaring zijn geweest.

Sentinel wendde even zijn blik af; zijn volgende woorden klonken kalm. 'Ik hoorde hoe ze het gebouw binnenkwamen, keek uit de ramen, zag dat ik volledig omsingeld was en wist dat alles verloren was. Dus zette ik...' Hij zuchtte.

'Je zette je pistool tegen je hoofd, maar je kon de trekker niet overhalen.'

Sentinel bleef voor zich uit staren. 'Tot op de dag van vandaag weet ik niet welk van die twee dingen het lafst was.'

Will boog zich naar hem toe. 'Zo moet je niet denken. Het was een onzekere situatie.' Hij had geen idee wat hij zelf gedaan zou hebben in die omstandigheden.

'De situatie was helemaal niet onzeker. Ik had te veel geheimen, en ik wist van te veel Russische MI6-agenten die zouden worden geëxecuteerd als ik was doorgeslagen onder marteling.'

'Maar je hebt je mond gehouden.'

'Ik wist dat als ik hun zou vertellen wat ze wilden weten, ik naar een binnenplaats zou worden gebracht waar ik zou worden geëxecuteerd door een vuurpeloton.' Sentinel sloeg zijn handen ineen. 'De enige reden dat ik erin ben geslaagd mijn mond dicht te houden was dat ik steeds heb geweigerd de Russen me dingen aan te laten doen die ik mezelf niet aan kon doen.' Hij keek Will aan; zijn houding veranderde. 'Maar terug naar het werk. Laten we even snel teruggaan naar twee jaar geleden. Razin was nu een van mijn agenten en had besloten dat hij de identiteit van mijn andere agenten moest kennen.'

'Hoewel hij wist dat hij die informatie nooit van jou zou krijgen. En toen vroeg hij zich af of het mogelijk was om die info van een andere MI6-officier te krijgen.'

'Iemand die op een bepaald punt in zijn carrière geheimen had verraden aan de USSR of Rusland.'

'Hij liet zijn contacten bij de Russische inlichtingendienst discreet uitzoeken of een dergelijke persoon bestond.'

Sentinel dacht hetzelfde. 'Een van die contacten was een FSB-officier die Filip Chulkov heette. Hij had de bevoegdheid om de gesloten, topgeheime dossiers van de MI6-dubbelspion te lezen.'

'En in een van die dossiers las hij over de jonge MI6-officier.'

'Chulkov wás een domme vent, maar zelfs hij zou de naam in het dossier onmiddellijk hebben herkend.'

'Maar uiteindelijk kreeg zijn domheid toch de overhand. In plaats van het dossier en de MI6-naam naar zijn FSB-superieuren te brengen zodat ze de zaak konden heropenen, ging hij er meteen mee naar Razin.'

'Die hem bedankte en hem een kogel door zijn hoofd schoot.'

Will nam een slok van zijn koffie. 'Razin benadert het hoofd van de vestiging Moskou en...'

'Chanteert hem om de namen van mijn agenten te geven.'

Hoewel het deels giswerk was, vond Will dat hun theorie aannemelijk klonk. Maar ze wisten nu alleen nog maar hoe Razin aan de namen van de agenten was gekomen. Hij voelde een hevige frustratie. 'We kunnen je agenten niet waarschuwen.'

'Dat weet ik!' Sentinel klonk al evenzeer gefrustreerd. 'Als we dat doen, halen we ze uit het spel. En als dat gebeurt, krijgen we hetzelfde resultaat als wanneer ze gedood zouden worden – een langdurige oorlog en alles wat daarop volgt.' Hij mompelde 'Shit, shit shit' en keek Will aan. 'Wat is het waarschijnlijke succes van jouw operatie?'

'Gesteld dat ik de juiste mensen kan benaderen, heb ik er vertrouwen in dat het zal werken, maar ik kan niet garanderen dat er niet meer van jouw agenten zullen worden vermoord,' antwoordde Will.

'Dat dacht ik al.' Frustratie ging nu over in wanhoop. 'Ik kan er niet nog meer laten sterven.'

'Er is niets wat je op dit moment kunt doen.'

'Er is één mogelijkheid.'

Will wachtte af.

Sentinel staarde naar de vloer, duidelijk diep in gedachten verzonken. 'Stel dat we Razin vertellen welke agenten ik ga bezoeken en wanneer.'

Will fronste zijn wenkbrauwen. 'Dat zou alleen helpen als je een doelwit was.'

Sentinel glimlachte. 'Misschien ben ik dat ook. Hij weet dat ik achter hem aan zit en hij heeft al een keer geprobeerd me te doden. En daarbij komt dat mijn dood de parel in zijn kroon zou zijn. Als hij me doodt, heeft hij de man gedood die de agenten runt, de man die de mogelijkheid heeft meer agenten te rekruteren om degenen die Razin heeft gedood te vervangen, de man die de Russen stom genoeg hebben vrijgelaten en die doorging met zijn werk tegen hen.'

Will voelde hoe zijn buikspieren verkrampten. 'We kunnen jou en jouw agenten niet als lokaas gebruiken.'

'Waarom niet? Jij bent er toch om ons te beschermen?'

'Ik kan falen!'

'Zeker als je zo denkt, ja.'

'Het is te riskant.'

Even leek Sentinel verrast door Wills reactie. 'Kan het je iets schelen?'

'Natuurlijk.' Hij priemde een vinger in de richting van zijn collega. 'Een groot aantal mensen is afhankelijk van het feit dat jij in leven blijft.'

'Omgekeerd...'

'Ja, omgekeerd... maar we hoeven hen niet in de kaart te spelen.' Will schudde zijn hoofd. 'Hoe zou je Razin laten weten waar die ontmoeting plaatsvindt zonder dat hij argwaan koestert?'

Sentinel keek op. 'Ik neem contact op met Kiev en laat hen een telegram sturen naar Londen waarin staat dat ze Moskou moeten instrueren dat ik de DLB in Minsk ga reactiveren. De dienst in Moskou let daar niet zo goed op – ze hebben een officier die in het geheim in en uit Wit-Rusland mag reizen. Hij ontvangt mijn berichten en brengt ze terug naar Rusland in een diplomatentas. Morgen laat ik een gecodeerd bericht achter met de boodschap dat ik Shashka over drie dagen zal ontmoeten.' Shashka was de codenaam van een vooraanstaand geheim agent en een generaal van de Russische grondtroepen, gestationeerd in de westelijke afdeling van het Operationeel Strategisch Hoofdkwartier in Sint-Petersburg. 'Het bericht zal worden afgeleverd aan het hoofd van de basis. Vervolgens hoop ik dat hij de details doorgeeft aan Razin.'

'Maar misschien doet hij dat niet.'

Sentinel stond op en schonk meer koffie voor zichzelf in. 'Razin zal het hoofd van de basis onder druk blijven zetten om zo veel mogelijk te weten te komen over onze plannen. Hij heeft die man in zijn macht. Dat bericht wordt doorgegeven, dat weet ik zeker.'

'Ik ben er sterk op tegen om jou als lokaas te gebruiken. Ik heb orders om Razin tegen te houden, maar ik heb ook instructies om jou ten koste van alles te beschermen. Jouw plan voelt verkeerd.'

'Kom dan met een plan dat góéd voelt en dat ervoor zorgt dat er niet nog meer van mijn agenten worden vermoord.'

Will zweeg.

Sentinel ging aan een tafel zitten, pakte een stuk papier en een vulpen en begon te schrijven. Toen hij klaar was stond hij op, liep naar Will en duwde hem het papier in de hand terwijl hij zei: 'Ik zal het bericht herschrijven en coderen als ik in Wit-Rusland ben.'

ONTMOETING MET SHASHKA OM 18.00 UUR OP 24STE VAN DEZE MAAND OP ONDERDUIKADRES ST PETERSBURG VAN WEZENLIJK BELANG DAT IK OP DE HOOGTE WORD GEBRACHT VAN INLICHTINGEN OVER SHASHKA OF ST PETERSBURG VOORAFGAAND AAN ONTMOETING. MIJN RUSSISCHE CONTACTEN ZIJN NIET TE VERTROUWEN. SCHENDING VAN VEILIGHEIDSMAATREGELEN. HEB TWEE PISTOLEN NODIG EN EEN COMMUNICATIESYSTEEM VOOR TWEE PERSONEN. REAGEER OP 23STE MET DETAILS. SENTINEL.

Will smeet het papier opzij. 'Het andere grote risico geldt Shashka zelf. Hij is een extreem waardevolle agent.'

'Hij moet erbij zijn. We kunnen geen plaatsvervanger gebruiken.'

'Dat snap ik.'

Shashka kon Razin lokaliseren. Een ontmoeting met hem om die informatie te verkrijgen was van wezenlijk belang. Bovendien was het mogelijk dat Razin Shashka zou volgen naar die bijeenkomst. Hij zou elke misleiding meteen doorhebben en zou daardoor waarschijnlijk niet meer bij de afspraak komen opdagen.

Maar Will voelde zich toch niet op zijn gemak met alles. 'Je speelt met vuur.'

'Dat is altijd al zo geweest.'

Will keek hem aan. De laatste paar dagen leek Sentinel ouder geworden. Will aarzelde voordat hij kalm zei: 'Als we erin slagen Razin tegen te houden, moet je het veld verlaten. Maak een thuis voor jezelf in Engeland. Je hebt meer dan genoeg gedaan.'

'Daar zou ik nooit om vragen.'

'Maar je hebt zelf toegegeven dat je er wel aan hebt gedacht.' Hij boog zich naar voren. 'Misschien zou je geen bezwaar hebben als die beslissing je uit handen werd genomen.'

Sentinel zei niets.

'Misschien... kan ik ervoor zorgen dat er zoiets gebeurt.'

Het was duidelijk dat Sentinel nadacht over Wills idee. Toen begon hij te stralen. 'Ik neem een vrouw, een mooi huis op het platteland, ga wat tuinieren, drink af en toe een biertje in de plaatselijke kroeg. En al dat soort dingen zou ik van jou moeten leren?'

Will lachte. 'Je hebt gelijk, ik geef het toe.'

Sentinel glimlachte. 'Dat dacht ik ook.' Hij zuchtte. 'Maar toch, het is een prettig idee...' Hij sloeg zijn armen over elkaar. 'Morgen ben ik in Minsk. Daar heb ik jou niet bij nodig, maar wel bij de ontmoeting met Shashka in Rusland.' De blik in zijn ogen werd kil. 'Ik ga Razin vermoorden. En als ik klaar ben met hem, ga ik een bezoekje brengen aan het hoofd van de dienst in Moskou.'

Deel twee

14

De Russische inlichtingenofficier stuurde zijn auto van de Moskouse snelweg af en reed een smallere weg in noordelijke richting op. Normaal gesproken duurde de reis naar huis slechts een half uur, maar het was donker en het sneeuwde hevig. Hij hoopte dat zijn vrouw niet boos zou zijn dat hij te laat was. Die avond hadden ze een etentje met vrienden. Hun jonge kinderen mochten opblijven en mee-eten. Nikita en Ivan hadden zich er heel erg op verheugd en hadden beloofd niet in slaap te vallen voor het eten.

Al snel waren er geen straatlantaarns meer langs de weg. Aan beide kanten lag bos. Hij zette zijn ruitenwissers in een snellere stand en tuurde met toegeknepen ogen door de sneeuw. De verwarming van de auto maakte lawaai en stond op de hoogste stand, maar er was nauwelijks sprake van warmte. Hij herinnerde zich dat zijn vrouw erop had aangedrongen dat hij een nieuwe auto zou kopen. Ze had gelijk – deze viel uit elkaar van ouderdom en het viel nog maar te bezien of hij de winter zou overleven.

Er naderde een auto met groot licht. De officier vloekte en werd bijna verblind. Hij minderde vaart totdat de auto hem was gepasseerd. De weg voor hem was nu leeg. Hij verhoogde zijn snelheid en vroeg zich af of zijn vrouw zijn lievelingsgerecht zou maken: *kholodets*. Ze had haar eigen speciale recept waarin kalfsvlees was vervangen door varkenspoten, varkensoren en ossenstaarten.

Hij dacht na over de laatste paar dagen. Zijn werk was riskant geweest en hij was blij dat hij zijn taak met succes ten einde had gebracht. Vanavond kon hij zich ontspannen en zou hij een paar flessen pinot noir ontkurken. Geen van de gasten wist wat hij deed voor de kost en hoewel zijn vrouw dat wel wist, was ze niet op de hoogte van de details. En ze wist al helemaal niets over zijn grote geheim. Maar dat deed er niet toe. Hij zou gewoon tegen zijn gasten zeggen dat hij wou vieren dat hij een zware werkweek achter de rug had.

Zijn stemming verbeterde na elke kilometer. Hij haalde een sigaret tevoorschijn, stak hem aan en inhaleerde diep. Hij stelde zich het etentje voor en glimlachte. Als de avond voorbij was en de kinderen sliepen zou zijn vrouw misschien de liefde met hem bedrijven.

Hij draaide zijn raampje een paar centimeter omlaag en tikte de as door de opening naar buiten. Een plotselinge windvlaag blies de sigaret tussen zijn vingers vandaan en tegen zijn borst aan. Hij vervloekte zijn stommiteit, keek omlaag of er soms gloeiende as op zijn kleren terecht was gekomen. Hij vond de peuk in zijn schoot, pakte hem snel weg en keek op.

Terwijl hij dat deed ramde een auto hem van achteren.

De officier schoot naar voren totdat de gordel straktrok en de lucht uit zijn longen perste. Hij kreunde, hoorde banden piepen en metaal tegen metaal schuren en hij voelde hoe het stuur onder zijn handen schudde. Hij tilde zijn hoofd op, zag koplampen in zijn achteruitkijkspiegel, keek gauw weer voor zich en besefte dat zijn auto diagonaal over de weg naar het dichte bos werd geduwd. Hij gaf een forse ruk aan het stuur en zijn auto begon te tollen.

Wat gebeurde er?

Een dronken chauffeur?

De auto draaide driehonderdzestig graden. De officier zag dat hij nog steeds naar het bos reed waar hij ongetwijfeld tegen een boom zou knallen. Er zaten geen airbags in dit aftandse vehikel.

Het was nog maar enkele meters tot de bomen.

Nauwelijks drie seconden nog.

Geen enkele kans om zijn auto weer onder controle te krijgen.

Hij maakte zijn gordel los, duwde het portier open en dook de weg op, net voordat de auto tegen de dikke stammen klapte. Hij voelde een hevige pijn in zijn ellebogen en knieschijven. Hij haalde diep adem en keek naar rechts. De auto die hem had geramd stond vijftig meter verderop stil met draaiende motor. De koplampen schenen zijn kant op. Een lange man liep naar hem toe. Je kon alleen zijn silhouet onderscheiden.

Kwam hij hulp bieden?

Nee, niet met dat lange mes in zijn hand.

Hij duwde zich van de grond op en vertrok van pijn terwijl zijn benen bijna onder hem bezweken.

Angst en adrenaline.

Hij hinkte weg over het midden van de weg. Zijn huis lag slechts enkele kilometers verderop. Dat was alles wat er toe deed.

Drie kilometer.

Thuis.

Deuren op slot doen.

Zijn pistool pakken.

Hij probeerde te rennen maar hij kon nauwelijks lopen; een van zijn benen was mank. Hij keek angstig achterom en zag dat de lange man nog steeds achter hem aan kwam. Hij keek voor zich. Alles was nu bijna in duisternis gehuld en het sneeuwde hevig. Het bos lag aan beide kanten van de weg.

Zou hij zich in het bos verstoppen?

Misschien zou hij daar doodvriezen.

Of op de weg blijven tot er hulp kwam?

Nadat de man hem met gemak had ingehaald en vermoord?

Hij had geen idee wat hij moest doen, dus hij bleef zich maar over de weg voortslepen. Zijn ademhaling ging snel en oppervlakkig. Te veel sigaretten. Te veel overvloedige maaltijden en te veel wijn. Maar hij bleef voortgaan, hoewel elke stap een pijnscheut veroorzaakte.

Thuis zien te komen.

Nikita en Ivan knuffelen.

Zeggen dat hij van hen hield.

Voor altijd bij hen blijven.

Niet doodgaan.

Na de klap in zijn rug viel hij voorover. Hij lag op de grond en probeerde weg te kruipen. Zijn vingers klauwden in de sneeuw.

Iets hards bonkte in zijn nek en hield hem tegen de grond gedrukt.

Een laars.

Geen adrenaline meer.

Alleen totale angst.

De druk van de laars verdween. Een hand greep hem bij zijn schouder en draaide hem op zijn rug. Toen werd hij door twee handen bij de keel gegrepen en op zijn voeten getild. Het gezicht van de man was enkele centimeters van het zijne verwijderd. Er was net genoeg licht om te kunnen zien dat hij kalm was.

Dat hij Taras Khmelnytsky was.

De officier maakte een schoppende beweging, maar het maakte niets uit. Khmelnytsky hield hem stevig vast. Hij glimlachte nu.

Een snelle beweging.

Ondraaglijke pijn in zijn buik.

Natuurlijk.

Het mes.

Geen kans meer om te knuffelen met opgetogen kinderen, om kholodets te eten en pinot noir te drinken of de liefde te bedrijven met zijn vrouw.

Khmelnytsky wrikte het mes omhoog en liet de officier vallen.

Hij lag op de weg en zijn hele lichaam schudde. Maar zijn geest was nog actief.

Khmelnytsky torende even boven hem uit.

De officier dacht aan het geheim dat de afgelopen week riskant en gespannen had gemaakt. Hij vroeg zich af hoe zijn vrouw zou hebben gereageerd als hij haar had verteld over zijn werk als dubbelspion voor MI6.

Hij zou het nooit weten.

Khmelnytsky knielde neer en stak het mes recht in Borzaya's gezicht.

15

Will was terug in Oekraïne en liep met zijn mobieltje tegen zijn oor door de lobby van hotel Hyatt Regency in Kiev. 'Vanavond om zeven uur dineer ik met hem in het restaurant hier. Geeft hun dat voldoende tijd om een team samen te stellen?'

De stem van Patrick klonk aarzelend.

'Het is krap, maar we zullen het telegram als urgent markeren.'

Will ging op een sofa in een hoekje zitten, ver verwijderd van de andere gasten. 'Zeg tegen hen dat het van het grootste belang is dat ze elk woord opvangen.'

'We kunnen nog steeds niet garanderen dat je niet wordt ontmaskerd.'

'Dat weet ik.'

Stilte.

Will keek om zich heen in de lobby. 'Als jullie het transcript terugkrijgen, hoef ik alleen maar te weten of ze de verwijzing naar de kolonel erin hebben laten staan.'

'Begrepen. Ik zal je een sms'je sturen.'

'Niet naar mijn telefoon die op naam van Eden staat.'

'Je meent het.'

De lobby begon vol te lopen. Will besloot dat het tijd werd om te vertrekken.

'Als ze je toch ontmaskeren kennen we je niet, zelfs als ze je voor een paar jaar de gevangenis in gooien.'

Will glimlachte. 'Je meent het.'

Het was vroeg in de avond. Will zat in zijn hotelkamer en had zijn pak aangetrokken. Hij inspecteerde zichzelf in de spiegel en was tevreden over hoe hij eruitzag.

Thomas Eden. Brits onderdaan. Directeur van het in Londen gevestigde bedrijf Thomas Eden Limited – een legale onderneming, maar een bedrijf dat ervan werd verdacht een dekmantel te zijn voor illegale wapenaankopen, ooit onderzocht door MI6 en de CIA.

Die ochtend had de CIA een dringend telegram gestuurd naar de inlichtingendienst van Oekraïne, de Sluzhba Bezpeky Ukrayiny, waarin werd gemeld dat Thomas Eden om zeven uur die avond een ontmoeting zou hebben met de defensieattaché van de Iraanse ambassade in Kiev, in het restaurant van hotel Hyatt Regency. Er werd de SBU in verzocht de conversatie tussen de twee mannen in het geheim op te nemen en het transcript naar Langley te sturen, en Eden moest men ongemoeid laten aangezien men anders een belangrijk onderzoek naar zijn wapenhandel zou compromitteren. Als de SBU dit zou willen doen, zou de CIA als tegenprestatie nieuwe inlichtingen leveren over Amerikaans-Russische relaties en de te verwachten gevolgen ervan voor Europa.

Het was een onverbloemd verzoek, van het type dat inlichtingendiensten vaak aan elkaar deden. Het suggereerde ook dat de CIA zich netjes gedroeg in Oekraïne en geen dingen in het land ondernam zonder dat de SBU daarvan wist.

Maar de werkelijkheid was minder oprecht. Het telegram was verstuurd in de hoop dat de SBU het transcript niet alleen naar de CIA maar ook naar de trouwste bondgenoot van de SBU zou sturen: de SVR.

Will pakte zijn nieuwe visitekaartjes die hij een dag eerder in hotel Otrada had opgehaald nadat hij alle documentatie betreffende Thomas Eden Limited had verwerkt en per koerier naar zijn accountant in Londen had laten brengen. Het was tijd om te gaan. Hij verliet zijn hotelkamer en nam de lift naar het restaurant. Onder het afdalen begon hij zich in te stellen op de rol die hij moest spelen.

Wees praatgraag, innemend, gericht op geld verdienen, af en toe bot, flirt met alles wat een rok draagt, ga geen relaties aan, en je hebt een hekel aan wetten en wetgevers. Zorg ervoor absoluut niet op Will Cochrane te lijken.

De liftdeuren gingen open en hij liep het restaurant in. De zaal waar honderdvijfenvijftig mensen terecht konden zat voor driekwart vol. Nadat hij zijn naam aan de ober had gegeven werd hij naar zijn tafeltje gebracht. De gedrongen, middelbare Iraanse defensieattaché zat er al. Hij droeg een pak, had een snor en had gel in zijn zwarte haar. Hij stond op om Thomas Eden een hand te geven.

Will grijnsde en zei met luide stem: 'Meneer Mousavi, aangenaam u te ontmoeten.'

De attaché glimlachte niet. Hij leek op zijn hoede. 'We hadden ook op de ambassade kunnen afspreken.'

Wills trok een bredere grijns en ging zitten. 'Ambassades zijn vreselijk saaie plekken.' Hij deed een greep naar de wijnkaart. 'En meestal hebben ze geen goede wijnkelder.'

'Misschien drink ik niet.'

'In dat geval hebt u misschien het verkeerde beroep gekozen.'

Mousavi's gezichtsuitdrukking werd iets milder, hoewel hij nog steeds niet glimlachte. Hij ging zitten, vouwde zijn witte linnen servet open en legde het zorgvuldig op zijn schoot. 'Officieel mag ik geen onbekenden ontmoeten buiten de ambassade.'

Will boog zich naar voren met een twinkeling in zijn ogen. 'Maar onofficieel...' Hij keek om zich heen voordat hij zijn blik weer op de attaché richtte. '... wordt op dit soort plekken het echte werk gedaan.' Hij vouwde zijn servet open en legde het neer. 'O pardon, ik moet u mijn visitekaartje nog geven.'

Hij gaf hem er eentje. Hij wist zeker dat de twee stellen aan het tafeltje naast hem bij het sbu-observatieteam hoorden en dat ze het gesprek gemakkelijk konden verstaan.

Mousavi keek een tijdje naar het kaartje voordat hij zei: 'Canary Wharf is een prestigieus adres.'

Will haalde zijn schouders op. 'Ik heb dat adres gekozen omdat ik daar een goed uitzicht heb op de vrouwelijke bankiers die naar hun werk paraderen in hun strakke kantoorrokken.'

Mousavi glimlachte. 'De zaken zullen ongetwijfeld goed gaan.'

'Verdomd goed.' Will wenkte een serveerster. 'Zo goed dat de vraag het aanbod overstijgt.' De serveerster kwam bij hen staan.

Will keek haar stralend aan. Ze was rond de vijfentwintig en had kort blond haar en geen ring om haar vingers.

In het Russisch vroeg hij: 'Wat kunt u ons aanraden?'

Ze glimlachte en keek een beetje bedeesd. 'Ik werk hier nog niet zo lang en ik ken het menu eigenlijk niet. Ik zal iemand anders voor u halen.'

Will stak een vermanende vinger op. 'Dat zou onze avond verpesten. Jij bent hier de mooiste vrouw.'

Ze giechelde. 'Nou, ik heb gehoord dat de steaks goed zijn.'

Will keek vragend naar Mousavi, die knikte en zei: 'De mijne goed doorbakken.'

'En die van mij saignant.' Will had een hekel aan halfrauwe biefstukken maar hij dacht dat dat beter bij Thomas zou passen. Hij sloeg de wijnkaart open, gebaarde naar de attaché en zei, terwijl hij op de lijst wees: 'We nemen deze fles Châteauneuf-du-Pape.'

Toen de serveerster was vertrokken, vroeg Mousavi in het Engels: 'Waar hebt u Russisch geleerd?'

'Bij de Household Cavalerie. Ze hebben me een cursus van een jaar laten doen.' Hij grijnsde. 'Ik heb een jaar lang tegenover een bloedmooie Russische gezeten. Ze heeft me veel geleerd. Meer dan op het lesrooster stond...'

'Mijn lerares Russisch was heel anders... heel, heel anders.' De attaché keek serieus. 'Meneer Eden, in uw introductiebrief aan mij stond dat u een interessant zakelijk voorstel wilde bespreken.'

Will wees op de attaché. '*Vertrouwelijk* bespreken.'

Mousavi leek beledigd. 'Ik ben hier in officiële hoedanigheid.'

'Dat weet ik.' Will boog zich naar voren en dempte zijn stem enigszins. 'Maar een man in mijn positie moet voorzichtig zijn als hij met iemand uit uw land spreekt.'

'En wat is uw... positie?'

Will leunde naar achteren en wreef in zijn handen. 'Ik doe veel normale dingen – inkoop en verkoop aan klanten over de hele wereld. Het betaalt de rekeningen.' Hij liet zijn glimlach verdwijnen. 'Maar waar ik echt goed in ben, waar ik om bekendsta, is het eersteklas werk.'

De serveerster bracht hun fles wijn en schonk twee glazen in. Will keek haar aan en glimlachte weer. 'Chanel nummer 19...' Hij schudde zijn hoofd. 'Nee. Chanel nummer 19 Poudré. Heb ik gelijk?'

De serveerster knikte. 'Mijn vriend heeft die voor me gekocht. Van mijn salaris kun je zoiets niet betalen.'

Will lachte. 'Vriend? Jammer... voor mij.'

Ze glimlachte. 'Niet uw geluksavond.'

Will keek naar haar achterste terwijl ze wegliep, zuchtte en keek Mousavi scherp aan. 'Blauwdrukken van prototypes. Het eersteklas spul. Dat lever ik aan kritische klanten.'

'En u denkt dat de Iraanse regering geïnteresseerd zou kunnen zijn in wat u te bieden hebt?'

Will haalde zijn schouders op. 'Ik ben hier om daar achter te komen.' Hij tilde zijn glas op en hield het omhoog.

Mousavi staarde naar zijn eigen glas, pakte het op en klonk met Will. 'En ik luister.'

Will nipte van zijn wijn en knikte goedkeurend. 'Dit is niet gek.'

De attaché dronk. 'Dat ben ik met u eens, hoewel het jammer is dat het restaurant geen flessen uit '98 heeft.'

Will glimlachte. 'Ik wíst dat u een wijnkenner was.'

Mousavi zette zijn glas neer. 'Wat hebt u te bieden?'

Will aarzelde. 'Er wordt een nieuw wapensysteem getest. Het kan gemakkelijk door één persoon worden gedragen en heeft een verwoestend effect.' Hij dempte zijn stem. 'Een ideaal wapen voor de Iraanse Speciale Strijdkrachten.'

Mousavi leek diep in gedachten verzonken. 'Bommen?'

'Ja, maar ik kan verdere details pas bekendmaken als ik weet welke kant deze conversatie op gaat.'

De attaché fronste zijn wenkbrauwen. 'Hebt u een legale leverancier van de blauwdrukken van deze wapens?'

Dit was het moment waarop Will had aangestuurd.

'Legale leveranciers zijn zelden nuttig voor mij. Ik heb een contactpersoon in het Russisch leger, een kolonel. Hij is betrokken bij die wapens en heeft toegang tot de blauwdrukken. Ik heb hem veel geld betaald om die documenten te kopiëren zodat ik ze op de markt kan brengen. Ik geef u het recht van voorkeur.'

Mousavi stond snel op. Op zijn gezicht stond woede te lezen. 'U hebt een ernstige vergissing begaan, meneer Eden. Ik wil niet betrokken raken bij illegale aankopen.'

'Meneer Mousavi...'

'Nee. Deze ontmoeting is voorbij!'

Mousavi stormde het restaurant uit precies op het moment dat de knappe serveerster de steaks kwam brengen. Ze keek bezorgd. 'Is alles in orde?'

Will probeerde een teleurgestelde indruk te maken, hoewel Mousavi precies had gezegd en gedaan wat hij had gehoopt. 'Vanavond is duidelijk mijn avond niet.'

Ze zette de borden neer, keek snel om zich heen en fluisterde: 'Om elf uur zit mijn dienst erop.'

Will keek haar aan en vroeg zich af hoe het zou zijn om iets met haar te gaan drinken laat op de avond. Maar hij moest de arrogante en hitsige persoonlijkheid van Thomas Eden blijven spelen voor het geval de SBU hem nog op de hielen zat. Hij kon dat die vrouw niet aandoen, en zichzelf evenmin. Zijn glimlach maskeerde een innerlijke droefheid. 'Dat zou vast heel leuk zijn, maar ik moet werken.'

De volgende dag liep Will door de aankomsthal van de luchthaven van Sint-Petersburg. Hij was Rusland binnengekomen op zijn paspoort op naam van John Lawrence. Sentinel was eerder die ochtend het land in gevlogen en Will had een afspraak met hem.

Hij zette zijn mobiele telefoon aan. Een piepje gaf aan dat hij een bericht had; hij herkende het nummer als een van de vele geheime telefoons die Patrick gebruikte.

Ze hebben het gestuurd. De man of de items worden niet genoemd.

Will glimlachte. Langley had het SBU-transcript gestuurd zonder verwijzing naar de 'kolonel' of de bommen. De enige reden dat ze die details konden hebben weggelaten was dat ze zelf in een goed blaadje wilden komen bij de SVR door die gegevens door te sturen naar de Russen, zodat de zaak kon worden onderzocht door de FSB. Zijn operatie was begonnen. Door zorgvuldig en gedoseerd snippers informatie te laten lekken aan de Russen kon hij erop hopen dat Taras Khmelnytsky in diskrediet zou worden gebracht en uit het leger zou worden ontslagen.

Hij liep door naar de uitgang en zijn glimlach vervaagde. Twee dagen geleden had Sentinel zijn bericht overgebracht aan de DLB in Minsk. Vanavond zouden ze Shashka ontmoeten. En als alles volgens plan verliep zouden ze ook Razin ontmoeten.

16

Het was al schemerig toen Will over de verlaten, onverlichte weg reed, dertig kilometer buiten Sint-Petersburg. De weg was recht zover het oog reikte en werd omgeven door bos. Alles was met een laagje ijs bedekt, maar er lag geen sneeuw.

Sentinel keek op zijn horloge en richtte zijn blik op Will. 'We zijn op tijd.' Hij keek voor zich. 'Rij nog vierhonderd meter door en verlaat dan de weg.'

Will reed nog tien seconden door, zette de huurauto stil en reed achteruit over ruig terrein tussen de bomen. Toen hij ervan overtuigd was dat ze niet gezien konden worden door auto's op de weg, zette hij de motor af en schakelde de koplampen uit.

Sentinel wreef zijn handen. 'Ik zal op haar wachten. Ik stel voor dat jij naar de weg loopt.'

Will knikte en stapte uit. Na bijna twee uur in de warme auto trof de plotselinge kou hem hard. Hij rende door het bos, hield de weg aan zijn rechterkant, terwijl zijn adem in de lucht stoomde. Na tweehonderd meter ging hij dichter bij de weg lopen. Hij hurkte neer naast een grote boom en keek achter zich over de weg naar de plek waar Sentinel zich ongeveer moest bevinden. Hij bleef zo twintig minuten zitten en hoorde toen een auto. De weg voor hem werd verlicht, een sedan reed voorbij en stopte halverwege Wills positie en de locatie van Sentinel. Een minuut lang gebeurde er niets. Toen stapte een vrouw uit de auto.

Sentinel liep de weg op en riep: '7962.'

'5389,' antwoordde de vrouw.

Sentinel liep snel naar haar toe en wuifde met een hand om Will te kennen te geven dat het veilig was. Will liep behoedzaam op de auto toe. Sentinel gebaarde naar de vrouw. 'Dit is Rebecca. Ze werkt vanuit Moskou.'

Rebecca was tenger, leek nog heel jong en was erg zenuwachtig. Ze schudde Will de hand en zei: 'Dit is de eerste keer dat ik dit doe, afgezien van tijdens de training.'

Sentinel negeerde haar en liep naar de achterkant van de auto. Hij sloeg met een hand op de kofferbak en vroeg: 'Hierin?'

Rebecca knikte en keek om zich heen. Ze wilde hier duidelijk zo snel mogelijk weg. 'Hij is open.'

Sentinel haalde een tas uit de kofferbak en liep weer naar haar toe. De tas bevatte de pistolen en communicatiesystemen waarom hij had gevraagd. Hij gaf Will een Sig Sauer P226 en twee reserve-magazijnen en stak zijn eigen wapen en magazijnen in zijn jasje. Hij keek Rebecca scherp aan en vroeg: 'Nog verdachte zaken?'

Ze schudde haar hoofd. 'Niets. We hebben met onze bronnen gepraat. Geen van hen heeft iets gezegd over inzet van mannen van de FSB of SVR in Sint-Petersburg. En ze hebben ook niets gezegd over Shashka.'

'Bewegingen naar Londen of GCHQ?'

'Wederom, niets.' Ze fronste haar wenkbrauwen. 'Ik moest je van Guy vragen naar mogelijk verraad.'

Guy – het hoofd van MI6 in Moskou.

Sentinel zweeg even. Toen zei hij: 'Ik heb nog geen bewijs, maar ik vermoed dat één van mijn Russische agenten me tegenwerkt of dat daar meerdere agenten bij zijn betrokken.'

'Ken je hun identiteit?'

Sentinel schudde zijn hoofd. 'Zeg tegen je baas dat hij voorzichtig moet zijn. Het is mogelijk dat sommige van zijn eigen operaties gevaar lopen.'

'Bedankt, dat zal ik doen.' Ze keek naar Will. 'Jou heb ik nog niet eerder ontmoet.'

Sentinel wierp een blik op zijn horloge. 'En het is onwaarschijnlijk dat je hem ooit nog eens zult ontmoeten. Je moet nu gaan.'

Ze stapte in haar auto en Will keek toe terwijl de achterlichten uit het zicht verdwenen. Toen wendde hij zich tot zijn collega. 'Er is nog steeds tijd om die afspraak af te zeggen.'

'Dat ga ik niet doen.'

'Razin kan explosieven op het onderduikadres hebben aangebracht.'

'Dat risico zullen we moeten nemen.'

'De manier waarop jij het aanpakt deugt niet!'

'Bedoel je dat jouw manier de juiste is?' Sentinel schudde zijn hoofd. 'Wat we ook doen, Razin is nog steeds op vrije voeten.' Hij

draaide zich om en keek Will recht in de ogen. 'Borzaya is vermoord. Dat heb ik gisteren gehoord. Morgen kan ik te horen krijgen dat er weer een agent is vermoord omdat wij niks hebben gedaan. Blijf hier als je wilt, of ga met me mee. Vanavond ga ik hoe
dan ook proberen Razin te doden.'

17

Het was nog vroeg in de avond en Will zat alleen in zijn auto en keek naar de stilstaande auto voor hem. Sentinel zat in dat voertuig. Ze stonden op de Dvortsovaya naberezhnaya, naast de brede rivier de Neva in het hartje van Sint-Petersburg. Vlakbij lag een van de belangrijkste winkelgebieden, Nevskiy prospekt, en de MI6-mannen werden omgeven door talloze winkelende voetgangers. Sentinel had het op die manier gewild. Zijn agent moest voldoende dekking hebben.

Sentinel wachtte tot een van de vele voetgangers naar zijn auto zou komen en naast de MI6-officier zou gaan zitten. Hopelijk was dat dan Shashka. Maar het kon net zo goed Razin zijn.

Will friemelde aan zijn oordopje en nam alles om zich heen tot in detail in zich op. Het was donker. Het hele gebied werd verlicht door straatlantaarns en het licht dat uit de gebouwen viel. Op de rivier voeren kleine, gemotoriseerde bootjes en grotere vrachtschepen bewogen zich langzaam voort. Op het land liepen families, stellen en afzonderlijke mannen en vrouwen langs zijn auto. Sommigen droegen winkeltassen. Anderen hadden hun handen diep in de zak gestoken. Iedereen droeg een overjas en een muts tegen de ijzige kou.

Will sprak in het microfoontje bij zijn kraag terwijl hij naar de achterkant van Sentinels auto bleef kijken. Hij stond honderd meter van hem vandaan. 'Nog niets.'

De stem van Sentinel klonk kalm. 'Oké. Ik wil wedden dat hij nu naar me zit te kijken.'

Will keek naar de mensenmenigte. Een aantal van hen zou Shashka kunnen zijn. Dat deerde hem niet. Shashka zou zichzelf bekendmaken als hij het moment daar geschikt voor vond. Will maakte zich zorgen omdat hij zeker wist dat Razin ook in de buurt was. Hij zou Sentinel en zijn Russische agent samen in de auto willen zien zitten zodat hij beiden kon neerschieten voordat ze konden ontsnappen.

Hij liet zijn hand over het pistool naast hem glijden en probeerde zich voor te stellen wat er zou kunnen gebeuren en hoe hij zou reageren. Als Razin naar de auto zou lopen en een pistool hief, wist Will dat hij binnen een fractie van een seconde zijn pistool kon pakken en dwars door de voorruit een kogel door zijn hoofd kon jagen. Maar als Razin een zwaarder wapen had, kon hij Sentinel en Shashka vanuit de verte doden terwijl hij zich in de menigte verborg. De voorbijgangers zouden in paniek raken en Razin zou zich uit de voeten hebben gemaakt voordat Will zelfs maar uit zijn auto kon stappen. Hij keek om zich heen, inwendig vloekend. Zijn ogen haakten zich vast aan een man. Hij stond op vijftig meter afstand van Sentinels auto en leek ernaar te kijken. De man was lang, gekleed in een lange overjas en een bontmuts. Hij had zijn armen over elkaar geslagen.

'Mogelijk doel in beeld.' Will sprak rustig. 'Hij bevindt zich op vier uur van jou, buiten je gezichtsveld.'

'Begrepen,' antwoordde Sentinel.

De man bleef naar het voertuig staren. Will keek naar hem maar hij wierp ook blikken op andere mensen in de buurt van Sentinels auto, voor het geval die man niet Shashka was. De menigte om hem heen werd dichter. Will vermoedde dat de winkels sloten en alle mensen daarom nu de straat op kwamen. Een auto reed voorbij, passeerde de man die Shashka zou kunnen zijn en passeerde toen Sentinels voertuig. De man bleef waar hij was maar hij begon nu naar links en rechts te kijken. Toen begon hij te lopen.

'Hij is in beweging. Hij komt jouw kant op.'

'Oké.' Sentinel klonk nog steeds kalm.

'Hij steekt de weg over.' Will greep zijn pistool. 'Hij komt achter je auto. Hij blijft staan. Nu loopt hij weer door.' Will wachtte een paar tellen. 'Je moet hem nu in je zijspiegels kunnen zien.'

Sentinel zei even niets. Toen: 'Hij is het. Vanaf nu radiostilte, ik wil hem geen angst aanjagen.'

Shashka wist niet dat Will ook bij de bijeenkomst aanwezig zou zijn.

Will keek om naar de menigte aan de andere kant van de weg. De drukte begon af te nemen; velen hadden kennelijk besloten dat het tijd werd de ijzige straten te verlaten en terug te keren naar huis. Will bekeek de een na de ander, speurend naar een mogelijke moordenaar. Hij keek weer naar de auto van Sentinel en zag dat Shashka het portier opende en zich in het voertuig liet zakken. Will bracht zijn pistool ter hoogte van het dashboard. Als er iets ergs stond te gebeuren zou dat nu zijn. Shashka sloot het portier. Will startte de motor en keek weer naar de weinig overgebleven mensen in de buurt van Sentinels auto. Geen van hen leek bewapend en gereed om een hoge MI6-officier en een generaal van Ruslands westelijk afdeling van het Operationeel Strategisch Hoofdkwartier neer te schieten.

Sentinels auto reed snel weg. Will trapte het gaspedaal in. Zijn banden slipten over het ijs voordat ze vaste grip vonden en de auto naar voren schoot. Algauw was hij dertig meter achter Sentinel. Ze reden in noordoostelijke richting over Dvortsovaya naberezhnaya. Ze passeerden nog meer voetgangers, maar Will deed niet langer moeite naar hen te kijken. Nu hij en Sentinel mobiel waren, zou eventueel gevaar bijna zeker vanuit een andere auto komen. Ze draaiden in zuidelijke richting de Liteynyy prospekt op en toen zuidwestelijk verder op Zagorodnyy prospekt. Overal lagen winkels, woonblokken en kantoren. Het verkeer was druk. Ze reden door het centrum van de stad.

Will bleef heel dicht achter Sentinel rijden zodat er geen andere auto tussen hen kon invoegen. Het begon te sneeuwen en hij zette de ruitenwissers aan. Hij inspecteerde elk voertuig dat bij hem in de buurt kwam nauwkeurig, en ook de zijwegen links en rechts van hem voor het geval daar voertuigen stonden te wachten om Sentinel te rammen. Ze draaiden naar het westen de naberezhnaya Obvodnogo kanala op en reden over de weg met het kanaal ernaast. Na tien minuten draaiden ze weer in zuidelijke richting. Algauw werd de bebouwing minder. Ze reden de stad uit. Will intensiveerde zijn observaties van alles om hem heen. Hij wist dat een mobiele aanval op Sentinels auto gemakkelijker was nu ze veel onbeschutter waren.

Sentinel ging sneller rijden en Will paste zijn tempo aan. Ze reden nog negen kilometer verder naar het zuiden voordat ze in westelijke richting de A121 opreden, met de Baltische Zee aan hun zijde. Op deze weg reden minder auto's. Ze hadden Sint-Petersburg verlaten. Will bleef in zijn spiegel kijken om te controleren of ze werden gevolgd, maar hij zag niets ongebruikelijks.

Ze bleven de A121 honderdvijfenzestig kilometer lang volgen voordat Sentinels auto vaart begon te minderen. Will paste zijn snelheid aan en zag hoe de auto van zijn collega een smal weggetje op reed. Hij deed zijn koplampen uit en minderde vaart tot hij nog maar vijftien kilometer per uur reed. Hij zag de achterlichten van Sentinels auto verdwijnen en reed erachteraan. Het pad was anderhalve kilometer lang. Sentinel reed het helemaal af en stopte voor een huis bij de Baltische Zee. Het was een van zijn onderduikadressen. Om hen heen was het donker. Er waren geen straatlantaarns, er was geen enkele vorm van verlichting. Will stopte driehonderd meter van het huis en zag de binnenverlichting van Sentinels auto even aan gaan toen de inzittenden uitstapten. Al snel zag hij lichten in het huis aan gaan. Sentinel en Shashka waren in het gebouw.

Hij schakelde de binnenverlichting uit zodat er geen lampje zou gaan branden als hij zijn portier opende. Hij stapte uit en richtte zijn pistool in de richting van de route die hij had afgelegd. Hij wachtte op de geluiden van een voertuig, het schijnsel van koplampen of het gerucht van een man die snel te voet op hem af kwam. Maar hij hoorde en zag niets.

Hij ging weer in zijn auto zitten en reed langzaam om zo min mogelijk lawaai te maken. Hij parkeerde de auto aan de zijkant van het huis, stapte uit en keek om zich heen. Afgezien van het gebouw naast hem was alles in duisternis gehuld. De geluiden van de zee klonken pal naast hem en hij rook de zilte lucht. Hij stak zijn pistool tussen zijn riem en liep het huis in.

Hij deed de deur achter zich dicht en liep door de gang. Hij hoorde Sentinel en Shashka in het Russisch praten. Hij zag hen tegenover elkaar in de lounge zitten. Maar zodra Will de kamer binnenkwam sprong Shashka op. Hij was duidelijk boos en geschrokken. Sentinel ging ook staan. Hij sprak snel en legde een arm op Shashka's arm.

Shashka maakte zich los van Sentinels greep en stapte op Will af. De Rus was in de vijftig, net zo lang als Will en had netjes geknipt, kort grijs haar. Hij was gladgeschoren en nu hij zijn overjas had uitgetrokken zag je zijn smetteloze driedelig pak. De woede vonkte uit zijn groene ogen. Zijn stem klonk als een diepe grom. 'Ik heb me laten vertellen dat ik je kon vertrouwen. Maar ik word niet graag als een dwaas behandeld.'

Sentinel liep naar hem toe. 'Meneer, daar is geen sprake van. Mijn collega is hier om uw veiligheid te waarborgen.'

Shashka keek Sentinel scherp aan. 'Er waren nooit eerder anderen bij onze bijeenkomsten aanwezig. Wat is er deze keer zo anders?'

Sentinel haalde zijn schouders op. 'Het zijn moeilijke tijden. Ik ben gewoon voorzichtig.'

Shashka schudde het hoofd. Hij bleef boos.

Will stak zijn hand uit. 'Het spijt me dat ik je heb laten schrikken.'

Shashka keek naar Wills uitgestoken hand. Zijn woede bleef maar zijn gezichtsuitdrukking veranderde enigszins. Hij zuchtte en greep Wills hand stevig beet. 'Geen verrassingen meer. Daar ben ik te oud voor.' Hij liet zijn hand los en liep naar een drankkastje in de hoek van de ruimte. Hij pakte een fles wodka en drie glazen en schonk die vol. Hij gaf ieder een glas en hief zijn glas. 'Op de vrede.'

'Op de vrede,' antwoordden de MI6-officieren tegelijkertijd.

Will nipte van zijn drank en zette het glas neer op een bijzettafeltje. Sentinel en Shashka maakten het zich gemakkelijk in hun leunstoel terwijl Will door de kamer liep en de gordijnen dichttrok. Hij deed de deur van de lounge dicht, pakte een eetkamerstoel en ging zo zitten dat hij gedeeltelijk de ingang kon zien. Hij wierp een blik op Shashka en zag dat de man niet zijn kant op keek. Discreet haalde Will zijn pistool tussen zijn riem vandaan en liet hem langs zijn zij omlaag hangen, uit het zicht.

Shashka nam een grote slok wodka en veegde zijn mond af met de rug van zijn hand. 'Waarom was deze afspraak zo dringend?'

'Taras Khmelnytsky,' antwoordde Sentinel. 'Hoofd van Spetsnaz Alpha. Is er een manier om erachter te komen waar hij is?'

Shashka fronste zijn wenkbrauwen. 'Waarom moet je weten waar hij is?'

'Ik kan je niets vertellen, behalve dan dat het van wezenlijk belang is dat ik weet waar hij is.'

'Dat is niet echt een aansporing om je te helpen.' De Russische generaal walste de wodka in zijn glas. 'Hij is op een geheime trainingsmissie met leden van Alpha. Het grootste deel van de tijd weten ze zelfs op het hoogste niveau niet waar hij is omdat het voor de oefening noodzakelijk is dat kolonel Khmelnytsky en zijn mannen een zeker element van verrassing behouden.'

Zoals het plaatsen van een kernbom in een legerbarak zonder dat iemand er iets van weet.

'Iemand moet weten waar hij is.'

De generaal haalde een elegante sigarettenkoker tevoorschijn en pakte er een sigaret uit. Hij stak de sigaret aan met een staalgrijze aansteker, klapte hem dicht en blies een dunne straal rook uit. 'In een noodgeval kan hij worden getraceerd. Mijn collega's willen liever niet weten waar hij is omdat het beter voor hen is dat ze niets weten. Maar ze zijn niet gek. Khmelnytsky werkt met heel erg... waardevolle spullen. Als er iets met de kolonel of zijn mannen gebeurt, is het van het grootste belang dat de uitrusting wordt teruggevonden en teruggebracht naar een veilige locatie.'

'Zitten er zendertjes op die uitrusting?'

Shashka knikte. 'Ja, en ze zijn zichtbaar. Maar de kolonel en zijn mannen weten niet dat hun burgervoertuigen stiekem zijn voorzien van volgapparatuur.'

'Is die geactiveerd?'

'Nee. Zolang de kolonel zijn dagelijkse rapporten indient staan de zenders uit om de oefening zo realistisch mogelijk te maken.'

Het zweet begon Will over de rug te lopen. Hij wilde niets liever dan dat de bijeenkomst afgelopen zou zijn, want hij wist dat Razin elk moment kon toeslaan. Maar wat Shashka zei gaf een groot aantal nieuwe mogelijkheden om die man te pakken te krijgen.

'Kunnen ze worden geactiveerd?' vroeg Sentinel.

Shashka glimlachte. 'Zelfs ik ben daar niet voor gemachtigd. De enigen die dat zouden kunnen autoriseren zijn mijn bazen Luchinski, Barkov, Nikitin, Fursenko, of de grote man zelf: Platonov.'

Luitenant-generaal Vladimirsky Luchinski, luitenant-generaal Ilya Barkov, luitenant-generaal Daniil Nikitin en luitenant-generaal Viktor Fursenko. Respectievelijk hoofd van het westelijke, centrale, zuidelijke en oostelijke commando. Kolonel-generaal Platonov was hun superieur en was alleen verantwoording schuldig aan de Russische president en de premier.

'Je zou kunnen proberen Luchinski over te halen de zenders te activeren. Zeg bijvoorbeeld dat ze getest moeten worden.'

Shashka schudde snel zijn hoofd. 'Ik wil jullie graag van informatie voorzien. Maar als ik een dergelijk verzoek indien, zal dat met groot wantrouwen worden bekeken. De enige reden dat ik op de hoogte ben van Alpha's training is dat die valt onder het Westelijk Commando. Soms moet ik bepaalde orders van Luchinski contrasigneren. Maar ik maak geen deel uit van de Special Forces. Mijn tussenkomst zou op zijn zachtst gezegd als zeer eigenaardig worden beschouwd.'

Will stond op. Hij wist dat Sentinel een overweldigend gevoel van teleurstelling zou hebben en ook dat ze hier met zijn drieën een schietschijf vormden. Hij liep de kamer rond, ervoor wakend dat Shashka zijn pistool niet zag.

Shashka keek hem aan. 'Waarom loop je rond? Is er daarbuiten iets waar ik rekening mee moet houden?'

Will glimlachte. 'Let maar niet op mij. Ik ben hier alleen maar voor jouw veiligheid.'

Een kogel boorde een gat in de muur van de lounge en verwijderde een groot deel van Shashka's hoofd.

Sentinel dook naar de grond en schreeuwde: 'Kaliber vijftig met thermisch vizier.'

Razin.

Met een precisiewapen dat gebouwen met een dodelijke kracht kon doorboren.

En een telescopisch, warmtegevoelig vizier waarmee levende wezens in een huis konden worden gedetecteerd.

Will dook naar de deur en trapte hem open. 'Ga naar de achterkant van het huis!' Hij tolde rond en liet zich op de grond in de deuropening vallen. Een tweede kogel trof de deurstijl ter hoogte van het punt waar zijn hoofd een seconde eerder was geweest. Sentinel tijgerde snel over de grond, zijn pistool in een vuist. Will stak zijn arm uit, greep Sentinels uitgestrekte hand en trok hem met al zijn kracht naar de deuropening. Een derde kogel knalde in de plint.

Will trok hem overeind, draaide zich om en sprintte de gang door. 'Rennen!'

Hij bereikte een gesloten deur, wierp zich er zijdelings tegenaan met zo'n kracht dat de deur uit zijn posten vloog en plat op de grond viel. Sentinel bevond zich vlak achter hem. Beide mannen doken dieper de ruimte in. Het was de keuken. Ze hurkten op de grond, snel ademend.

Sentinel knarsetandde. 'Smeerlap.'

Will keek snel om zich heen. Door de vier muren tussen hen kon Razin hun positie niet langer bepalen, dus zou hij zich nu gaan verplaatsen om hen beter te detecteren.

Sentinel keek ook om zich heen. Zijn ogen waren nu van haat vervuld. 'Hij zal ons niet met rust laten.'

Wills hart ging als een razende tekeer. 'Dat weet ik.' Hij keek naar de achterdeur. 'We moeten hem insluiten.'

En ze wisten beiden dat dat alleen bereikt kon worden met snelheid en onregelmatige verplaatsingen. En zelfs dan waren de kansen op succes erg klein.

'Kom op.'

Ze stelden zich wederzijds van de deur op. Will duwde de deur open, knikte naar Sentinel en dook door de uitgang. Hij viel op de grond, rolde om en dook naar dekking terwijl er weer een schot klonk. De kogel raakte de grond op enkele centimeters van hem verwijderd, maar nu wist hij genoeg. 'Hij zit op twee uur. Honderdvijftig meter verderop.'

Ze renden opnieuw, in de richting van de schutter. Ze liepen zigzaggend en gebukt om zo'n moeilijk mogelijk doelwit te vormen. Ze bereikten een punt op tien meter van het huis. Er werd opnieuw geschoten en een kogel schampte Sentinels bovenarm, waardoor hij struikelde. Hij krabbelde overeind en rende nog sneller door.

Ze grepen hun pistool en sprintten naar de plek waar ze voor het laatst de vuurmond van Razin hadden gezien. Ze renden over het pad dat van het huis wegliep. Will doorkruiste het ruige terrein rechts ervan waar Razin nog zou kunnen zijn. Maar alles voor hen was in duisternis gehuld en bij het zwakke maanlicht kon Will slechts een paar meter vooruit kijken.

Toen zag hij iets snel uit een heg weglopen. Hij hief zijn pistool, maar wat het ook geweest mocht zijn, het was nu verdwenen. Sentinel sprong naar rechts, verliet het pad en verdween in het duister. Will wist dat de officier die beweging ook had gezien en probeerde er vanuit de flank naartoe te lopen. Will rende sneller maar hij zag nu bijna helemaal niets meer.

Sentinel schreeuwde van achter Will: 'Ik heb het geweer gevonden, maar er is hier geen spoor van hem.'

Will vloekte. Onder het rennen keek hij wanhopig naar links en rechts.

Het gebeurde allemaal in een flits. De man dook voor Will op. Hij rende razendsnel op hem af. Onder het rennen hief Will zijn pistool en schoot maar de man ontweek de kogel en stompte zijn vuist met zo veel kracht tegen Wills kaak dat Will niet allen abrupt tot stilstand kwam maar ook hoog in de lucht vloog en ruggelings achterover viel. Terwijl Will op de grond knalde liet hij zijn pistool onwillekeurig vallen. Het vloog weg van het pad de duisternis in. Hij voelde pijn vanwege de kracht van de stomp en de klap op de grond. De man torende boven hem uit. Zo te zien was hij eind dertig, met een glad gezicht, gitzwart sluik haar. Hij was lang, gespierd en buitengewoon krachtig.

Het was Razin.

Will schopte Razin tegen zijn enkel en gebruikte zijn andere voet om hem tegen zijn knieschijf te schoppen. Daarna trapte hij hem met volle kracht in zijn buik. Razin hapte naar adem en strompelde naar achteren, wat Will net genoeg tijd gaf om overeind te komen. Will deed een stap naar voren en stootte zijn knie tegen Razins ribbenkast. De man klapte dubbel van de pijn. Will zwaaide een vuist naar zijn hoofd, maar Razin greep zijn hand in de lucht, klemde die vast met de kracht van een bankschroef en draaide zijn arm om totdat hij Will klemvast had. Hij kwam dichter bij Will. Will draaide zijn arm onmiddellijk de andere kant op, trok Razin naar zich toe en gaf hem een kopstoot in zijn gezicht. Razin vloog achteruit en hield zijn handen tegen zijn neus. Will dook op hem af maar Razin stapte opzij en stootte Will met zijn elleboog in zijn rug terwijl hij nog in de lucht hing. Hij viel op de grond rolde opzij om Razins schoen te ontwijken die in de richting van zijn hoofd neerdaalde, sprong overeind en deed twee stappen weg van de grote Rus.

Beide mannen staarden elkaar aan, hijgend, hun gezicht verwrongen van pijn.

Toen doken ze op elkaar af.

Will bracht zijn bovenlichaam omlaag en zwaaide zijn vuist omhoog naar Razins kaak.

Razin deelde een snelle stoot uit naar Wills jukbeen.

Hun vuisten raakten gelijktijdig doel.

De geheim agenten vielen bij elkaar vandaan.

Ze stonden langzaam op, nu nog moeizamer ademend en staarden elkaar aan. Geen van beide mannen bewoog.

'Wie ben jij?' hijgde Razin.

'De man die is gestuurd om jou te stoppen, Razin,' antwoordde Will met op elkaar geklemde kaken.

Razins ogen vernauwden zich. 'Als je mijn codenaam kent moet je een officier van MI6 zijn.'

Er klonk een schot uit Sentinels pistool. De kogel schampte langs Razins jukbeen. De Russische Special Forces-commandant verroerde zich niet maar er was nu woede op zijn gezicht te lezen. 'We zullen elkaar opnieuw ontmoeten.'

Hij draaide zich om en verdween in het duister, een fractie van een seconde voor een kogel van Sentinel de plek doorkliefde waar hij zojuist nog had gestaan.

Will zette onmiddellijk de achtervolging in. Hij rende snel maar blindelings over het ruige terrein in de hoop enig geluid van Razin op te kunnen vangen. Na honderd meter bleef hij staan. Hij hoorde en zag niets en stampte hevig gefrustreerd met zijn voet op de grond.

Razin was ontsnapt.

Hij holde terug naar het pad. Sentinel stond daar met zijn pistool op Will gericht.

'Ik ben het! Niet schieten!'

Sentinel liet zijn pistool zakken toen hij zag dat het Will was. 'Wat is er gebeurd?'

Wat er was gebeurd was ongekend. In zijn werkzame leven had Will honderden ongewapende gevechten gehad met zeer gevaarlijke en kundige mannen. Maar de aanval van Razin was met geen enkel gevecht te vergelijken waar hij ooit bij betrokken was geweest. Voor de eerste keer in zijn leven had Will iemand ontmoet die in fysiek opzicht zijn gelijke was.

Will wreef met een hand over zijn gezicht. De pijn achter zijn ogen en in zijn rug was immens. 'Hij is ontsnapt. Ik kon hem niet verslaan.'

Sentinel keek om zich heen. 'We moeten Rusland uit zien te komen. Maar slechts voor een paar dagen. Ik moet terugkomen om een andere agent te ontmoeten.'

'Wat?!'

'Het moet, ik moet onze post in Moskou waarschuwen.'

Will kon zijn oren niet geloven. 'Je plan is mislukt!'

'Alleen maar omdat we zijn overtroffen.' Hij schudde zijn hoofd. 'Razin moet boeten voor hetgeen hij Shashka heeft aangedaan.'

'Zelfs als dat betekent dat er nog een agent sneuvelt?'

'Nee.' Sentinel keek naar het huis. 'We hebben hulp van experts nodig. Denk je dat je een team kunt samenstellen?'

'Hoe zit het dan met jouw Oost-Europese of Russische contacten?'

'Dat zijn getalenteerde amateurs, geen partij voor Razin.'

Will kon zijn oren nog steeds niet geloven. 'Ik kan niet toestaan dat je je leven en dat van een andere agent nog een keer op het spel zet.'

'Je moet wel, want we hebben net een nieuwe mogelijkheid gekregen om Razin te pakken. Shashka wist dat niet, maar een van de mannen die hij noemde – luitenant-generaal Ilya Barkov, het hoofd van het Centraal Operationeel Strategisch Hoofdkwartier – is een van mijn belangrijkste agenten. Hij is de enige andere generaal van mijn contacten, maar hij is zojuist een heel belangrijk contact geworden.'

'Je gaat hem vragen de zenders te activeren zodat we Razin kunnen lokaliseren?'

'Ja.'

'Zal hij dat doen?'

'Dat weet ik niet. Hij is moeilijk in de omgang. Ik moet Razin naar die bijeenkomst lokken voor het geval Barkov nee zegt.'

Will zag dat Sentinel uitgeput was. 'Je eist te veel van jezelf.'

'Ik heb toch geen andere keus?' mompelde Sentinel.

'Je zou die taak aan mij kunnen overlaten.'

Sentinel sloeg zijn armen over elkaar. 'Zorg voor een team. We nemen Razin te grazen bij die bijeenkomst met Barkov, of we lokaliseren zijn positie en vallen hem aan.'

18

Will werd wakker toen het toestel van Lufthansa in Slovenië landde. Het vliegtuig ging over op taxiën. Will keek uit het raampje maar hij zag bijna niets van de met sneeuw bedekte omgeving of de activiteiten op de luchthaven. Hij was met zijn gedachten bij zijn confrontatie met Razin.

Hij probeerde te begrijpen hoe hij zich voelde over het feit dat hij de Rus niet had kunnen verslaan. Woede, frustratie, misschien zelfs schaamte? Ja, misschien wel al die gevoelens. Maar er was iets anders wat nog veel overweldigender was.

Het drong langzaam tot hem door.

Het gevecht met Razin bracht alles waarvoor hij was getraind en opgeleid aan het wankelen. Hij had alle mentale en fysieke opofferingen van het Spartaanse Programma doorstaan omdat hij was gedrild te geloven dat hij, indien hij de cursus met succes voltooide, elke missie tot een goed einde kon brengen.

Tot gisteren was dat waar geweest.

Maar nu had hij iemand ontmoet die zijn gelijke was en hij vroeg zich af of de hel die hij had ondergaan tijdens de twaalf maanden training en de daaropvolgende acht jaar van voortdurende inzet het waard waren geweest. Voor de eerste keer in zijn leven twijfelde hij niet alleen aan zichzelf maar ook aan degenen die vertrouwen in hem hadden gesteld.

Hij dacht aan een van de testen van het programma. Hij had een parachutesprong met vrije val moeten maken vanaf grote hoogte in de Olympic Mountains van Washington. Hij droeg een communicatie- en overlevingskit van veertig kilo. Na de landing had hij vijfenzeventig kilometer door ruig terrein getrokken bij temperaturen onder nul totdat hij het geïsoleerde huis bereikte waar hij te horen kreeg dat hij een instructeur zou ontmoeten die de rol van agent zou spelen. Will had het huis zes uur lang geobserveerd en had niemand gezien. Dat had hij ook niet verwacht. Maar toen hij het huis voorzichtig naderde wist hij dat de echte test op het punt stond te beginnen. Toen hij het huis binnenging, werd hij gegrepen door mannen met wapens, werd geboeid en kreeg een kap over zijn hoofd. Hij werd in een vrachtwagen gezet en er volgde een rit van twee uur voordat hij een gebouw in werd gesleept. Hij werd helemaal uitgekleed, herhaaldelijk in elkaar geslagen en gedwongen urenlang moeilijke en pijnlijke posities vol te houden. En al die tijd dreunde er lawaai uit luidsprekers.

Hij dacht dat het twaalf uur duurde voordat de herrie stopte, zijn kap werd verwijderd en hij op de vloer werd geschopt. Een instructeur hurkte naast hem op de grond, gaf hem goedkeurende klopjes op zijn hoofd en zei: 'Tot zover ging het goed. Maar dat was slechts de warming-up. Nu gaan we je drugs geven zodat je ons de naam vertelt van de man met wie je een afspraak had. Na een dag zal elke gedachte en elk instinct in je lichaam erom schreeuwen die informatie los te laten. Als je het weet vol te houden tot dag twee, zul je denken dat je krankzinnig bent geworden. Op de derde dag zul je zelfmoord willen plegen. Maar je zult het vijf dagen moeten volhouden om in het programma te blijven.'

Will vroeg zich af waarom juist deze herinnering hem nu te binnen schoot. Hij had wel zwaardere testen te verduren gehad.

Natuurlijk. Het ging erom wat er na die vijfdaagse beproeving was gevolgd.

Toen de drugs uit zijn systeem waren verdwenen mocht hij zich wassen, scheren en schone kleren aantrekken. Maar hij mocht nog niet slapen. In plaats daarvan werd hij naar een klaslokaal gebracht waar een oudere heer bij een groot schoolbord stond. Will moest in een bankje plaatsnemen en werd met de man alleen gelaten.

Hij had zijn instructeur nooit eerder gezien; hij leek de pensioengerechtigde leeftijd allang gepasseerd. Hij droeg een tweed pak en een vlinderdasje. Hij was lang en mager en hield een krijtje in zijn hand. Hij tekende twee kleine cirkels op het bord, een cirkel links bovenin en de andere rechtsonder. Hij draaide zich naar Will en zei met een goed Engels accent: 'Ik weet uit ervaring in het veld in de jaren vijftig dat al dat fysieke gedoe niets voorstelt in vergelijking met hetgeen je met je hersens kunt doen.' Hij plantte het krijtje in de laagste cirkel. 'Dit ben jij.' Toen deed hij hetzelfde met de hoogste cirkel. 'En dit is de man die je te pakken wilt krijgen.'

Hij glimlachte. 'Met alleen gebruikmaking van het intellect zullen we zien wie de ander het eerst kan overmeesteren.'

De volgende uren werd de theoretische oefening uitgespeeld. De instructeur zorgde steeds voor nieuwe obstakels, nieuwe informatie en onverwachte gebeurtenissen en Will moest dan maar proberen een plan te formuleren om bij de andere cirkel te komen. Uiteindelijk zette de instructeur een streep door de hoogste cirkel en zei: 'Indrukwekkend. Je hebt hem.' Hij knikte. 'Ik hoop dat je in de afgelopen uren meer over jezelf hebt geleerd dan in de afgelopen week.'

Het Lufthansa-toestel kwam tot stilstand. Mensen om Will heen stonden op en pakten hun koffers uit de bagageruimte.

Will bleef roerloos zitten. Hij wist waarom die herinnering hem te binnen was geschoten. Razin had zich in het fysieke gevecht zijn gelijke getoond. Maar hij had niet bewezen dat hij ook intellectueel Wills gelijke was.

Maar als dat wel het geval zou zijn, was Wills toekomst in de Spartaanse sectie in gevaar.

19

Will ging aan een tafeltje zitten en wachtte. Het restaurant bood een spectaculair uitzicht op Ljubljana en de met sneeuw bedekte Sloveense bergen achter de stad. Het was tijd om te ontbijten, maar het restaurant was zo goed als verlaten.

Kryštof arriveerde en ging tegenover hem zitten. De voormalige Tsjechische inlichtingenagent zag er nog slechter uit dan de vorige keer dat Will hem had gezien en hij stonk naar sigaretten en alcohol. Hij gaf Will een hand. 'Hallo David.'

Will glimlachte. 'Je ziet er goed uit.'

'Nee, dat is niet waar.' Kryštof haalde een sigaret tevoorschijn en stak hem aan. 'Laten we iets te drinken bestellen.'

'Ik heb al koffie voor ons besteld.'

'Koffie? Oké.' Hij keek door de ramen naar het uitzicht. 'Bedankt dat je me hier wilde ontmoeten. Daardoor hoefde ik mijn vluchtschema niet te wijzigen.' Hij keek weer naar Will. 'Ik heb een naam.'

'Uitstekend.'

Kryštof glimlachte. 'Ik ben nog niet helemaal afgeschreven.'

'Dat heb ik nooit gedacht.'

'Leugenaar.' Kryštof tikte de as van zijn sigaret. 'Richard Baines. Brits. Opereert vanuit de Kaaimaneilanden.'

'Kent hij Otto von Schiller?'

'Ongetwijfeld heeft hij van hem gehoord. Maar ze doen geen zaken samen. In ieder geval niet rechtstreeks.'

'Maar hij kent iemand die wel met Schiller werkt?'

'Juist.'

'Naam?'

'Een Fransman, Philippe Dêlage. Hij woont in Parijs maar brengt veel tijd in Berlijn door, want daar zit Schiller.'

Ze zwegen terwijl een ober een pot koffie bracht en inschonk. Toen hij weg was, zei Will: 'De Kaaimaneilanden liggen een beetje uit mijn richting op dit moment.'

Kryštof tilde zijn kop en schotel op waarbij zijn handen trilden. 'Je hoeft daar niet naartoe te gaan. Baines heeft morgen een afspraak met Dêlage in München. Hij komt vandaag per vliegtuig aan in Duitsland en logeert in hotel Mandarin Oriental.'

'Vandaag?'

Kryštof nam een slokje koffie. 'Ik heb het al voor je gecontroleerd. Er is nog plaats op de vlucht van 12.40 uur van Adria. Het is een directe vlucht en je kunt op dezelfde tijd als hij in München zijn.'

Will lachte stilletjes. 'Je hebt overal aan gedacht.' Hij pakte een envelop met de resterende 5000 pond die hij de Tsjech was verschuldigd. 'Zeer goed werk.'

Kryštof borg het geld op. 'Moet ik nog iets anders voor je doen?'

'Nee, dat was het.'

Kryštof inhaleerde diep en keek uit het raam. 'Dat dacht ik al.'

Will viel uit zijn rol van David. Er was iets mis. 'Wat ga je nu doen?'

Kryštof antwoordde bijna fluisterend: 'Iets wat ik al van plan was sinds... sinds ze is verdwenen.'

Will stak zijn hand uit over de tafel en greep Kryštof bij zijn onderarm. 'Nee. Je hebt nog een toekomst. Je bent nog nuttig voor mensen zoals ik. Ik zal zorgen dat je meer werk krijgt... Wat dan ook om je bezig te houden.'

Kryštof glimlachte met een blik van droeve berusting. 'Dat kun je niet lang volhouden. Jouw ster is al lang tanende in de Service. Het verbaast me zelfs dat ze je hebben gevraagd voor deze klus.' Hij maakte zich van Will los en keek hem aan. 'Je bent altijd heel aardig voor me geweest. Maar je moet begrijpen dat mijn besluit vaststaat. Het is wat ik wil.'

Will wist niet wat hij moest zeggen.

Kryštofs glimlach verflauwde. 'Ik wilde je al langere tijd iets vragen, en in het licht van hetgeen ik je zojuist heb verteld wil je me misschien antwoord geven.'

Will wachtte.

'Is David Becket je echte naam?'

Godallemachtig. Wills maag kromp samen. Hij stond voor een man die Becket jarenlang had gekend, die de MI6-officier mocht en die de waarheid wilde weten voordat hij zelfmoord ging plegen vanwege zijn verdriet om de tragische dood van zijn dochter. Elk grammetje menselijkheid in hem schreeuwde dat Kryštof recht had op de waarheid.

Will ging staan, Kryštof deed hetzelfde.

Will liep naar hem toe, omhelsde hem en zei: 'Leef in vrede, goede vriend.' Toen deed hij een stap achteruit en knikte. 'Je hebt altijd recht gehad op de waarheid. David Becket is mijn echte naam.'

20

De taxi bracht Will van de luchthaven van München naar de stad. Er lag sneeuw op de wegen en de omringende regio, hoewel het inmiddels droog was.

Will sprak via zijn mobieltje met Alistair. 'Drie man maar?'

'Dat is alles wat ik op zo korte termijn kon bereiken. Ze worden over drie dagen in Rusland verwacht en zullen daar op je wachten.'

'Uitrusting?'

'Ik heb hun verteld dat pistolen niet genoeg zijn. Alles gaat de grens over als diplomatieke bagage. De teamleider heeft je nummer als John Lawrence en zal contact opnemen als hij ter plaatse is.'

'Ken ik hem?'

'Ik meen dat je iets met hem hebt gedronken in Washington vlak voor je vertrek.'

Roger Koenig.

'Uitstekend. En wat weet je over mijn man?'

Will luisterde tien minuten terwijl Alistair hem op de hoogte bracht van alles wat MI6 wist over Richard Baines. Het was niet veel, maar er was genoeg informatie over de Britse wapenhandelaar om Will de ruimte te geven die hij nodig had.

'Kamernummer?'

'Cheltenham heeft zijn creditcardnummer opgespoord maar ik kon niet zien welk kamernummer hij heeft.'

Cheltenham, het hoofdkwartier van het communicatiecentrum van de Britse inlichtingendienst.

'Maar ik heb wel een contactpersoon bij BFV gesproken.'

De Duitse geheime dienst.

'Er is niets over jou gezegd. Ze hebben bij het hotel geïnformeerd en kregen het kamernummer te horen. Hij logeert in de Mandarin-suite.'

'Goed, maar je had eerst met mij moeten spreken voordat je de plaatselijke mensen waarschuwde.'

'*Dat spijt me zeer. Soms vergeet ik dat ik slechts je baas ben.*'

Will moest glimlachen om het sarcastische commentaar.

'*Hoe gaat het met je partner?*'

Will dacht aan Sentinel. 'De gebeurtenissen eisen hun tol. Maar hij is een harde.'

'*Is hij nog in staat helder te denken?*'

'Hoewel ik het niet eens ben met hetgeen hij wil doen, kan ik niets aanmerken op de logica van zijn plan.'

'*Je bent gemachtigd om zijn beslissingen te overrulen.*'

'Dat weet ik, maar het gaat hier om zíjn mensen. Als ik in zijn positie was, zou ik waarschijnlijk hetzelfde doen.'

Will stond voor de Mandarin-suite, trok zijn das recht, drukte op de zoemer van de hotelkamer en zei met harde stem en Duits accent: 'Hotelmanagement.'

Hij hoorde een man iets roepen. Will wachtte geduldig.

Dertig seconden later opende een man de deur. Hij droeg een badjas, had nat haar en rook naar zeep.

'Meneer Baines?'

De man gaf antwoord met een Zuid-Londens accent. 'Uiteraard.'

Will deed een stap naar voren, duwde zijn hand onder de kin van Baines, tilde hem op, droeg hem naar achter in de kamer en smeet hem op de grond.

'Wat zullen we...?'

Will stampte met zijn voet op Baines kwabbige buik zodat de wapenhandelaar kokhalsde. Hij knielde naast het kronkelende lichaam en greep hem nogmaals bij zijn kin, die hij zo stevig vasthield dat ze elkaar nu recht in de ogen keken.

'Luister heel goed naar me.' Will boog zich dichter naar hem toe. 'Ik werk voor de Britse inlichtingendienst. We weten van je wapendeals in Afrika, je zending die door de Perzische Golf vaart en de raketten die je op het punt staat te kopen van de Chinezen. Er kleeft heel wat bloed aan je handen en we hebben genoeg bewijsmateriaal om je voor de rest van je leven in de gevangenis op te bergen. Maar daar ben ik hier niet voor. Morgen heb je een ontmoeting met Philippe Dêlage. Ik ben er ook bij tijdens die ontmoeting en je gaat zeggen dat ik iemand ben die jij vertrouwt en dat je al jaren zaken met me doet.'

Baines probeerde zich uit Wills greep los te maken. 'Je bent gestoord.'

Will hield hem stevig vast. 'Dat ga je voor me doen. En daarna praat je nooit meer over dit gesprekje. Als je een van beide dingen niet doet, beloof ik je dat ik je weer zal komen opzoeken.'

21

De drie mannen zaten rond een grote eikenhouten tafel in de vergaderzaal van de businesssuite van hotel Mandarin Oriental. Philippe Dêlage, gekleed in een Camps de Luca-pak, een zijden overhemd en stropdas die hij in een smalle knoop had gestrikt, leek zich thuis te voelen in deze vijfsterrenomgeving. Hij was waarschijnlijk rond de vijftig, maar rijkdom, een prettig leven, een aantrekkelijke echtgenote die de helft jonger was dan hij en een persoonlijke trainer hadden ervoor gezorgd dat hij er tien jaar jonger uitzag. Richard Baines zag er echter uit als een Londense bankier uit de jaren tachtig: streepjespak, bretels over een gestreept shirt, achterovergekamd haar en te veel eau de toilette. De derde man, Will Cochrane in de gedaante van Thomas Eden, was gekleed alsof hij van plan was een glas port te gaan drinken in de officiersmess van de Household Cavalry – een donker, op maat gemaakt Huntsman-sportjasje uit Savile Row, roze overhemd met wijduitstaande boord, regimentsdas, corduroy broek en gaatjesschoenen.

Dêlage bestudeerde Edens visitekaartje en zei met een nauwelijks waarneembaar accent: 'Ik heb nooit eerder van Thomas Eden gehoord.' Hij keek Baines aan. 'Waarom niet?'

Baines haalde zijn schouders op. 'Weet ik veel.'

Dêlage schudde zijn hoofd. 'Je zegt dat je al jaren in zaken zit. Vreemd, gezien het feit dat jij en ik elkaar ook al jaren kennen en je zijn naam nooit eerder hebt genoemd.'

Baines wees op de Fransman. 'Niet stom doen, Philippe. Ik wil wedden dat jij ook een stuk of tien contactpersonen hebt van wie ik niks af weet.'

Dêlage glimlachte. 'Misschien is dat zo. Maar waarom onthul je Thomas Eden dan nu voor me?'

Baines wilde iets zeggen, maar Will stak bezwerend een hand op. 'Omdat ik hem als tussenpersoon een honorarium betaal van tien procent van alles wat mijn relatie met hem oplevert.'

'Een honorarium omdat je met mij hebt kennisgemaakt?'

Will lachte. 'Nee. Iemand die je kent.'

Dêlage leek onaangedaan. 'En wat levert mij dat op?'

'Dat is niet mijn probleem. Ik stel voor dat je de voorwaarden bespreekt met de man die ik wil ontmoeten.'

'En wie is dat?'

Will glimlachte. 'Otto von Schiller.'

Dêlage glimlachte niet en liet Edens visitekaartje snel in zijn handen ronddraaien. 'Van wie heb je die naam?'

'Ik heb ook zo mijn contacten.'

Dêlage hield het kaartje stil. 'Waarom ben je in hem geïnteresseerd?'

Will keek ernstig. 'Ik zal spoedig kunnen beschikken over enkele zeer interessante blauwdrukken. Ik ben op zoek naar een koper en ik denk dat Von Schiller die persoon zou kunnen zijn.'

'Blauwdrukken van wat?'

'Dat ga ik je niet vertellen.'

De Fransman keek Baines scherp aan. 'Dit is pure tijdverspilling.'

'Geef hem mijn visitekaartje,' kwam Will tussenbeide. 'Meer hoef je niet te doen. Die blauwdrukken hebben volgens mij een marktwaarde van rond de vijftig miljoen dollar. Als ik jou was zou ik maar eens gaan nadenken welk percentage je wilt voor die deal.' Hij knikte naar zijn visitekaartje. 'En dat allemaal voor het overhandigen van een stukje karton.'

Die avond rinkelde de telefoon die Will gebruikte als Thomas Eden.

Philippe Dêlage.

Hij luisterde naar de precieze instructies van de Fransman. Otto von Schiller zou hem morgen ontmoeten.

Maar het was van het grootste belang dat hij alleen zou komen.

22

Will reed rond de Grosser Alpsee en zocht naar zijn bestemming. Het Beierse alpenmeer lag er vredig bij, omgeven door met bomen begroeide heuvels en lage bergen. De boomtakken waren bedekt met sneeuw en ijs.

Will was gespannen. Hij was niet gewapend en had de instructies van Dêlage opgevolgd om alleen te komen. Hij had overwogen gewapende ruggensteun te organiseren voor de bijeenkomst, misschien sommigen van Kryštofs contacten, maar hij was tot de slotsom gekomen dat dat te riskant was. Als het er ook maar de geringste schijn van had dat hij Otto von Schiller in de val wilde lokken, zou zijn plan zijn mislukt. Hij had gehoopt dat de bijeenkomst ergens op een openbare plek waar het druk was zou plaatsvinden, maar het gebied waar hij nu doorheen reed was verlaten. Het zou gemakkelijk zijn om hem door het hoofd te schieten en zijn lijk in het meer te dumpen zonder de aandacht van anderen te trekken.

Maar hij moest hier mee doorgaan want deze bijeenkomst was zijn laatste mogelijkheid. Hij hoopte dat de Oekraïense sbu het volledige transcript naar de svr had gestuurd, dat Von Schiller zijn bazen bij de svr had geattendeerd op de toenaderingspoging van Thomas Eden en dat ze hem hadden opgedragen Eden snel te ontmoeten om te proberen de identiteit van die mysterieuze Russische kolonel vast te stellen. Maar op dit moment kon hij nergens zeker van zijn.

Hij reed nog anderhalve kilometer door en volgde de oever van het meer.

Hij zag de plek.

Een groot huis, pal aan het water.

Verder niets eromheen, alleen bos.

Hij reguleerde zijn ademhaling in een poging zijn bonkende hart tot rust te brengen. Hij probeerde zich voor te stellen hoe Thomas Eden op dit moment zou denken. Hij moest zorgen dat hij dacht en deed zoals hij zou doen. Zou hij bang zijn, of zouden dit soort afspraken aan de orde van de dag zijn voor iemand als hij? Misschien zou hij ietwat geïrriteerd zijn dat hij zo ver had moeten omrijden om Von Schiller te ontmoeten. Ja, zo moest zijn gemoedstoestand ongeveer zijn.

Hij reed naar het huis en zette de auto stil op een plek die gemakkelijk te zien was voor de bewoners. Hij liep nonchalant naar de deur en klopte drie keer. Binnen bewoog iets. De deur ging open. Twee stevig gebouwde Duitse mannen in pak. Ze waren overduidelijk lijfwachten, ongetwijfeld bewapend.

Wills gelaatsuitdrukking was zakelijk. 'Thomas Eden. Ik heb een afspraak met de heer Von Schiller.'

De mannen zeiden niets en ze deden een paar stappen naar voren terwijl ze hun ogen op hem gericht hielden. Will stapte het huis binnen.

De deur viel achter hem dicht.

Will wilde doorlopen maar een van de mannen greep hem vast en kwakte zijn gezicht tegen de gangmuur.

'Blijf heel stil staan.'

Will deed wat de lijfwacht zei. De tweede man begon hem vakkundig te fouilleren; hij doorzocht zijn overjas, pak, ondergoed, schoenen en lichaam. Hij pakte Edens portefeuille, autosleutels en BlackBerry en knikte toen naar de man die Will in een knellende greep hield. Diezelfde man schopte Will tegen zijn enkels terwijl hij tegelijkertijd op zijn arm en schouder drukte. Binnen een seconde lag Will op zijn buik op de grond, met uitgestrekte ledematen, een schoen stevig in zijn nek geplant.

Will bleef stil liggen. Hij wist dat hij niets anders kon doen dan de mannen hun gang laten gaan. Hij hoorde dat de voordeur openging en even later weerklonk het geluid van de portieren van zijn auto die werden geopend. Er was daar niets te vinden dat hem zou kunnen compromitteren, maar hij vroeg zich af hoe lang de lijfwacht erover zou doen om de auto te doorzoeken.

Ongeveer twintig minuten.

De voordeur werd dichtgedaan. De lijfwacht liep langs hem heen en verdween in een kamer. Hij zou nu wel bezig zijn met het inspecteren van Edens portefeuille, en vooral met het analyseren van zijn BlackBerry: verzonden en ontvangen e-mail, gesprekken, bestanden, de mensen in zijn lijst van contactpersonen en de zoekhistorie van zijn browser. De lijfwacht zou niets ongewoons vinden. Will had de telefoon volgestopt met gegevens die slechts één ding lieten zien: dat hij een zakenman was die werkte als consultant op militair gebied en die zeer op zijn hoede was aangaande elektronische communicatie die te maken had met Thomas Eden Limited. Hij was er zich tenslotte altijd van bewust dat hij kon worden opgepakt door de douane, Interpol of een andere wettelijke instantie.

Hij schatte dat het veertig minuten had geduurd toen die schoen van zijn nek af werd gehaald.

Boos en met een rood gezicht stond Will op. Hij streek zijn kleren glad en keek de twee lijfwachten aan die nu voor hem stonden. 'Was dat echt nodig?'

Geen antwoord. Een van hen gaf Edens spullen terug en wenkte hem. Hij werd door een lange gang geleid en kwam in een grote kamer. Door de ramen had je een prachtig uitzicht op het meer. Maar in de kamer was er niets mooi. Hij was volkomen leeg, afgezien van twee eetstoelen met rechte rug in het midden die tegenover elkaar stonden. De vloer was helemaal bedekt met zwarte plastic vellen die aan elkaar getapet waren.

Will had dit soort kamers eerder gezien.

Soms werden ze gebruikt voor ondervragingen.

Vaker echter voor executies.

Hij draaide zich om en wilde iets zeggen, maar de lijfwacht duwde hem naar voren en wees op de stoel die naar het raam gekeerd stond. Will ging zitten en sloeg zijn benen over elkaar. Hij was bang.

Want zo zou Eden zich op dit moment voelen.

De lijfwacht verdween uit het zicht. Will keek op zijn horloge en wachtte. Zweetdruppels begonnen over zijn rug te lopen. Tien minuten gingen voorbij. Nergens klonk enig geluid. Nog eens tien minuten. Toen voetstappen op de houten vloerplanken, gevolgd door voetstappen over plastic.

Hij bleef stil zitten en verwachtte dat de loop van een pistool tegen zijn achterhoofd gezet zou worden, en vlak daarna een kort moment van absolute pijn.

De twee lijfwachten kwamen weer in het zicht en gingen in de hoeken van de kamer staan, met hun gezicht naar hem toe. Beiden hadden een pistool vast. Will keek over zijn schouder en zag dat twee andere lijfwachten in de hoeken achter hem stonden, eveneens bewapend. Hij draaide zich weer om een keek naar het raam.

Het geluid van voetstappen.

Een man vertoonde zich.

Klein, halverwege de vijftig, kostuumbroek en een overhemd met open hals, gladgeschoren, grijs haar dat zorgvuldig was geknipt in de stijl die de voorkeur had van Duitse legerofficieren.

Otto von Schiller.

Hij ging op de stoel zitten, sloeg zijn handen ineen, boog zich naar voren en vroeg: 'Wat wilt u van mij?'

Will antwoordde snel. 'Ik ben hier gekomen om een zakelijke overeenkomst met u te bespreken.' Hij wierp een blik op de lijfwachten. 'Ik vraag me af waarom ik die moeite heb genomen.'

Von Schiller glimlachte, maar zijn ogen waren kil. 'Dat spreekt vanzelf.'

Stilte.

Von Schiller hield zijn blauwe ogen op Eden gevestigd.

De stilte was onbehaaglijk. Will moest iets zeggen. 'Ik ben bij eerdere afspraken geweest waar wapens aanwezig waren, voornamelijk in Midden-Amerika en de voormalige staten van de Sovjet-Unie. Ik kan u verzekeren dat men er niets mee bereikt.'

'Nu kunt u Duitsland aan die lijst toevoegen.'

Nog meer zweet, deze keer over zijn gezicht.

Von Schiller wees op hem. 'Ik ben bij afspraken geweest waar er géén wapens aanwezig waren, maar waar dat wel had gemoeten. Zo'n vergissing zal ik geen tweede keer maken.'

'Deze afspraak is geen vergissing.'

'Gelooft u dat werkelijk, vanuit uw positie bezien?'

Will keek om zich heen. Ondanks de omstandigheden moest hij ervoor zorgen dat hij een bepaalde mate van controle over de situatie kreeg.

Hij keek Von Schiller recht aan. 'Ik wil,' zei hij, waarna hij even zweeg voordat hij met een iets zelfbewustere stem verder sprak. 'Ik wil dat u naar me luistert zodat u kunt begrijpen dat ik zeer veel moeite heb gedaan om u een uiterst ongebruikelijk zakelijk voorstel te doen.'

'U zou hier kunnen zijn om me in de val te lokken.'

Will keek geërgerd. 'Ik denk eerder dat het andersom is.'

Von Schiller wendde zijn blik af. 'Zijn er daarbuiten mannen die het juiste moment afwachten om mij op te pakken?'

'Als dat zo was, zouden ze te laat hier zijn om te kunnen voorkomen dat uw mannen een kogel in mijn hoofd schieten.' Will schudde zijn hoofd. 'Ik ben hier in goed vertrouwen gekomen. In mijn eentje.'

Von Schiller deed zijn handen van elkaar en leunde achterover. Hij trommelde met zijn vingers op zijn been. Het was zonneklaar dat hij diep nadacht.

Will mompelde tussen zijn tanden door: 'We hebben beiden een hekel aan dezelfde organisaties.'

Von Schiller hield op met trommelen. 'Dêlage heeft me verteld dat u toegang hebt tot blauwdrukken. Waar gaat het om?'

Will keek weer naar de lijfwachten. 'Ik ga niet onder dwang met u praten.'

'En ik ga mijn mannen niet wegsturen!' Von Schiller zat roerloos. 'Indien u werkelijk hier bent om een zakelijke transactie te bespreken die voor ons beiden van belang is, geef ik u mijn woord dat u hier ongedeerd vandaan zult gaan.'

'Uw wóórd?'

'Ja, mijn woord. Ik zit al dertig jaar in dit vak. Ik kan u met zekerheid zeggen dat ik niet zo lang had kunnen overleven als mijn woord niets betekende.'

Will schudde zijn hoofd. 'Anderen hebben hetzelfde tegen me gezegd. Achteraf is gebleken dat ik hen terecht niet vertrouwde.'

Von Schiller leek geschokt. 'Ik hoef uw vertrouwen niet te verdienen.'

Toen Will sprak, klonk er geen spoortje angst meer in zijn stem. 'Ja, dat moet u wel. Vorig jaar heeft mijn bedrijf acht miljoen dollar winst gemaakt. Allemaal afkomstig van zakelijke partners die ik vertrouw. In hetzelfde jaar heb ik vijf miljoen dollar verloren aan mensen die volkomen onbetrouwbaar bleken te zijn. Vertrouwen staat gelijk aan geld. Zo verdomd eenvoudig is het.'

Von Schiller glimlachte opnieuw, maar deze keer was de blik in zijn ogen minder kil.

Will wreef met een hand over zijn gezicht en sloeg het afgewiste zweet op de plastic vloer. 'Goed dan. Blauwdrukken van prototypen van kernbommen die in een koffer passen.'

Von Schiller kneep zijn ogen tot spleetjes. 'In het verleden heb ik al iets dergelijks gezien.'

'Nee, dat hebt u niet. Dit is iets heel anders. De kracht van de bommen overstijgt alles wat eerder is ontworpen. Ze wegen minder en tot dusver zijn alle proeven ermee honderd procent succesrijk geweest. Ze zijn ideaal voor Special Forces, commando's of paramilitaire eenheden.'

'Maar die bommen kunnen alleen gefabriceerd worden door mensen die toegang hebben tot uranium dat geschikt is voor wapens.'

Will knikte. 'Dat is mijn probleem, want ik heb geen contacten in die wereld. Ik ben vooral actief op het gebied van conventionele militaire zaken. Ik heb de Iraniërs geprobeerd, maar dat werd niks en het werd me al snel duidelijk dat ik een andere weg moest volgen voor potentiële kopers. Ik heb gehoord dat u toegang hebt tot dergelijke mensen.'

'En waar hebt u dat gehoord?'

'Van iemand die ik niet alleen vertrouw, maar aan wie ik ook mijn woord heb gegeven dat ik zijn identiteit nooit zou onthullen.'

De Duitser staarde hem aan. Toen hij begon te spreken, deed hij dat met kalme stem. 'Als uw specialiteit op het gebied van conventionele wapens ligt, hoe komt u dan aan die blauwdrukken?'

'Per toeval.'

'Wie is de leverancier?'

Will schudde zijn hoofd. 'Die informatie kan ik u niet geven.'

'Dan kan ik u geen koper geven.'

Het was stil in de kamer.

Will wist dat hij niet de eerste moest zijn die iets zei.

Het bleef stil.

Uiteindelijk zei Von Schiller: 'Ik kan pas een potentiële koper benaderen als ik hem ervan kan overtuigen dat de blauwdrukken echt zijn. Daarvoor moet ik kunnen zeggen waar ze vandaan komen.'

Will maakte een gefrustreerde indruk. 'Ik moet mijn leverancier beschermen, evenals zijn identiteit.'

'En ik moet mijn cliënten en mijn reputatie beschermen.'

'Dan lijkt het erop dat we in een impasse zitten.'

'Dat ben ik met u eens.'

Will dacht over het probleem na. 'Hoe waarschijnlijk is het dat u een geïnteresseerde koper kunt vinden?'

'Vooropgesteld dat de blauwdrukken echt en nauwkeurig zijn, is dat zeker.'

Will zweeg.

Von Schiller zei: 'Als u mij ervan zou kunnen overtuigen dat de leverancier authentiek is, is dat voldoende. Ik kan u zeggen dat de identiteit van mijn bron geheim moet blijven maar dat ik volledig voor hem kan instaan.'

Will keek onzeker.

Von Schiller keek naar een van zijn lijfwachten en knikte. De lijfwachten verlieten de kamer. Hij keek Will aan. 'We zullen iets moeten uitwisselen. U hebt mijn cliënt en geld nodig. Ik heb een naam nodig en de blauwdrukken.'

Will aarzelde. 'Ik heb uw woord?'

'Dat kan ik u geven, als u me uw vertrouwen schenkt.'

Will liet zijn hoofd zakken en staarde naar de grond. Uiteindelijk knikte hij en zei: 'Oké.'

Hij nam de svr-agent nauwlettend op. 'Hij is een Russische kolonel en hij heet Taras Khmelnytsky.'

Deel drie

23

Razin keek naar de vierentwintig mannen die bezig waren met de voorbereidingen in het verlaten pakhuis. Het waren zijn Spetznaz Alpha-mannen, allemaal afzonderlijk door hem geselecteerd voor de oefening. Deze avond was hun taak de basis te infiltreren van het 104de Parachuteregiment in de oude noordwestelijke stad Pskov. Het zou een zware klus worden hoewel hij zich er niet erg druk om maakte, want hij wist dat ze zouden slagen. Wat hem wel zorgen baarde was dat er weinig tijd meer was, want de oefening kon op elk moment worden beëindigd. Als dat gebeurde voordat alles op zijn plaats was, zou zijn plan zijn mislukt.

Hij liep van de mannen weg, hun voertuigen, en de uitrusting en ging op een houten krat zitten. Hij trok zijn voor hem persoonlijk gemaakte militaire mes, keek verschillende tellen naar het lange lemmet voordat hij het zorgvuldig begon te slijpen aan een steen.

Alle MI6-officieren moesten sterven, maar het duurde te lang. Daarom moest hij van tactiek veranderen. De verrader had hem de namen gegeven en de tijd en locatie van de volgende ontmoeting, maar deze keer zou hij zijn doelwit niet alleen doden, hij zou ook zijn voormalige contactpersoon gevangennemen, de man van wie hij onlangs te weten was gekomen dat zijn codenaam Sentinel was. Dat zou de zaken in een stroomversnelling brengen. Sentinel zou gedwongen worden om al zijn overgebleven agenten bijeen te roepen op één locatie. Razin zou hen allemaal afslachten.

Het hing allemaal af van de juiste timing. De agenten moesten dood zijn voordat de drie Amerikaanse onderzeeërs met kernraketten naar Rusland voeren. En de trainingsoefening moest nog aan de gang zijn wanneer dat gebeurde zodat hij de bom kon plaatsen.

Hij glimlachte terwijl hij naar zijn trouwe collega's keek. Ze hadden geen idee wat ze werkelijk voor hem deden. Dat deed er niet toe want als ze de oorlog overleefden zou hij ze belonen voor hun rol bij het voorkomen van het gevaar dat Rusland machteloos werd gemaakt. Maar hij zou hun nooit de waarheid vertellen over de bom. In plaats daarvan zou hij zeggen dat hij de zenders ervan had verwijderd en ze in zee wilde laten ontploffen of in een van Ruslands grote onbewoonde gebieden om te voorkomen dat ze in Amerikaanse handen zouden vallen. Tegen die tijd zou niemand meer lastige vragen stellen. Ze zouden gericht zijn op veel dringender zaken.

Hij dacht aan de grote MI6-man met wie hij bij het safehouse in Sint-Petersburg had gevochten. Hij zou een probleem kunnen zijn, want hij was geheel anders dan alle anderen met wie Razin eerder was geconfronteerd. Ongetwijfeld zou hij bij Sentinel zijn tijdens de ontmoeting met generaal Barkov.

Daar zou hij hem doden.

24

Roger Koenig schudde Will de hand. 'Dat we samen iets dronken in DC lijkt nu heel ver weg.'

Will glimlachte naar de CIA SOG-officier. 'Dat kun je wel zeggen, ja.' Hij keek naar de andere mannen. Laith Dia was een van hen. Hij was de enige andere SOG-paramilitaire specialist die Wills vorige missie had overleefd waarbij ze hadden geprobeerd het Iraanse mastermind Megiddo op te pakken. Will was ontzettend blij dat Patrick die twee CIA-mannen had gestuurd. Hij vroeg Laith hoe het met zijn maag ging.

De lange, zwartharige Amerikaan haalde zijn schouders op. 'Ik heb er een groot litteken zitten. Net alsof ik een hysterectomie heb gehad.' De ex-Delta Force-man lachte, schudde Wills hand en knikte naar de derde man. 'Ross Tark. SAS Increment.'

Ross was iets kleiner dan de twee CIA-mannen maar toch nog steeds zo'n een meter tachtig lang. Hij was een atletische, knappe man met kortgeknipt blond haar. De blik in zijn ogen toen hij Will aankeek was doods, wat je wel vaker zag bij mannen van de Special Forces die vaak in actie waren geweest. De SAS-soldaat schudde Wills hand en sprak met een Schots accent. 'Fijn je te ontmoeten. Als je het niet erg vindt gaan we nu de spullen controleren.'

Roger, Laith en Ross haalden zwijgend spullen uit hun diplomatentassen en spreidden alles uit over de grote eetkamervloer. Sentinel stond in een hoek van de kamer onder een kroonluchter van geslepen glas. Hij sprak via zijn mobieltje met een van zijn agenten. Will keek met zijn armen over elkaar toe.

Ze waren in een mooi, zeventiende-eeuws huis met veertien slaapkamers dat in een tuin van vierentwintig hectare lag met meelbessen, goed onderhouden gazons, heide, stenen paadjes, edel- en muskusherten en kennels voor grote Kaukasische ovcharka-waakhonden. Het huis en de landerijen lagen op vijfenveertig kilometer ten zuiden van de Russische stad Koersk.

Een oude vrouw met schouderlang grijswit haar die een duur uitziende rok en jasje droeg, liep langzaam de kamer in. Ze droeg een dienblad met vijf porseleinen theekopjes, schotels en een versierde theepot. Ze zette het dienblad op een eettafel met twaalf stoelen, fronste haar wenkbrauwen, liep de kamer door, stapte over een Chinees QBZ-95G automatisch geweer dat Laith op de vloer had gelegd en liep naar de overkant, waar in gouden lijsten gevatte schilderijen van landschappen en paarden aan de muur hingen. Ze hing een van de schilderijen recht, draaide zich om en liep terug, ditmaal over magazijnen heen stappend en schonk thee in de kopjes. Ze kneep er wat citroen bij, keek naar Sentinel en zei iets in het Russisch.

Sentinel klapte zijn telefoon dicht, liep naar haar toe, kuste haar teder op beide wangen en glimlachte. De vrouw omhelsde hem, hield de MI6-officier lang vast, liet hem los en liep de kamer uit. Roger, Laith en Ross maakten hun tassen leeg. Op de vloer lagen nu vier QBZ-95G geweren, vijf QSZ-92 pistolen, reservemagazijnen, militaire communicatieapparatuur, verrekijkers, mobiele telefoons, militaire verbanddozen, plastic waterbestendige enveloppen met contant geld, stapels witte poolkleding, verdovingsgranaten en een Chinees AMR-2 12.7mm sluipschuttersgeweer.

Een man met zilvergrijs haar kwam binnen met een bord met cake. Hij was in de zeventig en droeg een driedelig pak met das. Hij knikte naar de mannen en zei met een licht Russisch accent: 'Heren, dit eten is alles wat we hebben, maar mijn vrouw en ik vinden het een eer om het u aan te bieden.'

Sentinel greep meteen twee van de plastic enveloppen met contant geld, pakte het bord aan en gaf hem het geld. Op het gezicht van de Rus verscheen een glimlachje. Hij klikte zijn hielen tegen elkaar, knikte scherp, draaide zich om en liep de kamer uit. Sentinel legde de cake naast de theepot en sprak zachtjes tegen Will. 'Ze komen van vroegere generaties tsaristische Russische aristocratie. De meesten van hun familieleden zijn uitgemoord tijdens de revolutie van 1917. De weinigen die het overleefd hebben zijn gevangengezet of zijn erin geslaagd zich te verbergen, zonder geld of huis.' Hij keek om zich heen in de kamer. 'Het stel dat je zojuist hebt gezien zijn de kleinkinderen van sommigen van die overlevers. Ze zijn voortdurend bezig om geld bijeen te brengen om dit huis te kopen, dat van de grootvader van de man was, maar dat door revolutionairen in beslag is genomen. Het is al driehonderd jaar familiebezit, maar het terugkopen van het bezit kost het stel al hun spaargeld.' Hij keek Will aan. 'Ze leven in weelde en armoede, en wachten hier in de ijdele hoop dat Rusland op een dag weer zal worden bestuurd door de aristocratie.'

Roger riep vanaf de andere kant van de kamer dat ze gereed waren.

Will en Sentinel gingen bij de andere mannen staan. Roger stond aan de kant van militaire hardware met een kop thee in zijn hand. Ross zat op een stoel een cake te eten. Laith zat op de grond met zijn rug tegen de muur en rookte een sigaret.

Sentinel keek iedereen aan. 'Heren, Barkov moet ten koste van alles worden beschermd want als wij er niet in slagen Razin te doden is hij onze laatste hoop voor het vinden van de locatie van Taras.' Hij keek naar Will. 'Tenzij de privéoperatie van mijn vriend enig succes heeft.'

Will glimlachte.

'Weet je zeker dat hij zijn Spetsnaz-mannen niet zal gebruiken bij die aanval?' vroeg Laith.

'Hij komt alleen.'

Ross haalde zijn schouders op. 'Dan kunnen we hem gemakkelijk de baas.'

Sentinel keek de SAS-man scherp aan. 'Zo moet je niet denken.'

Roger zette zijn kopje neer. 'Wanneer is die bijeenkomst?'

'Ik wacht op een telefoontje van Barkov.' Sentinel keek naar de wapens. 'Hoe willen jullie dit aanpakken?'

'Laith en ik gaan het huis in,' antwoordde Roger. De voormalige DEVGRU SEAL knikte naar Ross. 'Tark zal fungeren als onze sluipschutter.'

'Goed. Nou, voorlopig kunnen we alleen maar wachten.'

Sentinel liep de kamer uit.

Roger pakte zijn kop en schotel op en liep naar het raam. Will kwam bij hem staan. De CIA-officier sprak kalm terwijl hij uitkeek over de tuin. 'Mijn grootvader vocht in Rusland als paratroeper bij de Fallschirmjägerdivisie van de Wehrmacht in '41. Hij is daar bijna omgekomen. Ik herinner me dat toen ik een kind was, hij me vertelde over de Tweede Wereldoorlog, zijn gevechten in Denemarken, Noorwegen, Nederland, Griekenland, Kreta, Sicilië en Italië en hoe hij het IJzeren Kruis kreeg.' Hij schudde zijn hoofd. 'Volgens hem was er niets zo erg als hetgeen hij in Rusland had meegemaakt.' Hij leunde tegen het raamkozijn en keek Will aan. 'Wij hebben misschien een groter en beter uitgerust leger, maar dit is geen plek voor Amerikaanse soldaten.'

Will stond op het uitgestrekte terrein van het zeventiende-eeuwse landhuis, honderden meters van het huis verwijderd. Door de sneeuw heen schoten roze luciliabloemen op.

Hij sloeg zijn armen over elkaar, diep in gedachten verzonken. Hij was blij dat de paramilitaire mannen er waren, maar hij voelde zich nog steeds slecht op zijn gemak bij Sentinels plan om Razin te doden. Niet voor de eerste keer vroeg hij zich af of Sentinel van plan was zijn leven op te offeren om wraak te kunnen nemen op Razin.

Er bewoog iets in het bos. Een grote bruine gedaante, nu weer verdwenen. In een flits trok hij zijn QSZ-92 pistool en richtte op de plek waar hij voor het laatst iets had zien bewegen. Zijn ogen schoten naar links en rechts, zoekend in de open stukken land tussen de bomen. Grote sneeuwvlokken dwarrelden langzaam naar omlaag. Er stond geen wind. Hij hoorde vogels roepen, verder niets. Zijn hart bonsde maar zijn handen en het pistool trilden niet. Hij zag de gedaante opnieuw, in een smalle strook tussen twee bomen en hij zwaaide zijn pistool die kant op, maar de schim was net zo snel weer verdwenen. Hij hield zijn pistool op ooghoogte met beide handen vast en zette zich schrap, klaar om te vuren.

Hij zag de gedaante nogmaals en zijn vinger kromde zich werktuigelijk om de trekker, maar na een paar millimeter liet hij de trekker los. Zijn lichaam ontspande zich.

Op vijftien meter afstand, tussen de bomen en duidelijk in het zicht stond een reusachtig mannetjeshert. Het gewei torende boven zijn indrukwekkende lijf uit. De hertenbok staarde Will aan en bleef roerloos staan. Will liet zijn wapen zakken en staarde terug naar het beest. Zo bleven ze een halve minuut staan, daarna liep de hertenbok nog een paar meter dichter naar hem toe en bleef weer staan. Will verwachtte dat het hert zich zou omdraaien en in het bos zou verdwijnen, maar hij bleef voor hem staan en kwam toen nog dichterbij, zijn adem zichtbaar dampend uit zijn grote neusgaten. De bok liet zijn kop zakken en bewoog een hoef heen en weer over de sneeuw. Heel even vroeg Will zich af of hij hem zou aanvallen. Maar toen keek het dier op, weer met zijn grote ogen op Will gericht. Hij kwam naar voren, bleef staan en schudde zijn kop.

De oren van het hert trilden. Hij stapte achteruit en schoot het bos in.

'Opmerkelijk.' De oude Russische man die eigenaar was van het huis liep op hem toe. 'Die hertenbok is een jaar geleden op mijn terrein verschenen, waarschijnlijk vanuit de nabijgelegen bossen. Hij is wild en heeft een ree en twee kalfjes te beschermen.' De man bereikte Will. 'Het zijn heel schuwe dieren en we krijgen ze zelden te zien. En ik heb nog nóóit gezien dat een wild hert zo dicht bij een mens komt.' Hij wendde zich tot Will. 'Hij heeft het telefoontje ontvangen. Jullie moeten allemaal weg.'

25

Twee dagen later bevond het team zich op vijftienhonderd kilometer ten oosten van Moskou, in een buitenhuis hoog in de bergen van de Oeral. Honderdvijftig kilometer verder naar het oosten lag de stad Jekaterinenburg, de locatie van het hoofdkwartier van het Centraal Operationeel Strategisch Hoofdkwartier. De vroege ochtendzon wierp zijn licht over een groot meer dat duizend meter onder het huis lag en over de omringende bergen met bos dat met een laagje sneeuw was bedekt. Een verlaten weg kronkelde langs het meer totdat hij uitkwam op een route die bergopwaarts liep en eindigde bij het landhuis.

Ze waren de avond ervoor gearriveerd en hadden hun voertuig in een garage verstopt zodat hij uit het zicht stond. Ze hadden de lichten van het huis uitgedaan en de hele nacht wachtposten gebruikt, hoewel Sentinel de berghut nooit eerder had gebruikt en ervan overtuigd was dat hij niet besmet was. Het was het huis van een van zijn agenten die tijdelijk bij familie in Jekaterinenburg verbleef, twaalf uur nadat Sentinel contact met hem had opgenomen. De agent had voldoende voedsel voor het team in het huis achtergelaten maar niemand had iets aangeraakt. Ze waren te geconcentreerd en gespannen om honger te voelen.

Will liep door het huis, kwam in een keuken, en een kleine open eet- en zitkamer waar Laith zat te wachten met een QBZ-95G geweer. Hij liep een kale houten trap op, passeerde een slaapkamer met alleen een eenpersoonsbed en verder niets en een tweede kamer waar Roger en Sentinel zich bevonden.

Sentinel wierp een blik op Will, keek op zijn horloge en knikte. 'Barkov zou over ongeveer twee uur hier moeten zijn.' Hij ging naast Roger staan. 'Wat denk je?'

Roger sprak terwijl hij uit een raam keek door het vizier van zijn automatisch geweer. 'Ik geloof dat het oké is. Goed zicht, de weg is bijna volledig te zien, zeer hooggelegen en vijfenveertig kilometer van de dichtstbijzijnde bewoning dus minimaal risico van tussenkomst door plaatselijke bewoners.' De CIA SOG-officier knikte. 'Het is een verdomd goede verdedigingspositie, maar mijn god, wat is er veel dekking te vinden in het land en de bomen om ons heen. Razin zou ons vanuit elke richting kunnen naderen. En tenzij Ross hem ziet met zijn sluipschuttersgeweer of Razin zo dom is om de weg te nemen, zou ons doelwit heel dichtbij kunnen komen voordat we hem zien.'

Sentinel keek naar Will. 'Heb je met Ross gesproken?'

Will knikte. 'Hij is gereed.'

Ross zat anderhalve kilometer verderop op een berg aan de andere kant van het meer. Hij zat daar al een uur, bij een temperatuur van bijna twintig graden onder nul.

Will wreef over zijn gezicht. 'Zelfs nu Ross over ons waakt, zou Razin kunnen doen wat hij de vorige keer heeft gedaan: ons onder vuur nemen met een krachtig sluipschuttersgeweer met thermisch vizier. Misschien hoeft hij niet dichtbij te komen.'

Roger sprak zonder zijn blik van het raam af te wenden. 'Hij kan dat niet van de achterkant van het huis doen, want de helling van de berg achter ons is te steil en hij kan daar geen goede positie innemen om te schieten. Maar als hij die tactiek aan de voorkant van het huis wil toepassen, staat hem een grote verrassing te wachten. Ik heb in de garage genoeg benzine gevonden om een vrachtwagen een jaar op te laten rijden. Ik heb een deel van die benzine in jerrycans gedaan en daarna buskruit, vodden en wat ik maar kon vinden gebruikt om die jerrycans om te toveren tot primitieve bommen. Ik heb ze in de bomen gehangen op vijftig meter van het huis en ik heb de bomen natgespoten met de rest van de brandstof. De jerrycans zijn heel precies opgehangen zodat Ross ze allemaal gemakkelijk onder vuur kan nemen. Als Razin zijn thermisch vizier gebruikt zal Ross elke jerrycan stuk schieten en een ring van vuur om ons heen creëren. Onze vijand zal verblind worden.'

Sentinel liep naar Will en sprak met kalme stem. 'Je moet heel dicht in de buurt van Barkov blijven.'

Will antwoordde al even kalm. 'Ik ben de beste schutter van ons team. Ik zou beneden moeten zitten.'

Sentinel schudde zijn hoofd. Zijn volgende woorden waren bijna onhoorbaar. 'Er mag Barkov níéts overkomen. Ik heb jou met die taak belast juist omdát je de beste schutter bent.'

'Ik zie een zilverkleurige Mercedes op de weg. Ongeveer anderhalve kilometer van het huis, die jullie kant op rijdt.' De stem van Ross klonk kalm.

'Begrepen.' Sentinel keek naar Will terwijl hij in zijn microfoontje sprak. 'Het riskantste moment is wanneer ik hem bij de deur begroet. Razin zou kunnen proberen ons op dat moment allebei neer te schieten.'

'Dat weten we,' antwoordde Roger. De Amerikanen zaten beneden.

Will keek om zich heen in de bovenkamer. In het midden stond een kleine ronde tafel met twee stoelen. Afgezien van de ramen was de enige toegangsweg tot de kamer via de naastgelegen slaapkamer en de trap. Razin zou of op het dak van het huis moeten springen vanaf de berg erachter en door een van de ramen op de bovenverdieping binnendringen of via de begane grond aan de voorkant van het huis moeten komen. Beide routes zouden hem tot een gemakkelijk doelwit maken voor Ross' onverwachte sluipschuttersvuur, maar zelfs als Razin het huis wist te bereiken moest hij het opnemen tegen vier zeer gevaarlijke en professionele mannen wier enige doel was hem neer te schieten.

Desalniettemin was Will gespannen en hij wist dat dat ook gold voor de rest van het team.

Ross sprak. 'De Mercedes rijdt op vijfhonderd meter. Een chauffeur, geen zichtbare passagiers.'

Ze wisten allemaal dat dat niets betekende. Razin kon zich in het voertuig verstoppen en de chauffeur onder schot houden.

Ross zweeg. 'De Mercedes mindert vaart, maar hij...' Het geluid van ruis.

Will fronste zijn wenkbrauwen. 'Ross?'

De stem van Ross kwam weer door. 'Ja, ik kan je horen, maar die verdomde bergen verstoren het signaal. Ik zei dat hij nog steeds rijdt, nu op driehonderd meter afstand van jullie.'

Sentinel greep zijn pistool. 'Ik ga naar beneden om hem te begroeten.' Hij liep naar de deur, bleef staan en draaide zich om naar Will. Hij had een ernstige uitdrukking op zijn gezicht. 'Bedankt voor de hulp met dit alles. Ik begrijp waarom je het niet met me eens bent, maar...' Hij glimlachte. 'Er is net een huis met vier slaapkamers op de markt gekomen. Aan de oever van Lake Windermere. Zou wel iets voor mij zijn, denk je niet?'

Voor Will antwoord kon geven was Sentinel snel de kamer uit gelopen. Op datzelfde moment sprak Ross.

'Hij is op vijftig meter van jullie. Het moment van de confrontatie.'

Will pakte zijn geweer, controleerde of zijn pistool nog goed onder zijn riem zat, opende de zakken van zijn bovenjasje om gemakkelijk bij de reservemagazijnen te kunnen en wachtte. Hij hoorde het portier van een auto dichtslaan, en dat de grendels van de voordeur werden weggeschoven. Er klonken stemmen die Russisch spraken.

'Ze staan bij de auto te praten, onze man brengt Barkov naar het huis.' Het commentaar van Ross klonk rustig. 'Ik blijf het voertuig onder schot houden. Niemand anders stapt uit. Ze zijn nu bij het huis.'

Ross zweeg.

Will hield zijn adem in.

'Ze gaan het gebouw binnen.'

Will slaakte een zucht van opluchting.

Hij hoorde dat de deur werd dichtgedaan en vergrendeld. Toen hoorde hij een stem beneden, duidelijk van Barkov. Hij sprak luid in het Russisch. De aanwezigheid van Roger en Laith had de generaal kennelijk gestoord. Er weerklonken voetstappen op de trap en in de slaapkamer en de stem kwam dichterbij. Sentinel en luitenant-generaal Ilya Barkov kwamen de kamer in.

Barkov liep snel naar Will. 'Men heeft mij verteld dat Rusland op dit moment een gevaarlijke plek is en dat de aanwezigheid van gewapende Britse en Amerikaanse mannen noodzakelijk is om mijn belangen te beschermen. Maar waarom moet ik eraan herinnerd worden dat Rusland gevaarlijk is terwijl ik dat al mijn hele leven weet? En waarom hebben jij en je mannen uitgerekend vandaag gekozen om mij te beschermen terwijl er duizenden momenten in mijn leven zijn geweest waarop ik die bescherming beter had kunnen gebruiken? Kennelijk is vandaag een speciale dag. Kennelijk zijn er mensen in de buurt die me willen vermoorden.'

Barkov was klein en slank, had zwart haar dat was geolied en achterovergekamd, was gladgeschoren en hij droeg een smetteloos wollen pak, een zijden overhemd, glanzende zwarte gaatjesschoenen en een zijden vlinderdas. Hij was jonger dan Will had verwacht, eind veertig en het was duidelijk dat hij een hoogvlieger was, anders had hij op zijn leeftijd nooit zo'n hoge Russische militaire rang kunnen bereiken.

Barkov gaf Will een hand en sprak kortaf en snel. 'Maar hier ben ik en hier ben jij. Dus laten we vaart maken en hopen dat we tijdens dat proces niet worden vermoord.' Terwijl hij de hand van de generaal schudde vroeg hij zich af wat hij tegen de Rus moest zeggen. Hij besloot dat de man die voor hem stond extreem slim was en kwam tot de slotsom dat hij hem de waarheid moest vertellen. 'Het is mogelijk dat er een man in de buurt is met de intentie u te doden. Dat weten we niet zeker. Maar als er iets gebeurt is het van wezenlijk belang dat u doet wat ik zeg.'

Barkov liet Wills hand los, wierp een blik op Sentinel met een flauwe glimlach om zijn mond en keek weer naar Will. 'Er zijn slechts twee mannen op de wereld die de autoriteit hebben om mij bevelen te geven. Een van hen is de hoofdcommandant van de grondtroepen en de andere is de president van Rusland. Maar...' zijn ogen flikkerden, 'ik zal toestaan dat u alleen voor vandaag enige autoriteit over mij hebt.'

Will hoorde de diepe stem van Laith. 'Alles rustig.'

En hij hoorde het sterke Schotse accent van Ross. 'Ik zie geen ongewone dingen, maar ik moet de hele berghelling in de gaten houden, plus het meer, de weg en het huis.'

Barkov gebaarde naar de tafel en stoelen. 'Heren, zullen we gaan zitten?'

Sentinel greep een stoel. 'Mijn collega zal bij ons blijven maar niet aan deze tafel.'

'Zoals u wilt.' Barkov ging zitten en keek Will aan. 'Doe wat u moet doen.'

Will ging op de grond zitten en richtte zijn automatische geweer op de deur.

Sentinel boog zich over de tafel en sprak Barkov rustig aan. 'Meneer, we hebben weinig tijd dus ik zal meteen ter zake komen. We weten dat een Russische kolonel van plan is wapens die hij in bezit heeft te misbruiken om een oorlog tussen Rusland en Amerika te ontketenen.'

'Naam?'

'Taras Khmelnytsky.'

Barkov lachte. 'Waar hebt u dat gehoord?'

'We weten zeker dat hij dat van plan is.'

'Hij is een held van de Russische Federatie en hij weet dat we een oorlog met Amerika zouden verliezen. Wilt u suggereren dat hij voor de Amerikanen werkt?'

'Nee. Hij werkt alleen.'

Ross stem klonk in het oordopje van Will. 'Ik heb zojuist een stuk van honderdtachtig graden van het gebied voor me bekeken en...' Luid geruis.

'Zeg het nog een keer, Ross. De verbinding werd verbroken.' Will concentreerde zich op zijn oordopje.

Er klonk nog meer geruis voordat Will Ross hoorde zeggen. 'Lastig terrein. Ik zei dat ik niks heb gezien.'

'Goed. Laith, Roger?'

'Niks.'

Sentinels stem klonk nu zeer zacht. 'Ik denk dat hij de landen met elkaar in oorlog wil brengen om zelf in Rusland naar de macht te grijpen.'

Barkov schudde zijn hoofd. 'U kunt niet van mij verwachten dat ik dat geloof.'

'Dat kan ik wel, en ik wil dat u iets voor me doet.'

'Als u denkt dat ik met deze informatie naar Platonov ga, hebt u het mis.'

'Ik zou u niet vragen met uw hoofdcommandant te gaan praten. Dat zou compromitterend voor u zijn. Maar ik wil dat u de zenders inschakelt die zijn gekoppeld aan de kernwapens die in het bezit zijn van Khmelnytsky.'

'Zodat u kunt beschikken over de coördinaten van zijn operaties?'

'Precies.'

Barkov keek kwaad. 'Volgens mij zijn dat valse voorwendsels.'

'Dat is niet zo. We zijn wanhopig. We moeten hem tegenhouden.'

'Ik denk dat dit een schertsvertoning is... die mannen hier... het idee dat iemand hier me wil vermoorden. Een schertsvertoning.'

In de verte klonk een schot. Will sprong onmiddellijk overeind, greep zijn automatisch geweer stevig beet en rende naar een kant van de ramen. 'Wat gebeurt er? Was jij dat Ross?'

Er klonk geruis in zijn oordopje voordat Rogers uitzinnige stem doorkwam. 'Ross heeft zojuist een van mijn vuurbommen getroffen. Ross, wat is er aan de hand?'

Er klonk meer geruis, toen nog een schot. Will gluurde uit het raam en trok zijn hoofd en lichaam snel terug achter de dekking van de muur. Ross had een tweede jerrycan in brand geschoten. Twee bomen stonden in brand, zwarte rook walmde op, zeer dicht bij het huis. Will keek naar Barkov. 'Ga plat op de grond liggen, bij de achterwand!'

Sentinel was overeind gekomen en liep naar de hoek van de kamer waar hij een QBZ-95G pakte die op zijn kolf stond. 'Zijn communicatiesysteem is kapot. Maar hij moet een sluipschutter hebben gezien.'

Een schutter met een thermisch vizier.

Er klonk een derde schot, gevolgd door een vierde, vijfde en zesde.

'Ross!' Will drukte een hand tegen zijn microfoontje. 'Kun je me horen? Waar zit de vijand?'

Er klonken nog drie schoten.

Laith schreeuwde: 'Dat zijn ze allemaal. De hele zijde aan de voorkant van huis staat in brand.'

Will keek naar Barkov. De man had zijn instructies opgevolgd en lag nu achter de tafel.

Maar Barkov mompelde: 'Geef me een wapen.'

'Blijf waar u bent!' Will stootte zijn wapen door het vensterglas, maakte een groot gat met de loop en stond ongedekt in het zicht, zoekend naar tekenen van Razin daarbuiten. Maar het vuur in de bomen nam nu af en het vochtig makende effect van de sneeuw erop had gezorgd voor een dikke, zwarte muur van rook, zo'n zestig meter hoog en tweehonderd meter breed. Hij vloekte. Razin kon hen niet zien, maar zonder het communicatiesysteem van Ross konden ze hem ook niet te pakken krijgen. Zijn hart bonkte. Hij keek naar Sentinel; hij had zijn ogen toegeknepen en hield zijn geweer beet terwijl hij naast een van de ramen stond.

'Misschien is het systeem van Ross niet uit de lucht. Dit begint verkeerd aan te voelen,' mompelde Sentinel.

'Ik weet het.' Will schudde zijn hoofd. Hij probeerde uit alle macht zo snel mogelijk na te denken. Hij stopte met het schudden van zijn hoofd toen een grimmige gedachte alle andere opzij duwde. Zijn hart begon nog sneller te pompen en adrenaline schoot door zijn lichaam. 'Roger, Laith, ik denk dat Razin het geweer van Ross heeft gebruikt om op de jerrycans te schieten. Ik geloof niet dat hij een thermisch vizier gebruikt. Ik denk dat hij dat heeft gedaan om ons te misleiden.'

Zodat hij dichtbij kon komen zonder gezien te worden.

'Je kunt je vergissen, Will.' Rogers stem klonk verre van beschuldigend, maar Will wist dat de CIA-man zijn punt moest maken.

'Natuurlijk kan ik me verdomme vergissen!' Hij greep zijn geweer steviger vast. 'Het communicatiesysteem van Ross kan kapot zijn. Maar het voelt niet goed.'

'Ik hoor wat je zegt.'

Will sloot zijn ogen en opende ze weer. 'Roger, ik moet hier blijven.'

'Ik weet wat je denkt. Laith en ik zullen hem krijgen.'

Will knikte. 'Goed. Maar doe het snel.'

Will keek naar Barkov. 'Als we hem niet te pakken krijgen, gaat u dan die zenders inschakelen?'

Barkov leek te aarzelen.

'Zult u die vervloekte zenders inschakelen?!'

Barkov knikte. 'Goed dan.'

'In dat geval, hier hebt u een wapen.' Will trok zijn pistool en schoof het over de vloer naar de generaal.

De Rus greep het pistool, controleerde met kennis van zaken de werking, ging op zijn hurken zitten en keek naar Sentinel.

Laith' woorden klonken buiten adem; het was duidelijk dat hij snel rende. 'We zijn uit het huis en lopen aan de kant van de berghelling.'

Will keek uit het raam, maar de muur van rook was te dicht en daardoor kon hij de CIA-mannen niet zien.

Sentinel keek hem scherp aan. 'Naar de auto spurten?'

Will dacht snel na. 'Nog niet. Maar we moeten ons gereedhouden. We moeten allemaal naar beneden gaan.'

Ze liepen naar de lounge op de eerste verdieping. Will wees op de keuken. 'Daar.' De lounge had twee schuiframen die verticaal opengingen. Will sjorde het eerste raam een paar centimeter omhoog, trok de pen uit een verdovingsgranaat, propte de granaat in de open spleet en zette hem stevig vast door het raam tegen de hendel van de granaat te laten rusten. Hij deed hetzelfde met het andere raam en een tweede verdovingsgranaat. Hij liep naar de voordeur, pakte een dunne strook katoen, opende de deur op een kier, zette zijn laatste granaat op de vloer tussen de opening op scherp, trok de deur tegen de granaat aan en bond de deur stevig vast door het katoen rond de deurklink en een slot aan de deurstijl te binden. Iemand die de granaten niet had gezien en een raam of de deur opende zou een grote verrassing te wachten staan. De granaten waren zodanig afgesteld dat ze explodeerden zodra de hendels werden geopend.

Will rende naar de keuken en sloot de deur achter zich.

Ze wachtten tien minuten. Will hield de deur onder schot.

De stem van Roger klonk in zijn oordopje. De woorden van de CIA-officier deden koude rillingen over Wills rug lopen.

'Ross is dood en we hebben zijn geweer gevonden. Er is geen teken van Razin. Op de een of andere manier moet hij erin zijn geslaagd langs ons te komen. Maar mijn god, Ross is afgeslacht.'

'Kom terug naar het huis,' riep Will.

'We zijn onderweg.'

Het geluid van de granaat die ontplofte in de aangrenzende slaapkamer was oorverdovend. Zijn oren suisden. Will dook naar de zijkant van de gesloten deur en schreeuwde: 'Hij is hier.'

Sentinel ging op zijn hurken zitten en richtte zijn automatische geweer op de deur. Barkov deed hetzelfde.

'Ik heb de deur onder schot. Ga naar binnen en schiet hem neer nu hij nog verdoofd is.'

Will stond onmiddellijk op. Hij hield zijn wapen hoog en trapte de deur open. De voordeur stond op een kier en de kamer leek leeg. Maar dat was niet zo. Hij werd bij zijn middel gegrepen en met een enorme kracht door de kamer gesmeten. Hij kwakte tegen de achterwand en vertrok zijn gezicht van de pijn, draaide zich om en begon naar zijn geweer te kruipen. Maar toen zag hij de rug van een man, zag die man laag op de grond bij de ingang van de deur vallen op het moment dat Sentinels kogels over zijn hoofd vlogen. Hij hoorde dat het geweer van de vijand twee keer afging en zag de man de andere kamer in gaan. Happend naar lucht en nog steeds op de grond liggend reikte Will naar zijn wapen en richtte het op de deuropening.

Razin kwam de kamer uit. Hij hield Sentinel bij zijn keel en gebruikte hem als schild. Sentinels witte gevechtsjas zat onder het bloed, duidelijk van een kogelwond in zijn bovenlichaam. Razin hield een groot pistool tegen zijn slaap. De grote vuist van Razin had niet alleen de handgreep van een pistool vast, maar ook een granaat. Will wist dat het niet het type granaat was dat alleen een verdovende uitwerking had.

Will richtte. Er was genoeg van Razins hoofd zichtbaar om de man gemakkelijk te kunnen doden. Hij begon de trekker over te halen, maar aarzelde. Een straaltje zweet liep over zijn gezicht.

Sentinels uitdrukking was er een van absolute pijn. Hij had zijn ogen samengeknepen. 'Dood hem!'

Will klemde zijn vinger strakker om de trekker.

Razin glimlachte. Hij duwde zijn gevangene een paar meter naar voren de slaapkamer in. 'Als je me neerschiet, zal ik onwillekeurig de trekker overhalen en je collega waarschijnlijk vermoorden. Maar als ik zijn hoofd mis zal mijn hand zeker de pin uit de granaat trekken en dan wordt deze hele kamer opgeblazen.'

Sentinel had zijn ogen opengesperd. Hij keek Will recht aan. Het was duidelijk dat de MI6-officier niet had geweten van de granaat. Net als Will zou hij snel proberen te beslissen wat er nu gedaan moest worden.

Razin knelde Sentinels keel dicht waardoor hij een gesmoord geluid maakte en liep verder de kamer in. Wills hart ging zo snel te keer dat hij dacht dat het zou ontploffen.

Razin en Sentinel bevonden zich nu op drie meter van Will en liepen naar de uitgang. Will hield zijn geweer gericht op het hoofd van Razin. Als hij hem neerschoot zouden ze allemaal sterven. Dat was een opoffering die Will bereid was te maken, want de dood van Razin was het enige wat ertoe deed. Maar het was een onnodige opoffering. Roger en Laith waren op de terugweg. Misschien wist Razin niet dat ze er waren. In dat geval zouden ze het voordeel van de verrassing hebben en konden ze hem neerschieten op het moment dat hij niet langer de granaat vasthield.

De Spetsnaz-commandant kneep zijn hand weer dicht. Sentinel had zijn ogen gesloten; hij was bewusteloos. Razin bereikte de deuropening. 'Ik zei toch dat we elkaar weer zouden treffen.' Hij draaide zijn hand met het pistool om, wierp de granaat naar Will en bracht het pistool meteen weer terug tegen Sentinels hoofd. Hij sleepte hem het gebouw uit. De granaat hing nog half in de lucht. Will sprong op, sprintte weg en dook met zijn hoofd vooruit door een van de schuiframen. Hij hoorde glas versplinteren. Razins granaat explodeerde. De granaat die hij onder het raam had geklemd ontplofte en veroorzaakte een fel wit licht en een alles doordringend geluid dat zijn lichaam en geest inkapselde terwijl hij op de grond viel.

Zijn lichaam deed pijn. Er zaten veel glasscherven in zijn lijf, hoewel het voelde alsof die pijn iemand anders toebehoorde. Niets leek echt, alleen het lawaai en het licht dat hem onverbiddelijk in zijn greep hielden.

Een seconde, een minuut, een uur later – hij wist het niet – greep een hand hem bij de arm en trok hem overeind. Hij strompelde, met nog steeds dat witte licht om hem heen, maar daarbinnen ontwaarde hij twee silhouetten van mannen. Ze leken te praten hoewel hun stemmen uit de verte klonken en nonsens leken uit te kramen. Hij draaide zich om en braakte in het witte licht. De stemmen werden luider, klonken dringend, toen duidelijker.

'Will! Will!'

Hij schudde zijn hoofd, opende en sloot zijn ogen en probeerde na te denken. Hij ademde diep in en probeerde al zijn overgebleven krachten te verzamelen om zijn lichaam en geest te concentreren en ervoor te zorgen dat het witte licht en het lawaai zouden verdwijnen.

'Will!'

Hij voelde een andere arm die hem beetgreep. Hij werd weggesleept terwijl hij aan weerszijden stevig werd vastgehouden en hij hoorde weer een van de stemmen.

'Blijf hem bewegen totdat hij zijn balans heeft hervonden.'

Het witte licht begon te vervagen. Het lawaai ebde weg. Hij begon stippen en vormen te zien; ze werden groter totdat hij besefte dat het bomen waren. Hij zoog zijn longen vol met lucht; daardoor moest hij kokhalzen en hij braakte nogmaals. Maar deze keer zag hij dat zijn braaksel terechtkwam op een oppervlak dat geen licht was, maar sneeuw. Hij fronste zijn wenkbrauwen en staarde een tijdje naar zijn voeten.

'Will?'

Hij knipperde, bleef nog even stilstaan, ademde langzaam en kwam overeind. Een van de handen die hem vast had, liet los. Will knikte. De andere hand liet hem ook los. Hij hoorde laarzen over de sneeuw kraken. Hij keek om zich heen. Roger en Laith stonden voor hem.

'Kun je ons horen en zien?'

Will knikte nogmaals. Hij deed een stap voorwaarts. Een van zijn knieën knikte en hij viel bijna op de grond, maar hij slaagde erin snel zijn andere voet naar voren te zetten en bleef overeind. Hij keek naar zijn benen en zag dat er grote scherven glas in staken. Hij negeerde ze en keek naar de CIA-mannen. 'De Mercedes?'

'Weg. Hij was al bijna een kilometer verderop toen we terugkwamen bij het huis. Ik denk dat Razin nu minstens op acht kilometer afstand is, misschien zelfs meer. Zelfs als we wisten waar hij naartoe gaat, zouden we geen kans maken om hem in te halen.'

'Barkov?'

'Dood. Hij heeft een kogel tussen zijn ogen.' Laith schudde zijn hoofd. 'Verder is er niemand in het huis.'

Will keek naar de hemel. Grote sneeuwvlokken vielen op zijn gezicht. Hij voelde totale frustratie en wanhoop. 'Ik had hem in mijn vizier. Ik had hem gemakkelijk kunnen vermoorden.' Hij keek weer naar zijn collega's. 'Waarom heeft hij Sentinel levend meegenomen?'

Roger haalde zijn schouders op. 'Om de locatie van de overgebleven agenten te achterhalen?'

'Ik denk dat hij die locatie al kent.' Will schopte in de sneeuw. 'Maar zo niet, dan zijn er gemakkelijker manieren om uit te vissen waar ze wonen in plaats van zijn leven te riskeren door Sentinel levend gevangen te nemen.'

'Waar zijn de agenten?' vroeg Laith.

'Verspreid over Rusland.' Will viel stil toen hem iets begon te dagen. 'Dat is zijn probleem. Elke moord op zich duurt te lang.' Hij knikte. 'Misschien is het geen informatie die hij wil. Misschien is hij van plan Sentinel te gebrúíken.'

Roger stemde in. 'Om hem alle agenten op een plek bijeen te laten roepen.'

Will trok stukken glas uit zijn jas. 'Ja, hij zal Sentinel martelen totdat zijn geest is gebroken.'

'Hij heeft jarenlange martelingen doorstaan toen hij in de gevangenis zat. Razin weet dat.'

'Dat is lang geleden. De methoden om informatie uit iemand los te krijgen zijn geperfectioneerd.' Will dacht over de drugs die hem waren toegediend tijdens de oefening van het programma in de vs. 'Maar toch zal hij het een paar dagen weten uit te houden.' Hij schudde zijn hoofd. Het idee dat Sentinel gemarteld zou gaan worden vervulde hem met weerzin. Het had nooit zover mogen komen. Hij had moeten voorkomen dat Sentinel zijn idee van die bijeenkomst met Barkov had doorgezet. Hij keek de CIA-officieren aan en zei: 'We hebben nu twee prioriteiten: Razin tegenhouden en Sentinel redden. Ik heb al een strategie in werking gezet om Razin weg te houden van die bommen, maar ik heb jullie hulp nodig om Sentinel op te sporen.'

'Hoe gaan we dat doen?' vroeg Laith.

'We hebben geld, paspoorten, reservekleding waarin we eruitzien als gewone mensen, een wagen en wapens.' Will knikte. 'Met behulp van die zaken zullen we proberen hem terug te krijgen.'

'Je moet ook de inlichtingendienst informeren zodat we hun hulp kunnen krijgen. Ze moeten ons alle mogelijke steun geven.'

Will glimlachte, hoewel hij nu niets anders voelde dan woede en opperste concentratie. 'Voorlopig kunnen we niet met de dienst praten.'

Laith keek ongelovig. 'Je moet Patrick en Alistair vertellen dat Sentinel is gevangengenomen!'

Will schudde zijn hoofd. 'Dat ga ik niet doen.'

'Godverdomme, Will. Je neemt de verkeerde beslissing.'

Will ademde diep in terwijl hij zijn blik over de Oekraïense bergen liet glijden. 'Ik kan niet met Alistair of Patrick praten omdat ze me nooit toestemming zullen geven voor wat ik van plan ben.'

26

Het was twaalf uur in de middag. Will en zijn CIA-collega's waren nog steeds in de nabijheid van de berghut. Witte wolken hingen laag in de lucht en sneeuwvlokken vielen met grote snelheid omlaag. De zwarte rook uit de bomen was verdwenen.

Will en Laith zaten aan de andere kant van het meer. Roger was anderhalve kilometer verderop, bij het huis. Hij observeerde de bergweg voor het geval bezorgde burgers de rook hadden gezien en hun hulp kwamen aanbieden of voor het geval gewapende politie het geluid van de schoten kwam onderzoeken. Maar het was overal stil en vredig om hen heen.

Will keek naar de bergen, naar het rustige meer en naar de sneeuw die het prachtige landschap om hen heen leek te zuiveren. Een adelaar vloog op van een van de bergtoppen en zweefde verder. Will keek naar zijn gracieuze bewegingen. Hij keek naar het dode lichaam van Ross. De arme man was van zijn onderbuik tot aan zijn borstkas opengesneden. Darmen, lever en ingewanden puilden uit zijn buik.

Laith tuurde naar het huis in de verte aan de overkant van het meer. 'We hebben geen tijd om al die troep op te ruimen.'

Will knikte. 'Ik zal geld voor onze contactpersoon achterlaten in huis. Maar we kunnen niet verwachten dat de eigenaar de lichamen opruimt.' Will hield zijn blik op Ross gevestigd. De ogen van de Schot waren wijd open, met een uidrukking van absolute verschrikking en pijn.

'Nou, we hebben een probleem. Er is geen boot om ze het meer op te brengen en ze ernaartoe zwemmen zou zelfmoord zijn.' Laith stampte met een voet op de bevroren grond. 'Bovendien is er geen enkele mogelijkheid om ze te begraven.'

De adelaar stootte een schelle schreeuw uit. Hij bewoog heel sierlijk en leek toch zo ver weg. Maar Will wist dat hij snel op zijn prooi omlaag kon duiken en die met grote en dodelijke wreedheid kon verscheuren. 'Ik zal het lichaam van Barkov hiernaartoe brengen. Laat hen maar liggen voor de dieren. We kunnen niets anders doen.' Hij knielde neer en klopte met zijn hand op het bloeddoorweekte jasje van Ross. 'Hoewel dat het niet goed maakt.'

'Nee, dat is nooit zo.'

'Heb je het gebied hier in de omgeving onderzocht?'

'Ja. Het kostte me een uur om ze te vinden, maar de sporen in de sneeuw zijn duidelijk. Razin lag ongeveer tweehonderd meter verderop, tegen de berghelling op. Die smeerlap heeft Ross en het huis al die tijd in de gaten gehouden.'

Will stond op en wreef over de stoppels op zijn gezicht, wetende dat hij nu het bloed van Ross op zijn gezicht smeerde. 'Hij moet er al uren voor ons zijn geweest, misschien langer.' Hoewel hij de daden van Razin haatte, had hij onwillekeurig bewondering voor de professionaliteit van de man. 'Morgenavond moeten we in Moskou zijn. We gaan iets onverwachts doen.'

'Ik vind het best.' De grote ex-Delta-man zuchtte. 'Maar ik vind nog steeds dat we back-up nodig hebben.'

'Je zult van mening veranderen als je hoort wat we gaan doen.'

Laith glimlachte. 'Patrick heeft mij en Roger gezegd dat we aan hem moeten rapporteren als je opnieuw het protocol negeert.'

Zoals Will dat dus had gedaan in zijn vorige missie met de twee CIA-officieren.

'Ga je gang, maar je maakt een fout.'

'We zeggen niets,' zei de Amerikaan rustig.

Will fronste zijn wenkbrauwen. 'Hoezo?'

Laith ging dichter bij Will staan; hij bevond zich op ooghoogte. 'Omdat we hopen dat je weet wat je doet.' Zijn glimlach verflauwde. 'Maar we zijn ook bezorgd dat je je gelijke hebt gevonden, en dat je niet tegen hem opgewassen zult zijn.'

Will wendde zijn blik niet af. 'Ik zal slagen. Die smeerlap heeft zijn langste tijd gehad. Binnen korte tijd zal hij een fout maken.'

'Weet je dat zeker?'

Will keek zijn collega strak aan. 'Nee.'

'Dat dacht ik al.'

'Je wist het.'

'Ja.' Laith liep een stukje van hem vandaan. 'Ik geloof dat je zult slagen. Maar de vraag is of je op tijd zult zijn om een oorlog te voorkomen.'

27

Will stond aan de zijkant van ulitsa Nov. Arbat in het hart van het regeringsdistrict van Moskou. De grote rivier Moskva was gemakkelijk zichtbaar aan het einde van de hoofdweg. Links van hem lag een lang, smal park met hoge kantoorgebouwen erachter. Rechts van hem lagen grote, modern uitziende regeringsgebouwen. Het was vroeg in de avond en donker, hoewel alles om hem heen goed zichtbaar was dankzij de straatverlichting, het licht vanuit de gebouwen en de vollemaan. Auto's reden gestaag over de weg, hun koplampen verlichtten de sneeuw op de grond en de sneeuwvlokken die door de lucht dwarrelden. Er waren nergens voetgangers te zien, want deze drukke weg was alleen voor gemotoriseerd verkeer bestemd. Roger bevond zich tweehonderd meter ten zuiden van hem, naast de rivier op Smolenskaya naberezhnaya. Laith zat zestig meter oostelijker, precies achter Will op ulitsa Nov. Arbat. En hoewel hij het niet kon zien lag het Kremlin anderhalve kilometer verderop naar het oosten.

Will keek op zijn horloge. Het was 18:14 uur. In zijn oortje hoorde hij de stem van Roger. 'Nog niets te zien. Maar gisteren ging hij rond deze tijd weg, dus blijf stand-by.'

Will sloeg zijn armen rond zijn alledaagse windjack en voelde de ijzige lucht van Moskou door de stof van zijn spijkerbroek dringen. Hij stampte met zijn laarzen op de grond. 'Begrepen.'

Roger sprak nogmaals, zijn stem klonk rustig en standvastig. 'Je hebt nog steeds tijd om van mening te veranderen.'

'Dat weet ik, maar we gaan hiermee door.'

Roger leek te zuchten. 'Dit is waanzin.'

Will keek achterom. Hij kon Laith niet zien maar hij wist dat de man zich in het parkje langs de weg had verstopt. 'Laith, alles in orde?'

'Nou en of.' De voormalige medewerker van Delta Force klonk absoluut geconcentreerd.

'Mooi zo.' Will keek weer naar de rivier. 'Vergeet niet dat we iedereen in leven willen houden.'

'Dat weten we.' Roger was even stil en zei toen: 'Wacht. De hekken van de ambassade gaan open.'

Will kneep zijn ogen dicht en wachtte op verdere mededelingen van Roger.

'Twee BMW-sedans en een SUV rijden het hek uit.' De woorden van Roger waren nauwelijks verstaanbaar.

Will hield zijn adem in.

'Het is niet ons doelwit. Het is de ambassadeur met zijn lijfwachten.'

Will vloekte en keek nogmaals op zijn horloge.

'De hekken gaan dicht.' Roger ademde langzaam en zwaar; er klonk frustratie door in zijn stem. 'Ik heb dit oord de hele dag in de gaten gehouden. Ik heb hem naar binnen zien gaan en ik heb hem niet zien vertrekken. Hij moet nog binnen zijn.'

'Geduld. Ik weet zeker dat hij nog in de ambassade is.' Maar Will keek naar elke auto die langsreed voor het geval hun doelwit een andere, geheime uitgang van de ambassade had genomen om op weg te gaan naar zijn huis op Bolotnaya ploshchad'. Een voertuig reed vlak langs hem en spatte ijzige sneeuwbrij van de weg tegen zijn lijf. Will sloeg de brij van zijn benen en jas en keek naar de chauffeur van de auto. De man zag er oud uit en wuifde verontschuldigend met een hand. Will keek ongeveer in de richting waar Roger moest zijn, en had alleen aandacht voor zijn oordopje.

Het duurde tien minuten voordat Roger weer iets zei. 'Een zilverkleurige Audi is zojuist gestopt op Smolenskaya naberezhnaya, veertig meter van de hekken van de ambassade. Er zitten twee mannen in.'

Will greep het microfoontje bij zijn kraag. 'FSB?'

'Zeker weten.' Roger was een tijdje stil. 'Ze zitten te wachten.'

'Hoe schat je ze in?'

'Gewoon. Dezelfde mensen die ons doelwit gisteren zijn gevolgd.'

'Oké.' Een windvlaag blies sneeuw langs de weg van de rivier. Will sloot even zijn ogen toen de sneeuw zijn gezicht raakte. Toen hij zijn ogen weer opende zag hij een legertruck langsrijden. Hij hield zijn adem in en keek naar de halfopen achterkant van de truck en de vele soldaten erin en hoe ze in de verte verdwenen. Heel even vroeg hij zich af of hij niet te veel wilde, of het niet te riskant was, of hij deze missie niet moest afbreken. Maar hij wist dat zijn enige hoop om Sentinel te redden was om iets te doen dat slechts weinigen zouden durven in het epicentrum van Moskou.

'De hekken gaan weer open.'

Will verstrakte.

'Nog niets. Wacht.' Roger bleef een paar tellen zwijgen. 'Oké, ik hoor motorgeluiden, ik zie... koplampen branden.' Drie seconden gingen voorbij. 'Twee voertuigen. Beide Range Rovers. In de voorste auto zitten twee mannen... ongetwijfeld de beveiligers. In de auto daarachter zit een chauffeur en zitten geen passagiers. De chauffeur is... ja de chauffeur is ons doelwit. Ik herhaal, de chauffeur in voertuig twee is het doelwit!'

'Actie, Roger!' schreeuwde Will.

'Alsof je me dat moet vertellen!' Roger klonk bijna buiten adem. Hij sprintte in volle vaart naar het geparkeerde voertuig van het team in een zijstraat tussen de Smolenskaya naberezhaya naast de rivier en de weg waar Will en Laith op reden. Het was dezelfde zijstraat die hun doelwit en zijn lijfwachten over enkele seconden in zouden rijden. 'Ik ben bij ons voertuig. Verdomme. Oké. Ik geloof niet dat ze me gezien hebben.'

Roger had de honderd meter met sneeuw bedekte weg tussen zijn observatiepost en het voertuig in twaalf seconden afgelegd.

'Ik zit veertig meter achter de beveiligers, ons doelwit en de FSB-mannen die hen achtervolgen. Ik zie remlichten. Het konvooi draait de ulitsa Nov. Arbat op. Je moet ze nu kunnen zien.'

Will zag hen inderdaad. Hij stapte snel opzij het park in zodat hij zich kon verschuilen in het kreupelhout, maar de twee Range Rovers waren nog gemakkelijk te zien in het matig drukke verkeer op de weg. Net als de Audi met de twee FSB-mannen die ongetwijfeld bewapend waren maar wier taak het slechts was hun doelwit te volgen, zichzelf zichtbaar te maken voor hem en hem op die manier stilletjes te laten weten dat ze hem zouden straffen indien hij iets doms deed in hun land.

Will ging laag op zijn hurken zitten. 'Laith?'

'Ja, ik heb ze.' De woorden van de Amerikaan klonken langzaam en precies.

Het voertuig van Roger reed de straat op, vier auto's achter het konvooi. 'Oké, stand-by,' zei Roger. Hij zweeg. Toen hij weer sprak klonk zijn stem erg zeker. 'Stand-by. Stand-by. Oké...' opnieuw stilte, '... laten we gaan!'

Will sprintte uit zijn schuilplek tevoorschijn en richtte zijn pistool op de Range Rover met de twee lijfwachten. Op hetzelfde moment hoorde Will Laith' AMR-2 sluipschuttersgeweer twee kogels afvuren in het motorblok van de SUV. Het voertuig slipte en kwam abrupt tot stilstand. Vanuit zijn ooghoek zag hij dat Roger vier burgerauto's inhaalde en vervolgens zijn voertuig tegen de achterkant van de Range Rover ramde waar het doelwit in zat. Alle voertuigen in het konvooi stonden nu stil en waren ingeklemd tussen Rogers auto en de lamgelegde Range Rover.

De twee lijfwachten verspilden geen tijd en sprongen uit het voertuig met hun pistool in de hand. Will sprintte snel op hen af en toen hij hun voertuig bijna had bereikt draaide hij zich, maakte een duik en rolde op de weg terwijl een van de mannen zijn pistool hief en een schot op Will afvuurde. Toen sprong hij overeind zodat hij pal voor de man stond. De lijfwacht probeerde Will een schop tegen zijn enkels te geven om hem uit balans te brengen zodat hij achteruit zou struikelen en hij voldoende afstand zou hebben om zijn pistool nogmaals te heffen en Will neer te schieten. Maar Will was op die beweging bedacht, deed een stap terug toen het been van de man door niets dan lucht zwaaide, deed weer een stap vooruit en stompte hem met zo veel kracht tegen de borst dat hij achteruit tegen de SUV kwakte. Hij deed nog een stap naar voren, stak twee vingers in de ogen van de man en sloeg met de kolf van zijn pistool hard op zijn schouderblad. De man viel bewusteloos op de grond en terwijl dat gebeurde dook Will omlaag. Hij was blij dat hij dat had gedaan. Een kogel uit het pistool van de bewaker aan de andere kant van de Range Rover vloog door de lucht op de plek waar hij net nog stond.

'Laat je wapen vallen en ga op de grond liggen!' schreeuwde Laith. Will keek naar rechts en zag de SOG-officier midden op de weg staan, slechts tien meter verderop met zijn geweer op ooghoogte, gericht op de tweede lijfwacht. 'Plat op je buik, handen in elkaar en armen omhoog. Doe het nu, of ik schiet een kogel in je kop!'

Will keek naar links. Roger was naar de Audi geslopen. Een van de FSB-mannen lag roerloos aan zijn voeten. Maar de tweede Rus liep snel om het voertuig heen, met in beide handen een pistool. 'Laith?' riep Will.

'Ja, kom maar. Ik heb die man in het vizier.'

Will kwam overeind en sprong op de motorkap van de tweede Range Rover, het doelwit negerend dat nog in het voertuig zat. Hij rende over het dak, sprong op de Audi en dook eroverheen naar de FSB-man die nu achter de auto stond en zijn pistool op Roger had gericht. Hij vloog tegen de man op, sloeg zijn armen om het bovenlichaam van de Rus en klemde zijn armen stevig tegen de zijden van zijn lichaam voordat ze samen op de grond vielen. Will bleef hem strak vastklemmen. Roger dook voor hen op, knikte naar Will en gaf met zijn vuist een dreun op het hoofd van de Rus. Zijn hoofd zakte naar een kant. Maar hij leefde nog.

Will rolde weg van de man en zag op dat moment dat het doelwit in de tweede Range Rover probeerde zijn voertuig uit het gebied te rijden. Zijn Range Rover botste tegen de stilstaande SUV voor hem en duwde hem iets vooruit. Hij reed achteruit tegen de Audi aan maar die kreeg hij niet in beweging aangezien die werd tegengehouden door het voertuig van Roger. Hij reed weer naar voren en duwde de Range Rover van de bewakers nog een stukje verder vooruit. Het doelwit had nu voldoende ruimte om rechts uit het stilstaande konvooi weg te rijden en te ontkomen. Will drukte zich op en sprintte naar de auto terwijl die nog een laatste keer achteruitreed en zijn voorwielen naar rechts draaide om te kunnen ontsnappen. Hij hoorde dat er werd geschakeld en dat het gaspedaal werd ingetrapt. Hij rende zo snel hij kon en bereikte het portier van de auto op het moment dat de auto naar voren begon te bewegen. Hij sloeg het raampje in, greep de chauffeur bij de keel en bleef stevig die positie behouden terwijl de auto naar rechts zwenkte, weg van de andere SUV die hem blokkeerde. Hij deed een uitval naar het contactsleuteltje en zette de motor uit. Het voertuig minderde vaart en stopte.

Will hijgde en keek naar het doelwit. 'Jij gaat met mij mee.'

Will trok de tegenstribbelende chauffeur de auto uit en keek om zich heen. Het was een chaos. Burgerauto's stonden schots en scheef stil op de weg achter de auto van Roger. De mannen en vrouwen keken geschokt en angstig naar alles wat er zich voor hun ogen afspeelde. Sommigen hielden een mobiele telefoon tegen hun oor. Hij hoorde sirenes naderen uit verschillende richtingen en wist dat die van de politie waren, misschien zelfs van specialistische FSB-eenheden. Will verspilde geen tijd en sleepte zijn gevangene naar achteren totdat hij bij Roger was. Hij keek naar de CIA-officier. 'Doet jouw auto het nog?'

Roger knikte. 'Dat denk ik wel.'

Roger ging achter het stuur van zijn auto zitten, reed de auto achteruit en terwijl hij dat deed hoorde Will het geluid van metaal dat losscheurde. Roger stopte, liet de motor draaien, stapte uit en opende een van de achterportieren. 'De auto is oké. Maar we moeten hier snel weg, nu meteen.'

Will keek naar Laith. De Amerikaan richtte zijn AMR-2 nog steeds op het hoofd van de liggende maar bij kennis zijnde lijfwacht. Will sprak in zijn microfoontje: 'Laith, we moeten weg.'

De sirenes kwamen dichterbij.

Laith glimlachte naar de man bij zijn voeten. In zijn oordopje hoorde Will Laith praten tegen de lijfwacht. 'Het spijt me.'

Laith zwaaide zijn geweer door de lucht en sloeg met de kolf tegen de slaap van de lijfwacht. Hij ging op zijn hurken zitten en legde zijn vingers op de keel van de man om te controleren of hij nog een hartslag voelde. 'Je overleeft het wel,' mompelde hij en rende naar de auto van Roger.

Een paar tellen later zaten ze allemaal in het voertuig en reed Roger met grote snelheid over de weg. Laith en Will zaten achterin; hun gevangene lag op de vloer terwijl ze hun schoenen boven op hem gezet hadden om hem stevig op zijn plaats te houden.

Terwijl ze gestaag in westelijke richting reden, weg van de stad keek Will omlaag en glimlachte. Hij vroeg zich af wat Alistair zou denken als hij hem nu kon zien.

Met de chef van MI6 van de afdeling Moskou onder zijn schoen.

28

'Het was óf deze plek of een plaatselijke school.' Roger wreef over zijn vermoeide gezicht.

Will keek om zich heen. Ze zaten in een kleine, Russisch-orthodoxe kerk, in de buurt van bos en een dorpje, vijfenzeventig kilometer ten westen van Moskou. Roger had die plek gekozen omdat de meeste kerken, net als scholen, 's nachts leeg zijn en het gemakkelijk is om er in te breken. Meestal bevatten ze niet genoeg waardevolle spullen om ze te beschermen met alarmsystemen. De kerk had houten banken links en rechts van het middenpad waar Will stond. Het was aardedonker, afgezien van het licht van de zaklampen die Will, Roger en Laith bij zich droegen. In de lichtstralen zagen ze beelden opflitsen van religieuze iconen, gebedsboeken, staande lampen, kroonluchters, kaarsen, metalen kruizen met drie balken, alkoven, muurschilderingen met verschillende apostelen en Jezus Christus en een altaar met aan beide zijden marmeren pilaren. Voor het altaar stond een grote stoel. In de stoel zat hun gevangene. Zijn armen en benen waren door Laith, die dicht bij de man stond, vakkundig aan de stoel vastgebonden met touw.

Will keek naar Roger en vroeg zachtjes: 'Weet je zeker dat we niet zijn gevolgd op weg hiernaartoe?'

Roger haalde zijn schouders op. 'Er waren maar een paar auto's op de weg naar hier. Ze leken me allemaal heel normaal.'

Will glimlachte, hoewel zijn stemming kil was. 'Goed.' Hij zwaaide zijn zaklamp naar de gevangene. Het hoofd van de man hing omlaag, hoewel hij bij kennis en niet gewond was. 'Laten we beginnen.'

Will liep naar de voorkant van de banken en ging zitten zodat hij pal tegenover de gevangene zat, op vijf meter afstand. Hij legde zijn zaklamp op de kerkbank zodat die direct in het gezicht van de man scheen, strekte zijn benen en leunde achterover met zijn hoofd in zijn samengevouwen handen. Laith ging aan de uiterste rechterzijde van de eerste kerkbank zitten; Roger aan de uiterste linkerkant. Beide mannen beschenen de gevangene met hun zaklamp.

De hele kerk was nu in duisternis gehuld, afgezien van het altaar en de geknevelde man ervoor.

Toen Will begon te spreken was zijn stem kalm, halfluid en erg beheerst. 'Til je hoofd op alsjeblieft.'

De gevangene bewoog zich niet.

'Til je hoofd op.'

De man bleef roerloos zitten.

Will slaakte een diepe zucht. 'Moet ik het voor je doen? Ik kan het op zo'n manier doen dat je je hoofd nooit meer wilt laten zakken.'

Eerst gebeurde er niets. Toen hief de gevangene langzaam zijn hoofd, met toegeknepen ogen omdat het licht van de zaklampen hem verblindde. De man was gladgeschoren, had haar dat nu in de war zat maar dat normaal gesproken keurig op zijn plaats werd gehouden door gel. Hij droeg een duur pak, overhemd en das en was slank gebouwd. Hij was eenenvijftig jaar oud.

Will knikte, hoewel hij wist dat de gevangene hem en zijn mannen niet kon zien. 'Dat is beter.' Hij kruiste zijn voeten. 'We moeten ons eerst voorstellen. Jouw naam is Guy Louis Harcourt-DeVerre. Je bent Brits onderdaan, komt uit een adellijke familie en draagt de aristocratische titel van baron. Maar belangrijker dan dat is dat je het hoofd bent van de MI6-afdeling van Moskou.'

De ogen van de gevangene leken inmiddels gewend aan het licht. Hij sperde zijn ogen open; zijn uitdrukking was kwaad. 'Voor een serieuze introductie is het noodzakelijk dat ik uw namen ken.' Guy's accent was verfijnd en uiterst beschaafd.

Will keek naar Roger en Laith voordat hij zijn aandacht weer op de MI6-officier richtte. 'We zijn zeer gevaarlijke mannen. Dat is alles wat je hoeft te weten.'

Guy glimlachte, maar zijn woede was nog steeds evident. 'Te oordelen naar hetgeen ik hoorde in de auto op weg hiernaartoe, is het duidelijk dat u zeer gevaarlijke Engelsen en Amerikanen bent.'

'Mogelijk. Of misschien zijn we van de SVR of FSB, officieren die zich voordoen als westerlingen.'

Guy keek langzaam om zich heen en richtte zich weer op Wills

169

zaklamp. 'Is dit een ondervraging of een executie?'

'Dat hangt af van je antwoord op mijn volgende vraag.'

Guy bleef in het licht staren en toonde geen tekenen van angst. Will had niet anders verwacht van een hoge MI6-officier met de status van Guy.

Will vouwde zijn handen open en boog zich naar voren. 'Waar is Taras Khmelnytsky, de man die de MI6-codenaam Razin heeft?'

Guy grinnikte. 'Ik heb nog nooit van hem gehoord.'

Will hield zijn stem kalm en neutraal. 'Ja dat heb je wel. Je weet van Razin omdat je voor hem werkt.'

Guy glimlachte. 'Ik heb geen idee waar je het over hebt.'

Will staarde even naar de officier voordat hij zei: 'Je antwoord is niet bevorderlijk voor je situatie.'

Deze keer lachte Guy luid. Zijn stem echode door de lege kerk. 'Mijn situatie?' Zijn lach hield abrupt op. 'Mijn situatie zal in alle waarschijnlijkheid leiden tot mijn dood. Je doet wat je wilt met mij. Maar wat je ook doet, ik kan je geen antwoord geven dat ik niet heb.'

Will boog zich verder voorover. 'Luister heel goed naar me. Ik heb honderden malen gezeten op de plek waar jij nu zit. Ik weet alles van de spelletjes die gespeeld kunnen worden om je te verzetten tegen ondervraging. Ik weet wat er op dit moment door je hoofd gaat. Je voornaamste doel is ons gesprek zo lang mogelijk te rekken, in de hoop dat je gered zult worden door Britse of Russische troepen. Tegelijkertijd zul je een snelle beoordeling trachten te maken van je ontvoerders, proberen te bepalen wat onze doelen zijn, wat voor soort mannen we zijn en hoe ver we bereid zijn te gaan om te krijgen wat we nodig hebben. Als je beseft dat we nergens voor terugdeinzen, begin je ons halve waarheden en leugens te voeren om onze aandacht vast te houden en de schijn te wekken dat je meewerkt. Dan, wanneer dat niet werkt, veins je shock, angst en misschien ziekte in een poging de ondervraging tijdelijk te doen stoppen. En uiteindelijk, als die tactiek faalt, ga je ons om dingen vragen: water, eten, of je touwen losser mogen, alles om ons ervan te overtuigen dat je een bepaald niveau van berusting hebt bereikt en op het punt staat ons te geven wat we willen. Maar ik vrees dat ik moet zeggen dat tijd mijn vijand is en dat je niet de kans zult krijgen om je spelletjes te spelen.'

Guy staarde in de richting van Will; op zijn gezicht viel nog steeds geen angst te bespeuren. 'Dan zitten we een beetje vast. Vind je ook niet?'

'Ik zou zeggen dat we vreselijk vastzitten. Maar ik geloof dat ik een oplossing heb voor ons probleem. Weet je wat dit is?'

Guy knikte. 'Natuurlijk. Je moet me martelen. Hoewel ik je moet waarschuwen dat ik niet bang ben voor pijn en je hoe dan ook zal vertellen wat je wilt horen, maar het zal niet de waarheid zijn.'

'We zullen zien.' Will keek naar Laith en zei: 'Pak de doos.'

Een paar tellen later kwam Laith terug bij Guy. Hij droeg een metalen doos met vijf zijden en wat touw. Hij zetten de spullen op de grond, trok Guy's jasje open en scheurde zijn overhemd zodat zijn bovenlichaam was ontbloot. Hij tilde de doos op en drukte de open kant zorgvuldig tegen de buik van de MI6-officier. Daarna wikkelde hij het touw om de doos en het lichaam van de man zodat hij nu stevig vastzat. Laith keek naar Will, knikte en ging weer in zijn kerkbank zitten.

Will glimlachte. 'Weet je wat dat is?'

Guy bleef kalm. 'Ik heb geen idee.'

Will vouwde zijn handen alsof hij ging bidden. 'Het is mijn middel om de zaken te versnellen.' Hij kneep zijn ogen samen. 'Ik moet de precieze locatie van Razin weten. Jij gaat me die vertellen. Dit doosje zal daarvoor zorgen.'

De topman van de afdeling Moskou schudde zijn hoofd, hield het schuin naar één kant, fronste zijn wenkbrauwen en glimlachte. 'Ik begrijp het. Er zit een explosief in die doos. Dat zal na een tijdje ontploffen, tenzij ik je geef wat je wilt. De bom is klein genoeg om mijn organen te vernietigen maar niet groot genoeg om jullie te verwonden.' Hij grijnsde. 'Het spijt me dat ik jullie moet vertellen dat ik het geheim dat jullie willen horen niet heb. En zelfs als ik het had: mijn leven is gewijd aan het beschermen van geheimen. Ik zou liever mijn leven verliezen dan jullie geven wat je wilt en de rest van mijn leven het gevoel hebben dat ik niet alleen mijn werkgevers en mijn werk heb verraden maar ook mezelf.' Er verscheen een kwade uitdrukking op zijn gezicht en zijn stem klonk lager. 'Laat je bom maar afgaan. Het kan me niet schelen.'

Will strekte zijn vingers. 'Ik dacht al dat je dat zou zeggen en om die reden kan ik je vertellen dat er geen bom in die metalen doos zit. Een explosief zou je een veel te snelle dood bezorgen. In plaats daarvan zit er iets in dat doosje waar je normaal gesproken niet bang voor zou zijn. Maar vandaag zal het je verschrikkelijk veel angst aanjagen.' Will hield zijn handen roerloos. 'In die doos zit een rat. Hij is verdoofd. Maar ik schat dat hij over een kwartier zal bijkomen. Daarna zal hij zich gedesoriënteerd voelen, bang, en hij zal al zijn overlevingsinstincten inzetten om uit die gevangenis te komen. Hij zal krabben en zijn krachtige tanden gebruiken om een uitweg te forceren door de metalen zijkanten van de doos, maar hij zal al snel beseffen dat hem dat niet gaat lukken. Dan zal hij merken dat één kant van zijn gevangenis zachter is dan de andere kanten. Hij zal besluiten zich door dat oppervlak heen te bijten en te klauwen.'

Een druppel zweet liep langs één kant van Guy's gezicht. 'Een rat?'

'We hadden geen tijd om een verfijndere oplossing te bedenken voor onze impasse. Dat spijt me, want als de rat ontwaakt wacht je een uiterst pijnlijke dood. De rat zal zich een weg banen door je buikspieren, door je maag en door je ingewanden, lever en nieren. Je zult niet meteen sterven, want die rat staat voor een zware taak. Ik denk dat het minstens dertig minuten duurt voordat de rat een tunnel heeft geknaagd door je bovenlichaam en er aan de achterkant weer uit komt. En tijdens elke fase van die reis zul je hem in je voelen, krabbend en zich een weg bijtend door je lichaam.'

Er droop weer een zweetdruppel over Guy's gezicht voordat hij op de grond viel. 'Ik zal onmiddellijk het bewustzijn verliezen en jullie niet meer van nut zijn.'

Will schudde glimlachend zijn hoofd. 'We zullen je lijf volspuiten met adrenaline en een zoutoplossing om je wakker te houden.'

Guy zweeg enkele momenten. Toen hij weer sprak, weerklonken zijn woorden langzaam en boos. 'Dat betekent dat ik in het gezelschap van demonen verkeer.'

Will haalde zijn schouders op. 'Ik heb je niets anders voorgespiegeld.'

Guy keek snel naar de doos op zijn buik en wendde daarna zijn blik af. Hij was duidelijk diep in gedachten verzonken.

Will concentreerde zich volledig op de gevangene. Hij bestudeerde de officier en vroeg zich af of zijn list zou werken. Want er zat geen rat in de doos.

Guy keek Will aan. 'Ik zal de pijn omarmen... ik zal de pijn mijn geest en lichaam laten afsluiten.'

'Ik wens je veel geluk want ik weet niet of je dat zult kunnen. Ik ben vroeger ook gemarteld maar ik heb nooit ervaren wat jij zult meemaken. Dit is een nieuwe ervaring voor ons beiden.' Hij bewoog zijn arm voor de straal van zijn zaklamp. 'Ik denk dat de rat over tien minuten wakker wordt, misschien eerder.'

Guy schudde zijn hoofd; hij was nu duidelijk geagiteerd. 'Wie ben jij? Wie heeft je gestuurd?'

Will leunde achterover. 'Ik ben degene die Razin moet oppakken en doden. Ik heb mezelf gestuurd.'

'Zou je dit mij zomaar laten ondergaan? Je zou daar gewoon zitten en toekijken tijdens mijn doodsstrijd?'

Will grinnikte. 'Nee, ik kijk niet alleen toe. Terwijl de rat zich een weg door je heen bijt, zal ik je blijven vragen waar Razin is. En als je weigert te antwoorden, zal ik persoonlijk een metalen plaat op je rug bevestigen zodat de rat daar niet kan ontsnappen en zich zal moeten omdraaien om een andere uitgang uit je lichaam te vinden.'

'Vragen en antwoorden doen er in dat stadium niet meer toe.' Guy's gezicht was nu helemaal bezweet. 'Dan ben ik al dood of stervende.'

'Je zult zeker dood willen zijn in die fase. Je zult me smeken je leven te beëindigen met een kogel in je kop. Ik ben bereid dat te doen als je me de waarheid vertelt.' Will boog zich weer naar voren en sprak bijna fluisterend. 'Maar moet het zover komen? Er is nog voldoende tijd om die doos te verwijderen.'

Guy liet zijn hoofd zakken; zijn ademhaling ging snel. Toen hij opkeek was op zijn gezicht een uitdrukking van verschrikking, verwarring te lezen, maar hij toonde nog steeds een zekere mate van kracht en trotsering. 'Ik ben een MI6-officier. Mannen zoals ik verraden geen geheimen.'

'Maar toch heb je in het verleden wel geheimen verraden.' Will verhief zijn stem. 'We zullen hoe dan ook moeten afwachten of anderen het met je eens zijn. Misschien hebben sommigen van je collega's ook een idee waar Razin zich bevindt. En ik vraag me af of zij net zo resoluut zullen zijn als ze worden geconfronteerd met onvoorstelbare horror. Als we van jou niet krijgen wat we willen, zullen we elk ander lid van de afdeling Moskou volgen naar hun huis, hen op dezelfde manier martelen en hun families afslachten totdat we ons antwoord hebben.' Hij bewoog zijn gezicht in het licht, wetende dat Guy hem nu kon zien. 'Je kunt ervoor zorgen dat het hier eindigt of je kunt de zaken laten escaleren door je hele afdeling door mij uit te laten moorden. Ik zal niet stoppen voor ik het antwoord heb.'

Op het gezicht van Guy tekende zich weer woede af. 'Hoe heeft God je op een plek als deze kunnen toelaten?'

'God?' Will lachte, maar zijn toon was een en al dreiging. 'God heeft geen jurisdictie over mij.'

Guy liet zijn hoofd hangen.

'Hoofd omhoog, zei ik!'

Guy tilde zijn hoofd op; zijn ogen waren vochtig.

'Nog een paar minuten, dan is de rat wakker. Misschien is het nog maar een kwestie van enkele seconden.'

Guy keek naar het plafond en mompelde 'Red me.'

'Kijk me aan. De enige die van belang is ben ik!'

Guy deed wat hem werd gevraagd. Zijn adem ging nu heel snel.

'Je moet een beslissing nemen.' Will hield zijn gezicht in het licht. 'Geef me de locatie van Razin of sterf een afschuwelijke dood net voordat we je collega's, hun vrouwen en hun kinderen afslachten. De beslissing is aan jou en aan jou alleen.'

De tranen rolden over de wangen van het hoofd van de afdeling Moskou. Hij schudde zijn lichaam, maar de touwen en de zware stoel bleven stevig op hun plaats. 'Haal dat ding weg!'

'Pas als je antwoord hebt gegeven op mijn vraag.'

Guy slaakte een kreet, zijn gezicht verwrongen van angst. Naar lucht happend schreeuwde hij: 'Ik zal alles vertellen. Maak die doos los. Alsjeblieft. Alsjeblieft.'

'Nee.'

Guy hyperventileerde. Will ging staan en liep snel naar voren tot hij pal voor de MI6-officier stond, zette een hand op de doos en drukte die steviger tegen zijn lichaam. 'Ik voel iets bewegen tegen de binnenkant van de doos.'

Guy staarde Wil met opengesperde ogen aan. Zijn gezicht was

nu een mengeling van zweet en tranen. Zijn lichaam rook naar angst. 'Ik zal het vertellen!'

'Waar is hij?'

Voordat Guy kon antwoorden, riep Roger: 'Rook!'

Will draaide zich om en scheen naar links en rechts met zijn zaklamp. Hij hoorde beweging aan beide kanten van hem en wist dat Laith en Roger verdedigende posities innamen. 'Wat gebeurt er?'

Roger gaf geen antwoord. In plaats daarvan rende hij naar voren, zijn zaklamp stevig tegen de zijkant van zijn automatisch geweer geklemd. De straal van de zaklamp bewoog naar de ingang van de kerk. Toen zag Will wat Roger had gezien of geroken. Zwarte rookwolken dreven vanaf de ingang naar het altaar.

Will richtte zijn zaklamp op Roger die zich nu aan de andere kant van de kerk bevond. 'Rookgranaat?'

Roger drukte zich plat naast de deur, wachtte even, legde een hand tegen de houten deur, kromp ineen en deinsde terug van de buitenmuur. 'Geen granaat. Dit gebouw staat in brand.'

Wills hart sloeg snel; hij trok zijn pistool. 'Razin!' Hij zwaaide zijn lamp naar Guy. 'Hij komt je het zwijgen opleggen.'

Guy kreunde: 'Toe, haal die doos weg. Ik smeek je.'

Will negeerde hem en schreeuwde: 'Laith. We hebben een uitgang nodig.'

Vanuit het duister antwoordde de paramilitaire officier: 'Ik ben ermee bezig.'

De rook werd dikker. Will begon te hoesten. Hij knoopte de bovenkant van zijn jas los, trok het op en sloot hem weer zodat de kraag over de brug van zijn neus zat, als een primitief rookmasker. Toen zag hij de eerste vlammen onder de deur door krullen. Al snel waren er meer. Glas-in-loodramen barstten terwijl de kerk zich vulde met nog meer rook en vlammen. Gordijnen vatten vlam en de droge stof zorgde ervoor dat de vlammen tegen de muur opklommen. Vonken spatten over de kerkbanken.

'Ren naar mijn stemgeluid toe. Ik heb een zijingang gevonden,' riep Laith.

Roger snelde door de kerk. Will wilde net de uitgang controleren maar stopte toen hij druppels voelde. Hij scheen met zijn zaklamp naar het dak. Hij zag een gat, toen nog een, toen heel veel. Vocht druppelde erdoorheen, en binnen een paar tellen goot het. Zijn hartslag nam toe toen hij besefte wat er aan de hand was. 'Benzine!'

Hij trok zijn legermes en rende naar Guy om hem los te snijden. Maar terwijl hij daar mee bezig was, werd het hoofd van de afdeling Moskou overgoten met benzine. Een vonk vloog door de lucht, landde op Guy's schoot en zette zijn kleren in brand. Will deinsde terug voor de intense hitte.

'Will, we moeten hier weg.' Laith klonk wanhopig.

Maar Will probeerde dichter bij Guy te komen. De man schreeuwde van de pijn; de lucht van geschroeid vlees hing in de lucht. Er viel nog meer benzine op Guy en hij veranderde in een menselijke vuurbal. Benzine uit de andere gaten in het dak veranderen in vuurzuilen die van de kerkvloer oprezen naar het plafond. In het midden van dat alles schokte Guy's lichaam heen en weer maar hij kon zich niet van zijn boeien bevrijden. Hij hield op met schreeuwen. Will bleef staan.

'Will, schiet op!'

Will hief zijn pistool, vervloekte alles en iedereen, vervloekte zichzelf, maar op hetzelfde moment besloot hij dat hij zijn gevangene niet op deze pijnlijke manier zou laten sterven. Hij richtte zijn pistool op Guy's hoofd en haalde de trekker over.

Hij draaide zich om en zag de vlammen over de kerkbanken naar hem toe komen. Hij sprintte naar rechts, bereikte de muur en werd gegrepen door Laith en de zijdeur uit geduwd. Hij viel op de met sneeuwkorsten bedekte grond, werd weer in zijn nekvel gegrepen, ditmaal door Roger, op zijn voeten getild en snel van de kerk weggetrokken. Na veertig meter bleven ze staan. Laith rende naar hen toe, zijn geweer opgeheven, het gebied om hen heen afkammend. De kleine kerk stond nu in lichterlaaie.

'Razin moet hier ergens zijn.' Will greep zijn pistool stevig vast. 'We splitsen ons op en gaan op jacht naar hem.'

In de verte klonk het gieren van banden. De drie inlichtingenofficieren zwaaiden hun wapens in de richting van het geluid maar konden niets zien.

'Hij ontsnapt!' Roger bewoog zijn wapen van links naar rechts. 'De lichten van het voertuig zijn uit, hij is minstens vierhonderd meter verderop... ik kan zo niet schieten.' Hij liet zijn geweer zakken en zei: 'Naar de auto. Nu!'

Ze renden weg van de kerk, de bossen in en na tweehonderd meter naderden ze het voertuig dat Roger zorgvuldig tussen de bomen en het kreupelhout had verborgen. Roger en Laith knipten hun zaklamp aan, zagen de auto vijftig meter verderop staan en renden ernaartoe. Will wist dat Razin van de kerk was weggereden over het enige pad dat daar was en dat hij verderop op een smalle weg zou uitkomen die vijftien kilometer doorliep voor hij zich in verschillende richtingen vertakte. De chauffeurskwaliteiten van Roger zouden hun een uitstekende kans geven Razin in te halen zodat zijn auto zichtbaar zou zijn voordat hij een van de afslagen van de B-weg nam. Maar Will vroeg zich af waarom Razin er zo luidruchtig vandoor was gegaan en zijn vluchtroute had verraden.

Hij besefte plotseling waarom. Zijn maag kromp samen en hij sprintte nog harder naar zijn CIA-collega's toe. Hij schreeuwde: 'Ga liggen!' sprong door de lucht, greep de Amerikanen en viel op de grond terwijl hij hen nog vast had. Voordat ze de grond raakten, explodeerde de auto. Splinters metaal en glas vlogen alle kanten uit.

De mannen lagen op de sneeuw, hijgend, terwijl de brokstukken over hen heen vielen. Maar geen van hen was gewond. Will maakte zich los, ging staan en staarde naar de overblijfselen van de auto terwijl hij brandde en er dikke, giftige rookwolken van de smeltende banden opstegen. Hij schudde zijn hoofd terwijl Roger en Laith opstonden.

'Heel slim van je.' Laith sloeg de as van zijn jas.

Will wreef over zijn gezicht. 'Razin had rustig kunnen wegrijden. In plaats daarvan gaf hij expres veel gas zodat wij naar onze auto zouden rennen. Hij had een explosief met een tijdklok in de auto gezet of hij gebruikte een ontsteker om ons voertuig op te blazen als hij vond dat we er dicht genoeg bij in de buurt waren.' Hij stampte gefrustreerd op de sneeuw.

Roger controleerde zijn automatische geweer en pistool. 'Ik heb nog dertien kogels in mijn geweer en een magazijn voor mijn pistool.'

Laith controleerde zijn wapens. 'Zes kogels voor mijn geweer en elf voor mijn pistool.'

Will hoefde zijn pistool niet na te kijken. 'Ik heb nog zeven kogels over.' Hij knikte naar het brandende wrak. 'Mijn geweer lag in de auto, samen met de meeste van onze andere spullen.' Hij keek zijn collega's aan. 'Hoeveel contant geld hebben jullie?'

Roger klopte op een jaszak. 'Geen van ons heeft contant geld gebruikt. We hebben samen anderhalf miljoen roebel.'

Het equivalent van ongeveer vijftigduizend dollar.

'Dus totaal vijfenzeventigduizend dollar met ons drieën.'

Een sirene klonk in de verte, gevolgd door een andere.

'Shit,' zei Will.

'Waarom heeft Razin in hemelsnaam besloten om Guy nu te vermoorden?'

'Omdat hij erachter was gekomen dat anderen op de hoogte waren van Guy's verraad. En de enige die hem die informatie gegeven kan hebben is Sentinel.' Ondanks de hitte van het brandende wrak in de buurt huiverde Will. 'Net als wij heeft Razin de ambassade in het oog gehouden, wachtend om Guy te volgen en te doden. Maar wij waren hem voor en hij heeft ons gevolgd naar de kerk.'

'Dus hij is al begonnen met het martelen van Sentinel.' Roger klonk plechtig.

Will keek naar de CIA-officier en daarna naar de brandende kerk in de verte. 'Ja, maar ik betwijfel of hij hem al heeft gebroken. Ik denk dat Sentinel expres tegen Razin heeft verteld dat we achter Guy aan zaten, in de hoop dat we een laatste kans zouden krijgen om Razin te doden.' Hij keek omlaag en mompelde opnieuw: 'Shit.'

Roger legde een hand op Wills schouder. 'Jij vond Sentinels strategie te riskant, en je hebt gelijk gekregen. Jóúw strategie om Razin in diskrediet te brengen is onze hoop. Maar voor Sentinel kunnen we niets meer doen.'

Will dacht koortsachtig na. Hij dacht aan de profielen van Sentinels agenten, elk brokje informatie dat hij over hen had gelezen in de dossiers in Langley, alles wat van pas kon komen. Eén naam sprong eruit. Hij keek naar de CIA-mannen. 'Ik heb een idee dat ik aan het begin van deze missie niet had durven opperen, maar nu denk ik dat het de moeite waard zou kunnen zijn.' Hij zweeg. 'Als ik jullie vroeg nog iets langer in Rusland te blijven, zouden jullie daar dan toe bereid zijn?'

'Nou en of.'

'Zeker weten.'

Will knikte. 'Razin kan niet zomaar een bom laten ontploffen in een Russische installatie en hopen dat hij daarmee een oorlog ontketent. Zijn plan moet preciezer zijn dan dat.'

De sirenes kwamen dichterbij.

'De sleutel tot het vinden van Sentinel ligt erin om uit te vinden waar en wanneer Razin van plan is toe te slaan. En ik denk dat ik iemand ken die aan die informatie kan komen.'

29

Het was elf uur in de ochtend en Will zat in een goedkope hotelkamer in het centrum van Moskou. Hij, Roger en Laith waren vroeg die ochtend in het hotel aangekomen. Ze hadden bijna negentig kilometer te voet afgelegd van de kerk naar de stad en hadden zich ontdaan van al hun overgebleven wapens, behalve hun pistolen. Ze hadden hun kamer contant betaald en hadden tegen de receptionist gezegd dat ze de rest van de ochtend niet gestoord wilden worden.

Will stond in het midden van de kleine, nauwelijks gemeubileerde slaapkamer met een handdoek rond zijn middel en verder niets. Zijn kleren hingen over radiatoren te drogen nadat hij ze op de hand had gewassen in de wastafel en douche van de badkamer. Er werd op de deur geklopt. Will liep onmiddellijk naar een bijzettafeltje en legde zijn hand op zijn pistool. De deur ging open. Will haalde zijn hand weg terwijl Roger binnenkwam en de deur achter zich in het slot liet vallen.

Roger glimlachte. 'Je probeert me toch niet te versieren, hè?'

Will glimlachte. 'Krijg de tering. Heb je de vlucht kunnen boeken?'

Roger wreef over zijn vermoeide gezicht. 'Ja.'

'Uitstekend.' Will pakte zijn reistas en zwaaide hem op het bed. 'Hoe laat vertrekken we?'

'We moeten hier over een uur weg zijn.'

'Oké.'

Roger lachte. 'Als we nog veertien uur langer hadden kunnen wachten, hadden we vijfenveertigduizend dollar bespaard door een gewone commerciële vlucht te nemen.'

'Ik kan me niet veroorloven tijd te verspillen,' zei Will.

Bovendien moesten ze de beveiliging op het vliegveld omzeilen zodat ze hun wapens konden meenemen.

Roger knikte. 'Ik weet het. Hoe voel je je?'

Will fronste zijn wenkbrauwen. 'Hoezo?'

'Het is gewoon een vraag. Hoe voel je je?'

Will staarde zijn collega even aan voordat hij antwoordde: 'Ik voel me uitstekend.'

De lange Amerikaan wendde zijn blik niet af en zei zachtjes: 'Je plan om Guy op te pakken was goed. Hij was de meest rechtstreekse manier om Razin te lokaliseren. En het was niet je bedoeling om hem te kwetsen, je wilde hem alleen bang maken.'

'Dat is waar,' zei Will zachtjes. 'Maar uiteindelijk was ik het die hem een kogel in zijn kop heeft geschoten.' Hij wendde zijn blik af. 'Ik heb een Brits onderdaan gedood, een belangrijk lid van MI6.'

'Je hebt hem uit zijn lijden verlost.' Roger stond roerloos stil. 'Sommige mensen zouden hem in vergelijkbare omstandigheden gewoon levend laten verbranden.'

'Niemand verkeert in mijn rottige positie,' mompelde Will.

'Dat weet ik.' In de stem van de ex-DEVGRU SEAL klonk een en al sympathie door. 'Daarom vroeg ik het ook.'

Will zette de douche aan, zag dat er bruin water uit de sproeikop kwam en wachtte totdat het water helder was voordat hij in het douchecel stapte. Hij kantelde zijn gezicht en liet het hete water over zijn hoofd en bovenlichaam stromen. Hij waste zijn groezelige lichaam met een stuk zeep en scheurde een zakje shampoo open voor zijn donkere, kortgeknipte, vette haar. Tevreden dat hij nu schoon was sloot hij zijn ogen en liet zijn gespierde lijf op de grond zakken totdat hij zat en het water over hem heen spoelde.

Hij dacht aan de woorden van Roger en fronste zijn wenkbrauwen. Er schoot hem een herinnering te binnen waarvan hij tot op dat moment niet eens had geweten dat hij haar had.

Will zat op een gazon. Het hoorde bij het huis van zijn ouders in de Verenigde Staten. Het was een zonnige, warme dag. Hij was een blootsvoets ventje van vijf en droeg een shirt van de universiteit van Virginia en een spijkerbroek. Zijn haar was in die dagen nog blond en hij had sproetjes op zijn neus en wangen. Zijn Amerikaanse vader liep op hem toe in een mooi donker pak en een fris wit overhemd. Voor de kleine jongen leek zijn vader een reus, maar hij had een glimlach op zijn vriendelijke gezicht. Hij hurkte neer voor Will, wreef over de arm van de jongen en keek naar het stuk speelgoed dat hij in zijn hand hield, een pistool van groen plastic.

Will grijnsde en liet het pistool trots zien. Zijn vader pakte het aan, bekeek het namaakwapen, knikte en gaf het terug aan zijn zoon.

Hij zei iets tegen Will wat hij zich niet goed kon herinneren, iets over dat speelgoedpistolen mochten maar dat echte wapens slecht waren.

De jongen keek naar zijn CIA-vader en lachte. Hij richtte zijn blik omlaag en zag iets op de heup van zijn vader zitten, net zichtbaar tussen zijn openvallende colbertje. Hij wees op het echte pistool.

Zijn vader keek omlaag en knoopte snel zijn jasje dicht om het wapen te verbergen. Hij leek verontrust terwijl hij beide handen op Wills schouders legde. Zijn serieuze uitdrukking maakte snel plaats voor een nieuwe glimlach. Hij kuste zijn zoon op zijn voorhoofd en liep naar zijn auto om naar zijn werk te gaan.

Later dat jaar werd hij door de CIA overgeplaatst naar Iran, waar hij werd ontvoerd en later op brute wijze was vermoord.

Will opende zijn ogen en slikte hard om zijn emoties onder controle te krijgen. Hij wilde dat zijn vader zijn groei naar volwassenheid had kunnen meemaken. Meer dan wat dan ook wenste hij dat hij de gelegenheid had gehad om zijn eerste biertje met hem te delen en hem te beloven dat hij geen leven van wapens en geweld zou leiden.

Hij zag de kleine jongen voor zich die op het gras zat en vroeg zich af hoe dat onschuldige jochie had kunnen veranderen in een man die in alle rust een man in een Russische kerk de stuipen op het lijf joeg voordat hij hem een kogel door zijn hoofd schoot.

Hij verafschuwde wat hij soms voor zijn werk moest doen.

Nee. De waarheid was anders.

Hij verafschuwde de persoon die hij was geworden.

Drie kwartier later stond Will buiten het sjofele hotel, gekleed in een donkerblauw pak van zware wol, met een wit overhemd met Franse manchetten en zilveren manchetknopen, een zijden Royal

Navy-das die hij droeg met een Windsor-knoop, glanzende zwarte brogues, leren handschoenen en een elegante overjas. Hij was gladgeschoren en had lotion en Platinum Égoïste van Chanel op zijn gezicht en lichaam gedaan. Hij droeg de dure leren reistas die zijn met de hand gewassen en droge reservekleren bevatte. Tussen zijn riem, achter op zijn rug, zat zijn pistool.

Roger en Laith stonden achter hem. Beide mannen waren eveneens smetteloos gekleed en droegen hun eigen tassen. Roger hield een taxi aan en spoedig waren ze op weg naar de luchthaven Moskou Vnukovo.

Ze gingen Terminal D binnen die werd gebruikt voor binnenlandse vluchten. Roger ging voor en liep snel langs de ticketbalies, passagiers, vluchtbemanning, incheckbalies, winkels en ongeveer vierhonderd soldaten die duidelijk op het punt stonden ingeladen te worden voor een militaire vlucht totdat ze bij een balie kwamen met de tekst PLATINUM BUSINESS JETS. Will en Laith bleven op de achtergrond terwijl Roger naar de man achter de balie liep, onhoorbare woorden met hem sprak, knikte naar zijn collega's en weer terugkeek naar de beambte. De man straalde, sprong op van zijn kruk en liep om de balie heen met een klembord in zijn hand. Will en Laith liepen naar Roger en droegen hun tassen.

De man gaf hun een hand, mompelde een paar woorden Russisch tegen Roger en vroeg toen in het Engels: 'Voor welke zaken gaat u naar Vladivostok?'

Laith keek hem strak aan. 'Olie.'

De man glimlachte nog breder. 'Mijn beste klanten werken in de olie-industrie.' Hij wenkte naar een deur waar VIP LOUNGE op stond. 'Ik zal u begeleiden. We hebben een versnelde procedure voor onze gasten om de beveiliging en bagagecontrole van vliegvelden te omzeilen. U zult genieten van een zeer comfortabele vlucht met ons. Mannen zoals u verdienen slechts het beste op het gebied van luxueus reizen.'

Een uur later zaten ze aan boord van een middelgroot straalvliegtuig, de Falcon 2000EX. Ze vlogen op een hoogte van 37.000 voet. Will, Roger en Laith zaten tegenover elkaar in luxe leren stoelen. Koffie en kaviaar stonden op de tafel tussen hen in. De zeven andere luxestoelen in het vliegtuig waren leeg. Een lange, blonde ste-wardess was de enige andere passagier; het was haar taak ervoor te zorgen dat het hun aan niets ontbrak tijdens de acht uur durende vlucht over Rusland naar de oostelijke kuststad Vladivostok.

Roger boog zich naar de toast en kaviaar en nam een hap. 'Dit is de duurste vlucht die ik ooit heb genomen.'

'Ik klaag niet.' Laith stak een Cubaanse Cohiba-sigaar op die hem door de gastvrouw was gegeven, keek naar de brandende as en blies een dun wolkje rook uit. 'Ik kan me niet herinneren wanneer ik voor het laatst mocht roken tijdens een vlucht.'

Will trommelde met zijn vingers op een armleuning. 'Wen er maar niet te veel aan. We zullen gauw weer in de shit leven.'

Roger glimlachte en nam nog een hap. 'Ontspan jij je nooit?'

Laith bestudeerde Will met samengeknepen ogen. 'Weet je zeker dat deze reis het waard is? Dat je plan gaat werken?'

'Ik geloof dat ik Razin te slim af kan zijn en ervoor kan zorgen dat hij wordt geschorst of ontslagen.' Will wreef over zijn gezicht. 'Maar dat wil niet zeggen dat ik erin zal slagen Sentinel te redden.'

'Waarom heb je dan niet naar me geluisterd toen ik zei dat je de dienst moet bellen en dat je hen moet laten beslissen wat er nu moest gebeuren?' Laith schudde zijn hoofd. Hij keek vijandig.

Will fronste zijn wenkbrauwen. 'Ik heb nooit de indruk gehad dat jij iemand was die zich aan regeltjes houdt. Integendeel, afge-zien van Roger kan ik geen paramilitaire inlichtingenofficier be-denken die een grotere hekel aan bevelen heeft dan jij.'

Laith doofde zijn sigaar in de asbak. 'Je hoeft niet zo neerbui-gend te doen.'

Roger legde snel een hand op Laith' onderarm, boog zich naar Will toe en zei op gedempte, indringende toon: 'Ik denk niet dat er een handboek bestaat voor de zaken die wij doen. Maar op dit moment ben ik het eens met mijn collega. Ik vind niet dat wij dit alleen moeten doen.'

Will keek de beide CIA SOG-medewerkers aan. Hij zei een tijdje niets, diep in gedachten verzonken, maar toen hij sprak klonk zijn stem beheerst en kalm. 'De geheime dienst zou ons honderd agen-ten kunnen sturen, maar dat zou geen verschil maken. Nee, we moeten dit helemaal anders aanpakken en werken met mensen die ons kunnen helpen.'

Laith fronste zijn wenkbrauwen en lachte toen. 'Je bent gek.'

Laith had misschien wel een punt, dacht Will. Maar toch bleef hij ervan overtuigd dat ze alleen succes konden boeken door samen te werken met de Russen.

30

Will en Roger stonden stil op de Korabelnaya naberezhnaya in Vladivostok. Ze zaten in een Audi A8 sedan die een week lang aan hen was verhuurd door Platinum Business Jets. Het was negen uur 's avonds en het gebied om hen heen was relatief rustig, met maar weinig langsrijdende auto's. Straatlantaarns waren slechts sporadisch aanwezig, het sneeuwde hevig en het zicht was slecht. Tweehonderd meter achter hen was de haven, en daarin lagen vier gemakkelijk zichtbare, felverlichte Udaloy I torpedo-bootjagers.

Roger zette zijn mobiele telefoon op het dashboard en zette hem op de speaker. 'Laith, ik ga over een paar minuten.'

Laith antwoordde onmiddellijk. 'Begrepen.'

Laith zat in een BMW 3-serie, ook voor enkele dagen aan hem verhuurd, en hij stond dicht bij de Svetlanskaya-straat geparkeerd.

Roger pakte een pen, een stuk papier en een envelop uit zijn binnenzak. Hij legde ze naast de telefoon op het dashboard, schreef iemands naam en enkele woorden op de envelop met gebruikmaking van het Russisch cyrillische schrift. Hij keek Will aan. 'Moet ik het papier blanco laten?'

Will schudde zijn hoofd. 'Dat zou een verdachte indruk maken.' Hij dacht even na. 'Schrijf: *Mijn normale communicatiemethode is in gevaar gebracht. Ik zal je bellen vanuit een telefooncel, morgenochtend om 10.00 uur. Je moet er zijn om dat telefoontje op te nemen. Je vriend.*'

Roger knikte terwijl hij de woorden op het vel papier schreef. Hij vouwde het briefje op, stopte het in de envelop, plakte die dicht en stopte de brief in zijn zak. Hij zette een bontmuts op, sloeg een sjaal voor zijn gezicht en een nepbril met een dik montuur. Hij keek Will aan. 'Oké?'

Will glimlachte. 'Je ziet er nauwelijks herkenbaar uit, maar wel normaal. Met dit weer kleedt iedereen zich dik aan.'

De CIA-man was even stil en zei toen: 'Weet je zeker dat ik niet word gepakt door de bewakers?'

Will haalde zijn schouders op. 'Ik ben nergens zeker van.'

Maar hij hoopte dat er op dit uur slechts twee of drie zeelieden van lage rang bij de receptiebalie zouden zitten, die niets zouden durven te doen om de communicatie betreffende een noodgeval tussen een geheim agent en zijn Russische manager te blokkeren.

Roger opende het portier. IJzig koude wind waaide de auto in. 'Tot zo.' Hij stapte uit, stak zijn handen in de zakken van zijn jas en liep weg met zijn hoofd diep gebogen en opgetrokken schouders. Binnen een paar tellen was hij in de duisternis verdwenen.

'Hij is onderweg,' zei Will op luide toon.

Laith gaf antwoord. 'Oké, ik ga proberen een beter zicht op de hoofdingang van het gebouw te krijgen.' Na veertig seconden sprak hij opnieuw. 'Ik sta op mijn post. Ik zie Roger naar het gebouw lopen. Hij blijft staan. Hij kijkt op zijn horloge. Hij kijkt om zich heen. Hij gaat het gebouw binnen.'

Will huiverde door een mengeling van angst en kou. Roger was het hoofdkwartier van de Stille-Oceaanvloot van de Russische marine in gelopen. Het lag naast de marinehaven maar was geen onderdeel van een militaire basis. Het zag er eerder uit als een van de vele belangrijke bestuursgebouwen in de stad. Roger zou de brief afgeven aan een van de bewakers bij de receptie. Will hoopte dat de bewaker die handeling meteen als hoogst ongewoon zou beschouwen en Roger daarom niet zou lastigvallen. Maar als hij dat toch deed, had Will zijn Russisch sprekende collega van de CIA gezegd wat hij moest antwoorden.

Dit is een inlichtingenzaak. Als je me dwarsboomt, zul je de rest van je leven in een militaire gevangenis verdwijnen.

De brief was gericht aan een specifieke Russische inlichtingenofficier. Will had geen idee of die officier werkte vanuit het hoofdkwartier van de Stille-Oceaanvloot en zelfs als dat zo was, hoopte Will dat het late uur betekende dat die officier al een tijdje geleden naar huis was gegaan. Will was er hoe dan ook van overtuigd dat het marinepersoneel dat de brief ontving protocollen had om de officier onmiddellijk te lokaliseren en te bellen en dat die officier op zijn beurt geen andere keuze zou hebben dan onmiddellijk naar het hoofdkwartier te komen om het bericht te ontvangen. De officier zou de brief lezen, verward zijn door de inhoud, maar aannemen dat een agent had geprobeerd contact te maken. Hij zou concluderen dat er niets gedaan kon worden totdat de anonieme agent de volgende ochtend dat telefoontje zou plegen.

Dat zou nooit gebeuren. De enige bedoeling van die brief was de inlichtingenofficier deze avond naar buiten te lokken zodat Will en zijn team hun doelwit konden identificeren en volgen.

Laith sprak. 'Roger verlaat het hoofdkwartier. Niemand volgt hem. Hij is op tien meter. Hij is op twintig meter.' Het bleef stil op de lijn. Will kneep zijn ogen tot spleetjes, geheel geconcentreerd op de telefoon. 'Hij is veertig meter verder. Nu is hij uit mijn zicht verdwenen.'

Will keek snel weg van de mobiele telefoon naar de richting van waaruit Roger op de auto af zou moeten komen. Hij zag eerst niets, alleen vallende sneeuw. Toen viel het licht van een van de straatlantaarns kort op een man voordat die persoon weer snel in de schaduw verdween. Will wist dat die man bijna zeker Roger moest zijn, maar voor de zekerheid trok hij toch zijn pistool. Hij keek om zich heen, zoekend naar de man. De persoon verscheen weer onder een andere straatlantaarn en verdween terwijl Will de greep op zijn QSZ-92 verstevigde. Will hield zijn adem in en zwaaide zijn pistool snel naar het portier dat werd geopend. Het was Roger, die zich bukte om in de auto te stappen.

Zodra de SOG-medewerker in de stoel zat, deed hij zijn vermomming af en keek Will aan. 'Er zaten vier marinemensen bij de receptie. Achter hen was een beveiligde toegang met nog twee bewapende bewakers.' Hij glimlachte. 'Maar het is wel duidelijk dat het hoofdkwartier niet wordt beschouwd als doelwit voor vijandige acties. De gemiddelde leeftijd van de marinemensen lag rond de tweeëntwintig.'

'Hebben ze de brief aangenomen?'

Roger knikte. 'Een van hen pakte meteen de telefoon nadat hij de naam op de envelop had gelezen. Ik heb me omgedraaid en ben weggelopen.'

'Uitstekend.' Will keek naar de mobiele telefoon op het dashboard. 'Laith, heb je dit gehoord?'

Laith antwoordde met zijn zware, slepende stem: 'Zeker. Ik blijf hier om de voorkant in de gaten te houden. Maar jullie kunnen nu beter naar de achterkant van de parkeerplaats gaan. Het doelwit kan in de buurt zijn.'

Roger startte de motor, schakelde, propte zijn telefoon in een telefoonhouder en reed langzaam naar voren. Binnen een minuut waren ze aan de achterkant van het marinehoofdkwartier, dicht bij de parkeerplaats. Er stonden bijna geen auto's en degenen die er wel stonden waren bedekt met een dik pak sneeuw. 'We staan op onze positie,' mompelde Roger. 'Als het doelwit aankomt per auto zullen we dat zien.'

'Het is verdomd jammer dat niemand van ons de plattegrond van deze stad kent,' zei Laith.

Roger glimlachte. 'We improviseren wel.' Zijn glimlach verflauwde terwijl hij Will aankeek. 'Het volgen van ons doelwit is het minste van onze problemen. Waar ik me zorgen over maak is wat er daarna zal gebeuren.'

Will keek door de voorruit en probeerde door de hevige sneeuwval te kijken. 'Sinds wanneer maak jij je ergens zorgen om?'

Roger reageerde verongelijkt. 'Ik ben getrouwd en ik heb drie jonge kinderen. Er is veel waar ik me zorgen om maak, zoals de vraag of mijn vrouw een man van de regering aan de deur krijgt die haar vertelt dat haar echtgenoot is gestorven tijdens een waanzinnige actie.' Hij keek met Will mee naar de vallende sneeuw. 'Niet dat jij iets weet over huiselijke verantwoordelijkheden. Jij hebt dat soort zorgen niet.'

Will schudde zijn hoofd. 'Bedankt.'

Roger lachte. 'Als je ooit een vrouw ontmoet, laat haar dan contact opnemen met mij voordat het serieus wordt. Er is veel wat ik haar moet vertellen. Zodat ze weet waar ze aan begint.'

Voordat Will kon antwoorden, sprak Laith. 'Ik zie een eenling te voet. Hij nadert de ingang van het hoofdkwartier.'

'Begrepen,' zei Roger meteen.

Het was een tijdje stil voordat Laith zei: 'De voetganger gaat niet langzamer lopen, hij loopt direct naar de ingang, gaat naar binnen...' Het geluid van de motor van Laith' auto was duidelijk te horen. 'Ik ben een paar meter verder gaan staan. Ik kan de persoon nu bij de receptie zien. De bewakers komen in actie. Een van hen geeft iets aan die persoon. Kan nog niet zien wat het is. Hij draait zich om, trekt handschoenen uit, tilt iets op. Wacht.' Kennelijk paste Laith zijn positie weer iets aan. 'Het is de envelop. Ik herhaal, de persoon heeft de envelop.'

'Beschrijving van die voetganger?' Wills stem klonk dringend.

'Van top tot teen in winterkleding. Maar te oordelen naar het gedrag van het marinepersoneel is het iemand van hoge rang, iemand die belangrijk is. Drie van de matrozen staan in de houding.'

Will keek snel naar Roger. 'Het moet ons doelwit zijn.'

Laith ging door met zijn commentaar. 'De persoon haalt de brief tevoorschijn, houdt hem in de lucht en stopt hem terug in de envelop. Zo te zien spreekt de voetganger met de bewakers.' Laith zei een tijdje niets. 'Stand-by.' Opnieuw stilte. 'Het doelwit vertrekt, verlaat het gebouw. Gaat te voet in oostelijke richting.'

'Enig teken van een voertuig?' zei Roger op luide toon.

'Nog niet.'

Will knikte. 'Dan moeten we aannemen dat het doelwit dicht in de buurt van het hoofdkwartier woont en daar te voet naartoe is gegaan. Ik ga de straat op. Luister naar mijn instructies en wees voorbereid als ik het bevel geef om het doelwit op te pakken.' Will sprong de auto uit, haalde een bluetooth-apparaat tevoorschijn dat hij in zijn oor bevestigde en aan zijn mobiele telefoon verbond zodat hij nu met Laith en Roger kon spreken. In plaats van meteen naar de locatie van het doelwit te lopen, liep Will naar de andere kant van het parkeerterrein. 'Oké, ik kan het terrein overzien.'

Roger reed weg. 'Ik rijd naar het noorden en stop na tweehonderd meter.'

Laith sprak. 'Ik ben het doelwit net voorbij gereden en zal positie kiezen op driehonderd meter naar het oosten. Roger, houd de oostelijke weg naast het hoofdkwartier in de gaten. Als het doelwit die oversteekt en in de richting van mijn locatie gaat, moet ik weg zijn voordat het doelwit mij twee keer kan zien.'

'Begrepen.'

Will sloeg zijn armen om zijn lijf; zijn adem stoomde in de ijzige lucht. Hij was alleen, er waren geen andere voetgangers of rijdende auto's in de buurt. Hij negeerde de vallende sneeuw en de wind en concentreerde zich uitsluitend op zijn oordopje.

Rogers stem klonk gehaast en luid. 'Het doelwit steekt over, in oostelijke richting.'

'Shit!' Laith startte zijn bmw. 'Ik rijd verder naar het oosten. Will, kom in actie en volg het doelwit te voet.'

Will sprintte over het parkeerterrein. Zijn voeten zakten diep weg in de sneeuw. Hij sloeg de hoek om bij de noordoosthoek van het hoofdkwartier, rende hard door de straat die naar de haven leidde voordat hij zijn pas vertraagde tot een wandeltempo. Hij liep nu langs de kade. Hoge oorlogsschepen lagen afgemeerd langs de route die hij moest nemen. Hij keek om zich heen, tuurde door de vallende sneeuw en zag toen het doelwit langs de kade lopen. 'Ik ben bij de haven, heb het doelwit in zicht en ik neem het commando over.'

Beide CIA-mannen antwoordden: 'Begrepen.'

Het doelwit liep snel. Will paste zijn tempo aan en zorgde ervoor dat hij constant een afstand van honderd meter aanhield. Hevige windvlagen bliezen sneeuw diagonaal door de lucht van de haven en tussen de Udalay I torpedobootjagers, een Slava-slagkruiser en een Sovremenny-torpedojager. Het doelwit liep langzamer, keek om naar de verlaten straat, keek naar links en rechts en stak over.

'Doelwit gaat naar links en loopt in noordelijke richting.' Will zorgde ervoor dat zijn stem niet te luid klonk, hoewel hij wist dat hun doelwit hem niet kon horen gezien de afstand tussen hen in en het lawaai van de wind. 'Ik ben bijna zeker gezien, hoewel er geen tekenen zijn dat het doelwit iets vermoedt. Roger, blijf noordelijk maar ga tweehonderd meter naar het oosten. Laith, ga honderd meter noordelijker.'

'Komt voor elkaar.'

'Ben onderweg.'

Will volgde het doelwit een smalle zijstraat in. Onder het lopen voelde hij zijn pistool, onder zijn jas en pak, tegen de onderkant van zijn ruggengraat wrijven. Langs de weg stonden rijtjeshuizen en er waren maar enkele straatlampen om de buurt te verlichten. Hij keek naar de gebouwen. Alle waren duidelijk bedoeld als kantoor en er brandde geen licht. Hij keek naar het doelwit.

'Doelwit gaat verder in oostelijke richting!' Will vloekte in stilte omdat hij zijn ogen even van het doelwit af had laten afdwalen. 'Nu uit mijn zicht. Laith ga zeventig meter verder naar het noorden. Roger, ik schat dat je ongeveer vijftig meter verder naar het oosten moet gaan.'

Will rende snel de lege straat door. De ijzige lucht deed bij elke ademhaling pijn in zijn longen. Hij bereikte de kruising waar het doelwit rechts was afgeslagen, minderde vaart tot wandelpas, bleef staan en keek over de weg waar zijn prooi was verdwenen. Hij zag veertig meter verderop een voetganger lopen. 'Ik ben in een woonstraat. Het zou kunnen dat de woning van het doelwit hier is.'

'Je instructies?' De stem van Roger klonk gespannen boven het geluid van de motor van zijn voertuig uit.

Will bleef even staan, keek naar het doelwit, keek nogmaals naar de straat die hier vol stond met aan elkaar grenzende huizen, waarvan in sommige licht brandde en nam een beslissing. 'Jullie moeten beiden maximaal een paar honderd meter afstand houden tot mijn locatie. Roger, ga naar het zuiden en kijk in westelijke richting naar de weg waar ik ben. Laith, rij direct naar het westen. Het zou zelfs kunnen dat je aan de andere kant van dezelfde straat bent.' Hij bleef stilstaan, en telde in zijn hoofd af. Na vijf tellen schreeuwde hij: 'Actie, nu!'

Hij sprintte naar het doelwit. Het kon hem nu niet langer schelen of hij werd gezien. Hij zag koplampen in de verte die snel op de voetganger afkwamen.

Boven het gebrul van zijn krachtige BMW uit hoorde hij Laith zeggen: 'Ik kan jou zien en jij kunt mij zien.'

Het doelwit bleef staan en draaide zich snel om naar Will. Rogers Audi A8 dook op uit een zijstraat links en kwam met gierende banden de bocht om, op nauwelijks tien meter van Will af.

Het doelwit zat nu klem tussen de voertuigen van Laith en Roger. Will rende nog sneller en schoot langs de auto van Roger. Ondertussen trok hij zijn pistool. Toen hij zijn doelwit tot op twintig meter was genaderd, hield hij in, hij hief zijn QSZ-92 hoog in twee handen en richtte op het hoofd van de voetganger. Het doelwit keek links en rechts maar bleef staan.

Will liep recht op het doelwit af. 'Korina Tsvetaeva.'

De vrouw deed drie stappen achteruit. Ze keek angstig en verward. 'Ja?'

Will liep verder naar haar toe terwijl hij zijn pistool op haar schedel gericht hield. 'We willen je geen kwaad doen.'

De GRU-majoor keek naar de auto van Laith en daarna over Wills schouder naar het voertuig van Roger.

'Wat willen jullie dan?'

Will glimlachte. 'Jouw hulp?' Zijn glimlach verdween. 'Maar ik zal je neerschieten als je iets doms doet.'

Korina droeg een lange bontmantel en muts. Ze was begin dertig. Ze zette haar muts af en liet haar lange zwarte haar op haar schouders vallen. Haar ogen waren nog groot van de schrik, maar toen ze sprak leek ze een poging te doen haar emoties te beheersen. 'Dus die brief was een truc om me uit mijn schuilplaats te krijgen.' Ze schudde langzaam haar hoofd. De wind ging liggen en de sneeuw viel zacht op haar gezicht.

Will knikte en stapte tot vlak bij Korina. Hij liet zijn pistool zakken en zei zacht: 'Ik heb geen kwaad in de zin. Maar we moeten ergens naartoe waar we rustig kunnen praten.'

Korina kneep haar ogen samen. 'Wie ben je?'

'Een vriend van iemand die belangrijk voor je is, iemand die in gevaar verkeert.' Hij keek naar Laith. De SOG-medewerker stond naast zijn auto met zijn wapen gericht op de GRU-majoor. Hij keek over zijn schouder naar Roger en zag dat hij eenzelfde positie had ingenomen. 'Laat jullie wapens zakken,' riep hij. Hij keek Korina aan. 'We moeten gaan.'

Maar Korina schudde haar hoofd. 'Nee.'

Will vloekte in stilte. Hij was zich ervan bewust dat ze elk moment konden worden gezien door een burger in een van de naburige huizen of mogelijk door een surveillanceploeg van de marinehaven. Hij stapte nog dichter op Korina af, legde een hand op haar arm, voelde hoe ze terugdeinsde maar hield haar stevig vast en trok haar lichaam naar zich toe. Hij fluisterde in haar oor: 'Ik heet William Archer. Ik ben een Britse inlichtingenofficier. Ik weet wie je echt bent. Je bent een MI6-agent. De man die je baas is, is gepakt door een officier van de Russische Special Forces die jou en je collega's wil doden. Als hij slaagt, zal jouw dood niet de eerste zijn. Een aantal weken geleden is hij geïnfiltreerd in een marinebasis en heeft hij een onderzeebootkapitein vermoord. Die man was jouw vader.'

31

Het was 22.00 uur. Will, Roger en Laith bevonden zich in het kleine rijtjeshuis van Korina. De woning was nauwelijks driehonderd meter verwijderd van de plek waar ze haar op straat hadden benaderd. Ze zaten in haar zitkamer. Het huis was vol met boekenplanken, had een kleine houten eettafel, een stoel, een televisie die eruitzag alsof hij minsten twintig jaar oud was en weinig andere spullen. Korina had haar jas uitgetrokken en liep in spijkerbroek en coltrui. Ze pakte de houten stoel, draaide hem om en ging er andersom op zitten, met haar armen op de rugleuning. Ze stak een sigaret op en keek zwijgend naar de drie westerse inlichtingenofficieren die plaats hadden genomen op alles wat ze maar konden gebruiken.

Will keek Korina even aan en knikte toen naar Laith en Roger terwijl hij zijn blik op de GRU-officier gericht hield. 'Mijn collega's zijn paramilitaire medewerkers van de CIA.'

Korina keek naar hen en blies een dunne sliert rook uit. 'Jullie zien eruit als moordenaars.'

Will wreef zijn koude handen maar hield daar abrupt mee op. 'We zijn op jacht naar een man die Taras Khmelnytsky heet. Heb je van hem gehoord?'

Korina zei niets.

'Je weet wie hij is.' Hij knikte. 'Khmelnytsky is een kolonel en hij is hoofd van Spetsnaz Alpha. Zijn profiel zal goed bekend zijn bij iemand met jouw functie.'

Korina bleef Will aanstaren voordat ze vroeg: 'Heeft hij mijn vader vermoord?'

Will knikte. 'En daarna heeft hij nog zes andere Russische MI6-agenten vermoord. Hij moet er nog drie vermoorden. Als dat is gebeurd, gaat de wereld naar de hel.'

Hij vertelde haar over het plan van Razin voordat hij vroeg: 'Heb je nooit geweten dat je vader een MI6-agent was die voor dezelfde man werkte als jij?'

Korina schudde haar hoofd; een traan druppelde over haar gezicht. 'En mijn vader heeft nooit van mijn geheim geweten.' Ze veegde de traan weg en vermande zich. 'Probeer je me erin te luizen?'

'Met welk doel? Als we van de FSB waren, zouden we je alleen maar hebben gearresteerd.'

'Misschien zijn jullie inderdaad wie jullie zeggen dat je bent. Maar misschien vertellen jullie me niet de waarheid omtrent de echte reden dat jullie Khmelnytsky willen.'

'Jij mag beslissen! Maar we hebben niet veel tijd meer.'

Korina leek diep in gedachten verzonken. Uiteindelijk zei ze zuchtend: 'Het is duidelijk dat ik hiermee niet naar mijn superieuren kan.'

'Dat vraag ik je ook niet.'

Ze fronste haar wenkbrauwen. 'Wat vraag je dan wel?'

Will boog zich naar voren. 'Om het plan van Khmelnytsky te laten lukken moet de explosie de indruk wekken van een Amerikaanse aanval. Weet je iets van wat de Amerikanen op het punt staan te doen, iets wat, in combinatie met een nucleaire explosie, een oorlog zou kunnen ontketenen?'

'Ik...'

'Heb je daar briefings over gehad? Informatie van agenten? Signalen? Wat dan ook?'

Korina doofde haar sigaret, pakte een andere en bleef opeens stokstijf zitten. 'O, nee.'

'Wat is er?'

Stilte.

'Wat is er, Korina?!'

Meer stilte.

Toen begon ze te praten. 'Een inlichtingenrapport. Marinezaak. Aangezien ik hoor bij de marine van de GRU, had ik toestemming het te lezen.'

Will sprak langzaam en nadrukkelijk. 'Wat stond er in het rapport?'

Korina stak met trillende hand de sigaret op. 'Drie kernonderzeeërs van de Ohio-klasse van de VS gaan uitvaren naar de Barentszzee.'

Een zee boven het noordwesten van Rusland.

'Dat is niet ongebruikelijk.'

'Nee, maar deze keer is het anders. Ze gaan stiekem de Russische wateren in. Niet al te ver, maar net genoeg. Volgens ons is het de eerste keer dat de Amerikanen dit proberen.'

'Een oefening?'

'Er stond geen conclusie in het rapport, hoewel er een opvallende observatie werd gedaan.'

Will wachtte.

'De kernraketten hebben een maximumbereik van vijftienhonderd mijl.'

Will voelde zijn maag verkrampen. 'Ze gaan de Russische wateren in om Moskou te kunnen bereiken.'

Korina knikte.

'Dat moet de trigger zijn.' Will dacht koortsachtig na. 'Maar dat bewijst niet dat Moskou Razins doelwit is. De inzet van de Ohio is een testvaart, dat weet ik zeker. Het is onwaarschijnlijk dat een eerste aanval op Moskou gedaan zou worden met een kernonderzeeër. Een ballistische onderzeeër vanuit de Atlantische Oceaan is waarschijnlijker.'

Roger kwam tussenbeide. 'Dat denk ik ook.' De voormalige zeeman probeerde ook snel na te denken. 'Maar als de oorlog al was begonnen, zouden de Amerikanen de wapens van de Ohio kunnen gebruiken bij de tweede of derde aanval als ze zeker weten dat Ruslands capaciteit om raketten te onderscheppen is verkleind. Ik denk dat het een training is, om te kijken of ze zo dichtbij kunnen dat ze Moskou kunnen raken, mocht dat ooit nodig zijn.'

Will voelde frustratie. 'Moskou is niet het doelwit van Razin, want een ontploffing daar zal het Russische oppercommando er niet van overtuigen dat het een raket van de Ohio was. Met de Russische luchtverdediging op topcapaciteit zou dat hun niet waarschijnlijk in de oren klinken. Dat wil echter zeggen dat Razins doelwit overal kan zijn, een van de vele voorsteden bijvoorbeeld. Maar dan blijft er nog steeds een groot gebied van mogelijke onderzeeërs over.' Hij sloeg met een vuist op zijn dij. 'Verdomme!'

'Misschien is dit niet de trigger,' zei Laith. Hij keek Korina aan. 'Het kan iets anders zijn wat je niet hebt mogen lezen.'

Korina schudde haar hoofd. 'Nee. Dit is de trigger. Zonder enige twijfel.'

Will keek haar scherp aan. 'Hoe weet je dat zo zeker?'

Korina blies rook uit. 'Omdat het inlichtingenrapport is geschreven door Taras Khmelnytsky.'

Will kreeg koude rillingen. 'Wie was zijn bron?'

Korina leek te aarzelen.

'Ik moet het weten!'

Ze leek ongelovig. 'Je kunt niet van me verwachten dat ik de identiteit van een agent onthul.'

'Onder deze omstandigheden kan ik dat wel.'

Ze trok aan haar sigaret. 'Hij is een Amerikaanse marineman van laag niveau, maar hij werkt voor een admiraal en daarom heeft hij een hogere status dan anderen van zijn rang. Razin is zijn directe leidinggevende. Voor extra details moet ik mijn database raadplegen.'

'Kun je zijn identiteit en zijn marinebasis te weten komen?'

'Dat kan, maar niet voor morgen. Als ik nu inlog, zou dat verdacht kunnen lijken voor het hoofdkantoor van GRU.'

'Oké.' Will sloeg zijn handen ineen. 'Er is nog een kans. De Amerikanen kunnen die marineman onder druk zetten – ervoor zorgen dat hij een bericht stuurt aan Khmelnytsky met de mededeling dat de onderzeeërs op een andere datum uitvaren, dat ze elkaar moeten ontmoeten zodat hij hem de details kan geven. Dat zal de aandacht van Khmelnytsky trekken. En dan...' hij glimlachte, '... dan pakken we die smeerlap.'

Roger fronste zijn wenkbrauwen. 'Waarom laten we die onderzeeërs niet gewoon omkeren om het incident te vermijden?'

'Nee. Als we dat doen, zal Razin een ander doelwit kiezen en hebben we geen idee wanneer of waar dat zal zijn.'

'Dat zou hij kunnen doen, maar tenzij hij geluk heeft zou dat waarschijnlijk niet tot een oorlog leiden.'

'Dat risico kan ik niet nemen.'

Roger keek ongelovig. 'En je durft wel te gokken op iets wat zéker tot een oorlog zal leiden als we falen.'

Will dacht daar even over na. 'Als we hem nog niet hebben tegen de tijd dat de onderzeeërs dicht in de buurt van Rusland komen, zal ik ze een seintje geven.'

'Jullie zullen snel moeten handelen want de onderzeeërs zullen de Russische wateren over vier dagen binnenvaren.'

Wills glimlach verdween.
Vier dagen.
Eén explosie.
Oorlog.

Deel vier

32

Kolonel-generaal Platonov liep over het terrein van zijn landgoed. Het was laat in de avond en donker, hoewel de lampen op de oprit en discreet bevestigde halogeenlampen hem een glimp toonden van het beekje in de grote tuin, de eikenbomen, de versierde stenen bruggetjes en de mannen van de Special Forces met AEK-919K Kashtan-machinepistolen om hun schouder.

Hij verafschuwde lijfwachten bij zijn gezin thuis, maar hij was de hoogste militaire officier van de Russische strijdkrachten en beveiliging hoorde bij zijn baan.

De man die naast hem stond zweeg. Dat was begrijpelijk. De Russische president had veel aan zijn hoofd.

Ze bleven staan op een groot rechthoekig betonnen gedeelte, waar de sneeuw onlangs was weggeveegd, waarna een symmetrisch patroon van vierkanten zichtbaar was geworden. Tegenover elkaar in de tuin stonden grote schaakstukken van plastic. Aan de rand van elke hoek, uitziend over het gigantische schaakbord, stonden mansgrote stenen standbeelden van ridders, hun lichaam en hoofd gehuld in mantel en kap, hun gezichten plechtig, de handen over het gevest van hun omlaag gerichte slagzwaarden.

Platonov keek naar zijn huis. De gordijnen waren nog open en alle kamers waren verlicht. Hij kon de vrouw van de president zien praten en lachen met zijn eigen vrouw, een glas wijn in de hand. Boven waren de in pyjama gehulde kinderen van Ruslands machtigste generaal aan het springen op de bedden, samen met de kinderen van Ruslands hoogste leider. Ze bleven vanavond slapen. Hun opwinding was tastbaar.

De twee mannen staken een Montecristo-sigaar op. Platonov kon de aangenaam brandende smaak van de cognac die hij na het diner had genuttigd nog in zijn keel voelen. De avond was goed verlopen. Zijn vrouw was een uitstekende kok en een zeer intelligente gastvrouw. Terwijl hij naar haar keek wist hij dat hij nog evenveel van haar hield als toen hij haar voor het eerst had ontmoet. Indertijd was hij een gespierde, blonde, idealistische luitenant, nu was hij een magere, grijze en wijze generaal met een stramme rug en een litteken dat van zijn oog tot zijn mondhoek liep.

Een herinnering aan Afghanistan.

Het mes van een moedjahedien-strijder.

Hij keek de president aan en sprak op kalme toon. 'Wat zijn uw orders?'

De president blies rook uit. 'Zou u ze accepteren?'

'Dat hangt ervan af of ze goed zijn.'

De president glimlachte. 'Misschien bent u uw status vergeten.'

'Misschien bent u vergeten in wiens huis u zich bevindt.'

De president lachte en fronste vervolgens zijn wenkbrauwen. 'Ik kom in de verleiding om de Amerikaanse ambassadeur uit te wijzen.'

'Ga uw gang. Maar daarmee zet u zichzelf voor schut.'

'Ik heb uw zegen niet nodig.'

'Nee, maar mijn leger wel als het allemaal misloopt.'

'Mijn leger.'

'Uw leger, zo u wilt.' Hij bleef naar zijn kinderen kijken voordat hij zich weer tot zijn hoogste baas wendde. 'We zijn geen zevenjarigen. Uw leger. Het kan me niet schelen.'

De president zweeg een tijdje. 'Waarom bent u boos op me?'

'Niet op u. Ik ben boos op de geschiedenis. Iedere Russische president heeft van zijn generaal een psychopaat gemaakt.'

'Volgens mij hebt u te veel Hennessy gedronken.'

'Nee, ik ben broodnuchter.' Platonov keek zijn leider streng aan. 'U moet de Amerikanen niet treiteren. Ze kunnen ons afslachten.'

'Het is helemaal mijn bedoeling niet om hen te treiteren. Integendeel, zij zijn degenen die zich provocerend opstellen.'

'Los het dan op. Politiek.'

De president blies rook uit die in de ijzige lucht bleef hangen. 'Met u aan de leiding zou er geen slachting zijn.'

'Onzin.' Platonov keek naar zijn vrouw die in de keuken rondscharrelde. Het verwonderde hem dat ze nog steeds zo'n effect op hem had. Hij keek naar de kinderen en voelde een huivering over zijn rug lopen. 'Als u er een puinhoop van maakt, zal ik iedere Russische soldaat inzetten tegen de Amerikaanse invasiemacht. Ze zullen allemaal sterven maar zo doen wij dat nu eenmaal en zo vechten we. En ik ben gewoon de volgende psychopaat.'

'Ik wil geen oorlog.'

'Maar u zult er bij het minste of geringste een beginnen.'

'U begrijpt me verkeerd.'

'Ik begrijp u uitstekend.'

De president ging dichter bij Platonov staan. 'Hoe gaat het met de nucleaire trainingsoefening?'

Die vraag bracht Platonov in een betere stemming. 'Erg goed. Maar kolonel Khmelnytsky heeft nog veel werk te doen. Vooral de inzetbaarheid vanuit zee moet nog getest worden. De laatste fase van de oefening zal gericht zijn op marine-installaties als doelwit.'

'Mooi zo.' De president wilde graag terug naar de warmte van het huis. 'Moeten we ons zorgen maken over die drie Amerikaanse onderzeeërs?'

Platonov lachte. 'Ze spelen gewoon een spelletje. Maar een van onze nieuwe voor de radar onzichtbare torpedojagers zal hen op-wachten in de Barentszzee. Dat zal ervoor zorgen dat ze omkeren.'

De president wierp zijn sigaar op het schaakbord. 'Kom, laten we nog wat drinken.' Hij begon te lopen en bleef toen staan. 'Ik ga het niet verkloten en ik hoop dat de Amerikanen dat evenmin doen. Ik weet zeker dat het allemaal goed zal aflopen, maar...' Hij huiverde. 'Mijn bevel luidt alsvolgt. Mocht er toch iets gebeuren, zorg er dan voor dat ons gehele militaire apparaat gevechtsklaar is.'

33

De ochtend brak aan met een lucht vol grijze wolken van waaruit het sneeuwde op de stad Vladivostok.

De zitkamer in Korina's huis was rokerig van de sigaretten en de stoom van de mokken koffie. Korina was een half uur buiten de kamer geweest en toen ze terugkwam had ze gedoucht en had ze zich omgekleed; ze droeg nu een elegante antracietgrijze broek, een witte blouse en een kort jasje. Haar bodylotion en parfum brachten een welkome frisheid in de muffe kamer.

Ze keek Will recht aan. 'Ik heb een uur nodig in mijn kantoor om de GRU-databases te doorzoeken.'

'Goed. Kunnen we hier op je wachten?'

'Mij best. Als jullie maar niet in mijn spullen gaan rommelen.' Korina glimlachte, zette een muts op, trok haar jas aan en liep het huis uit.

Will wierp een blik op zijn horloge, wachtte een paar seconden, keek naar Laith en sprak met vaste stem. 'Volg haar te voet. Roger, jij neemt een van de voertuigen. Ik loop evenwijdig met Laith mee. Alle mobiele telefoons naar mijn nummer geschakeld. Luister naar mijn bevelen, want als ze iets stoms doet, zullen we héél snel moeten reageren.'

Een half uur later stond Will dicht bij de kade van de marinehaven van Vladivostok. Sneeuwvlokken vielen op zijn gezicht en hij trok de kraag van zijn overjas op om zich te beschermen tegen het gure weer. Hij stopte zijn handen in zijn jaszakken, zijn vingers streelden zijn QSZ-92 pistool. Hij hoorde de stem van Laith in zijn oordopje.

'Ze zit nu tien minuten in de basis. De hoofdingang wordt bewaakt door vier soldaten. Tot zover lijkt alles rustig.'

Het leek erop dat de GRU-kantoren zich niet in het Pacific Fleet-gebouw van het hoofdkwartier bevonden, want Korina was een van de nabijgelegen gemilitariseerde en niet toegankelijke marine-zones van de haven in gelopen. Will stelde zich zo voor dat de marineafdeling van de GRU slechts een paar kantoren in de zone had, en dat de rest van de gebouwen werd gebruikt door honderden andere marinemensen en kantoorpersoneel. Laith was nauwelijks vijftig meter weg van de ingang van de basis. Roger en Will bevonden zich verder naar het oosten, waarbij Roger de noordelijke flank van het gebied dekte in zijn Audi A8 en Will het zuidelijke stuk voor zijn rekening nam. Alleen Laith had zicht op de militaire zone.

Will hoorde een luide scheepstoeter achter zich. Hij draaide zich om en zag een reusachtig vliegdekschip, volgeladen met MIG-29k's en SU-33's langzaam door de haven varen. Er waren matrozen aan dek die druk bezig waren en duidelijk waren belast met verschillende taken. De scheepshoorn klonk opnieuw voordat het enorme gevaarte draaide en langzaam wegvoer.

Will huiverde, maar niet van de kou. 'Nog iets ongewoons op de basis?'

'Als dat zo is ben jij de eerste die het hoort,' antwoordde Laith.

'Niets bij mij, afgezien van een paar gekke voetgangers die denken dat het een goede dag is om te gaan winkelen,' zei Roger.

Will sloeg zijn armen rond zijn borst, huiverde opnieuw en zag de wolken van zijn adem wegdrijven in de ijzige lucht. Felle rukwinden sloegen hem vanuit zee in het gezicht, met nog meer sneeuw. Hij keek naar de andere torpedojagers en fregatten die in de haven lagen afgemeerd. Ze waren allemaal verlicht en vertoonden tekenen van activiteit. Sommige laadden verse proviand aan boord vanuit viertonners die stonden geparkeerd op de grote pieren naast de schepen. Het was duidelijk dat ze zich gereedmaakten om uit te varen.

Veertig minuten later zei Laith: 'Een SUV zonder bijzondere kentekens stopt bij de ingang van de basis, twee mannen erin, er worden ID-kaarten getoond aan de wachtposten, de slagboom gaat omhoog, de SUV rijdt de basis op.'

Will drukte onmiddellijk zijn hand tegen zijn oordopje. 'Waren die mannen in uniform?'

'Dat kon ik niet zien vanuit mijn positie,' mompelde Laith.

'Uniformen of geen uniformen, in deze militaire zones werken zowel burgers als marinemensen. Het gaat waarschijnlijk om een normaal voertuig.'

Will liet zijn hand zakken. Hij wist dat Roger vermoedelijk gelijk had. Hij was ongewoon gespannen, en ondanks zijn pogingen zich te ontspannen kon hij het gevoel dat alles nu buiten zijn macht lag niet onderdrukken.

Er verstreken twintig minuten voordat Laith weer sprak. 'De slagboom gaat weer omhoog, het is duidelijk dat er iemand gaat vertrekken want er staat niemand aan de voorkant.' De lijn werd stil. 'Oké, ik zie dezelfde suv.'

Will en Roger zeiden niets en wachtten tot hun ex-Delta Force-collega weer iets zou zeggen.

'Twee mannen in de suv die ik eerder heb gezien... ja, dezelfde twee mannen voorin, maar... nog iets anders achterin, ik kan het nog niet zien.'

In Wills oordopje klonk geruis.

'Voertuig nadert slagboom, man voorin wuift naar bewaker die in de houding staat en salueert, voertuig mindert vaart, geeft richting naar rechts aan, accelereert.' Een paar tellen werd er niets gezegd, toen schreeuwde Laith: 'Korina zit achterin. Ze heeft alles verklapt en ons verraden!'

'Richting?' schreeuwde Will.

'In de richting van de kade, recht jouw kant op.'

Wills hart bonkte. 'Roger, ik wil dat je vierhonderd meter naar het oosten gaat, en dan tweehonderd naar het zuiden. Dan kom je op de weg naar de kade, voor de suv.'

'Ben onderweg.' Roger startte de Audi.

Laith schreeuwde bijna buiten adem: 'Ik ga ook verder de oostelijke kant op. Ren parallel met de suv mee. Ik kan er af en toe een glimp van opvangen, maar ze kijken mijn kant niet op. Ze zitten ongeveer zeventig meter rechts van me. Snelheid tussen de twintig en dertig kilometer per uur.'

Laith sprintte op volle snelheid en had de suv tot nu toe kunnen bijhouden.

Will inspecteerde de kadeweg naast hem. Op driehonderd meter afstand reed een van de viertonners een pier op en begon langzaam zijn kant op te rijden. 'Ik kan de suv niet zien. Viertonner blokkeert mijn uitzicht.'

'Hij zit pal achter die vrachtwagen!' Laith sprintte kennelijk nog steeds. 'Ga uit het zicht, Will.'

Will rende de straat over, een zijstraat in en nam de volgende bocht naar rechts. Terwijl hij dat deed botste Laith bijna tegen hem op. Will sprintte onmiddellijk met zijn collega mee zodat ze nu parallel aan de kadeweg renden. 'Roger, waar ben je?'

Roger schreeuwde boven het geluid van zijn auto uit. 'Ik draai net de kadeweg op. Wacht even.'

Laith struikelde over het ijs in de zijstraat, maar Will greep hem met één hand en zorgde ervoor dat hij op volle snelheid mee bleef sprinten.

'Ik sta stil,' zei Roger. 'De viertonner is ongeveer vijfhonderd meter bij me vandaan en komt recht op me af. Geen teken van de SUV. Correctie... SUV haalt de vrachtwagen in. Ik heb het doelwit duidelijk in het zicht. Instructies alsjeblieft.'

Will dacht koortsachtig na en probeerde wanhopig tot een beslissing te komen.

'Instructies graag,' herhaalde Roger. 'Ik heb ze in mijn vizier. Ik kan ze gemakkelijk allemaal uitschakelen.'

'Wacht!' Will rende nu nog sneller. Laith hield hem bij.

'Ze heeft ons verraden, Will.' Rogers stem klonk kalm maar dreigend. 'Maar ze heeft misschien geen tijd gehad om alles te vertellen. Als ik hen uitschakel, hebben we een goede kans om de stad uit te komen.'

'Nog niet!'

Ze passeerden af en toe voetgangers in winterkledij, met hun schouders en hoofd gebogen tegen de sneeuwjacht. Ze leken niet te letten op de twee mannen die waren gekleed in dure pakken, schoenen en overjassen en die over de sneeuw en het ijs sprintten.

'Ze zijn nu driehonderd meter bij me vandaan.' Roger klonk alsof hij zijn tanden op elkaar had gezet. 'Ik heb een bevel nodig.'

'Kom op, Will!' Laith klonk dringend en boos.

Will zei niets.

'Tweehonderd meter. Will?!'

Will greep Laith beet, stopte abrupt met rennen en sprak snel in zijn microfoontje. 'Afbreken. Ga daar weg en ga rechtstreeks terug naar haar huis.'

'Wat?!'

'Doe het, Roger. We ontmoeten je daar. Maar schiet op.'

Laith staarde hem aan met een blik van totale verbijstering terwijl hij zich bukte met zijn handen op zijn knieën en lucht naar binnen zoog.

Will negeerde zijn blik en wees naar het noordoosten. 'Haar huis. We moeten daar zijn voor ze terugkomt.'

Laith duwde zich overeind, draaide zich half om en ging meteen vooroplopen. Ze renden naar het einde van de straat, sloegen links af de hoofdweg op, staken die sprintend over terwijl ze langzaam rijdende voertuigen ontweken, renden een andere zijweg in en bleven driehonderd meter doorlopen voordat ze de straat waar het huis van Korina in stond in sloegen. Laith en Will remden niet af maar gingen nog tweehonderd meter in volle vaart verder totdat ze bij haar voordeur stonden. Roger parkeerde zijn auto naast hen en Will zag tot zijn vreugde dat de Audi nog steeds flink onder de bevroren sneeuw zat. Toch begon hij samen met Laith onmiddellijk nog meer sneeuw van de weg op de auto te gooien op de plekken waar je het metaal van de auto kon zien.

'Ga het huis in, zet koffie,' zei Will tegen Roger. Hij keek Laith aan. 'Jij ook en begin als een gek te roken zodat het lijkt alsof we er nooit weg zijn geweest.'

Will kwakte een laatste hoop sneeuw op de motorkap van de Audi, besloot dat het zo genoeg moest zijn, hoorde in de verte het geluid van een motor en rende de voordeur in terwijl hij de motorkap van het voertuig aan de andere kant van de straat zag opduiken.

Will rende naar zijn collega's die druk bezig waren de sneeuw van hun laarzen te stampen. Hij greep hun overjassen en sprintte ermee naar de badkamer. Hij hield iedere jas boven de badkuip, klopte de sneeuw eraf en liet de sneeuw die in de badkuip was gevallen smelten met behulp van heet water, zette de kraan uit en ging snel weer naar beneden. Hij hing de jassen op, inspecteerde de vloer van de zitkamer en de keuken, pakte een keukenhanddoek om een paar natte plekken op te vegen, smeet hem terug en haalde diep adem. Laith zat in een leunstoel in de zitkamer. Hij had al twee sigaretten opgestoken en stak een derde op met een hand terwijl hij in zijn andere een verse mok instantkoffie hield. Roger kwam uit de keuken met nog twee mokken koffie. Hij gaf er een aan Will en ging op een eetstoel zitten. Will bleef staan en probeerde te kalmeren zodat het leek alsof hij het afgelopen uur niets meer had gedaan dan koffie bijvullen in het kleine rijtjeshuis. Maar zijn hart bonsde.

Buiten klonk het geluid van opengaande en dichtslaande portieren. Will nam een slok van zijn dampend hete koffie, trok zijn QSZ-92 pistool en richtte het op de voordeur. Vanuit zijn ooghoeken zag hij dat Roger en Laith hetzelfde deden.

De deur ging open en Korina kwam binnen. Ze bleef staan in de smalle deuropening en staarde naar de drie mannen die hun wapen op haar richtten. Ze schudde haar hoofd en zei met nadruk: 'William, dit is niet wat het lijkt.'

'We hadden verwacht dat je te voet terug zou komen.' Will nam nog een slok van zijn koffie terwijl hij zijn ogen en pistool op Korina gericht hield. 'Niet dat je bij je huis zou aankomen in een auto met twee mannen erin.' Hij greep zijn pistool stevig vast. 'Wij hebben ons aan de afspraak gehouden. We hebben hier in goed vertrouwen op je zitten wachten.'

Korina zuchtte. 'Dat weet ik. Het spijt me. Maar ik moest een beslissing nemen en die beslissing was dat we hulp nodig hebben. Ik heb verder tegen niemand anders verteld dat jullie hier zijn. De twee mannen die ik bij me heb zijn volkomen loyaal en zijn experts in het zwijgen.'

Will kneep zijn ogen samen. 'Laat ze dan maar binnenkomen, dan kunnen we kennismaken.'

Korina draaide zich om, wenkte de mannen die buiten stonden te wachten en stapte zelf de eetkamer in. Een man kwam binnen. Hij was van gemiddelde lengte, was stevig gebouwd, had een geschoren hoofd en droeg een donker pak.

'Dit is Vitali.'

De man keek hen kil aan en zei niets.

De voordeur werd gesloten en de tweede man was er nu ook maar hij stond met zijn rug naar hen toe terwijl hij de grendel op zijn plek schoof. Daarna draaide hij zich om. Net als zijn collega droeg hij een donker pak en leek hij sterk en atletisch. In tegenstelling tot zijn collega was deze man lang, had kortgeknipt blond haar en een gezicht vol littekens.

Korina wees op hem. 'En dit is Markov. Ze zijn lid van Spetsnaz GRU.'

Will stapte op de twee Special Forces-mannen af, controleerde of Roger en Laith nog steeds hun pistool op de Russen hadden gericht, liet zijn wapen zakken en stak het tussen zijn riem. Even vroeg hij zich af wat hij moest zeggen. Toen hij dat had besloten, zei hij: 'Als jullie hier zijn om mij of mijn mannen te belagen, zal ik jullie beiden doden voordat jullie ook maar een spier kunnen vertrekken. Zo niet, dan zou het goed zijn als jullie begrepen dat jullie aanwezigheid hier als verraderlijk kan worden beschouwd door jullie Spetsnaz-officieren. Als Korina jullie dat nog niet duidelijk heeft gemaakt, geef ik jullie de kans om je om te draaien en hier weg te lopen nu jullie nog jullie baan en jullie vrijheid hebben.'

Vitali gebaarde naar Korina terwijl hij zijn aandacht op Will gericht hield. 'Majoor Tsvetaeva heeft ons twee dingen duidelijk gemaakt. Ten eerste dat ze dringend onze hulp nodig had om de vernietiging van ons land te voorkomen. Ten tweede dat we daarmee de wetten van Rusland zouden overtreden.' Hij wierp een blik op Markov die knikte voordat hij Will weer aankeek. 'We zijn ons bewust van onze positie.'

Will keek Korina scherp aan. 'Als deze twee mannen zonder toestemming afwezig zijn bij Spetsnaz, vormen ze een risico voor ons team omdat de commandanten van hun eenheid hen zullen laten arresteren.'

Korina schudde haar hoofd. 'Ik heb met hun superieur gesproken en formeel toestemming gekregen voor een onmiddellijk verblijf bij mij. Ik heb ook met mijn baas in Moskou gesproken en hem een leugen verteld. Ik zei dat een van mijn agenten contact met me had opgenomen en dat hij had gezegd dat hij informatie had over marineactiviteiten van de VS. Maar hij vermoedde dat hij gecompromitteerd was en dat hij me dringend moest ontmoeten aan de westelijke grens van Rusland. Ik zei dat ik een paar dagen nodig had om daar te komen om hem te ontmoeten en dat ik twee mannen en uitrusting van Spetsnaz GRU had gevraagd om me bij die ontmoeting te kunnen beschermen.' Ze glimlachte en stak een sigaret op. 'Wat onze superieuren betreft zijn wij drieën officieel bezig en is het moeilijk om de komende dagen contact met ons op te nemen.'

Will keek naar de Spetsnaz-mannen. 'Waarom zijn jullie bereid te helpen?'

Vatali antwoordde met een glimlach. 'Welke man zou geen verbintenis willen met majoor Tsvetaeva?'

Will glimlachte niet en herhaalde zijn vraag.

Markov wees op de majoor. 'Omdat we haar oordeel vertrouwen. Alle Spetsnaz-mannen die hier zijn gelegerd denken er zo over. Ze is een van ons.'

'Hebben jullie gehoord naar wie we op zoek zijn?'

Vitali knikte. 'Het hoofd van Spetsnaz Alpha.'

'Majoor Tsvetaeva heeft ons alles verteld. Voor het geval we er moeite mee zouden hebben een van de onzen achterna te zitten.'

'Heeft een van jullie ooit voor hem gewerkt?'

Markov schudde zijn hoofd.

'Nee, maar ik heb hem een keer gezien,' antwoordde Vitali. 'Dat was tijdens een cursus voor gevorderde sluipschutters. Er waren tien van ons van verschillende Spetsnaz-eenheden. We waren bezig met het testen van een prototype van een geweer en ieder van ons kreeg de opdracht een speelkaart te raken die op een afstand van vijftienhonderd meter stond. Kolonel Khmelnytsky observeerde, samen met vier ander commandanten, want twee van de studenten waren afkomstig uit Alpha. We konden de andere commandanten horen praten. Ze zeiden dat het nieuwe wapen flut was gezien het feit dat niemand van ons een van de speelkaarten tot op minder dan een meter kon raken. Maar Khmelnytsky zweeg. Hij liep naar de sluipschutter die zich links op het schietterrein bevond, pakte zijn geweer, richtte staand en vuurde het wapen af. Zijn kogel trof het midden van de speelkaart. Toen liep hij langs de rest van de schutters en deed hetzelfde met elk van onze wapens totdat hij tien kogels uit tien geweren had afgevuurd en tien speelkaarten had geraakt alsof ze op een paar meter afstand van hem stonden.' Vitali glimlachte. 'Nadat hij het laatste geweer had teruggegeven, liep hij weg, langs de andere commandanten en mompelde luid genoeg zodat we het allemaal konden horen: 'Die wapens zijn niet flut, maar alle mannen om me heen wel.'

Will keek naar Korina. 'Waarom heb je deze mannen hierheen gebracht?'

Korina inhaleerde haar sigarettenrook diep. 'Twee dagen nadat het inlichtingenrapport was uitgegeven, instrueerde Taras de agent weg te lopen van de marine van de vs en een infiltratieroute te gebruiken om Rusland in te komen. Hij deed dit onder het voorwendsel dat de agent in gevaar kon zijn, hoewel ik vermoed dat hij in werkelijkheid probeerde de agent uit zijn tent te lokken. Maar hij had daar officiële toestemming voor nodig, want die infiltratieroute was van de SVR en daar was hun medewerking voor nodig. Zijn verzoek voor de ex-filtratie van de agent van Amerika's Kitsap-marinebasis werd officieel vastgelegd in onze dossiers en werd goedgekeurd. Sindsdien woont die bron in een datsja aan de rand van Moskou. De dossiers laten zien dat de man een lage beveiligingsstatus van de SVR heeft, niet beschouwd wordt als een dreiging en dat hij vrij is om zijn terrein te betreden en het te verlaten.'

Wills woede verdween. 'We moeten die agent ontmoeten, en hem zo veel angst aanjagen dat hij in paniek raakt.' Zijn hart klopte snel. 'Na die ontmoeting denk ik niet dat hij zijn situatie met zijn agent per telefoon zal durven bespreken, voor het geval de SVR zijn gesprekken aftapt. Ik denk dat hij Taras zal willen ontmoeten. Hopelijk kan hij ons rechtstreeks naar hem leiden.'

Korina's ogen vonkten. 'Ik dacht wel dat je dat zou zeggen.' Ze keek naar Roger en Laith en toen naar Will. 'Maar dat plan is gebaseerd op de aanname dat jij en je mannen door mijn land reizen alsof jullie GRU-medewerkers zijn.' Ze knikte naar Markov en Vitali. 'Dat is de reden dat ik om deze twee mannen heb gevraagd. Samen met mij zullen we het team aanvoeren en de dreiging van nauwkeurig onderzoek naar jullie drie voorkomen. Ze zullen ook helpen met de uitrusting en het transport.' Ze glimlachte, smeet haar sigaret op de vloer en trapte hem uit met de hak van haar schoen. 'En ze kunnen zich erg goed weren in een gevecht.'

'Dat is allemaal prima, mevrouw, maar...' Laith had zijn pistool nog steeds op het GRU-personeel gericht. 'Ik spreek geen vloeiend Russisch.'

'Dan zul je je mond moeten houden.'

Will fronste zijn wenkbrauwen. 'De SVR zal nooit toestaan dat wij hem ontmoeten zonder toestemming.'

'Correct. Daarom heb ik hem gebeld en hem verteld dat we hem formeel moeten ontmoeten.' Ze keek serieus. 'Technisch gezien valt Taras' inlichtingendienst onder mijn jurisdictie omdat het betrekking heeft op een marinezaak die zich voordoet binnen zeeën die vallen onder de verantwoordelijkheid van GRU Vladivostok. Dat betekent dat ik elk recht heb om de inlichtingen te revalueren, en ook dat ik de bron van het rapport verder mag onderzoeken.' Ze knikte snel. 'De SVR had geen andere keus dan mij een gesprek toe te staan met de Amerikaanse agent.'

Will knikte. 'Oké. Maar we moeten hem vanavond ontmoeten.'

'Vanavond?' Korina leek geschokt. 'Hij zit in Moskou, dat is acht uur vliegen hiervandaan.'

Voor de eerste keer die dag glimlachte Will. 'Ik weet zeker dat er genoeg militaire vluchten heen en weer gaan boven Rusland. Ik vertrouw erop dat jij een van die vluchten voor ons kunt boeken.'

Will en Korina waren alleen. De rest van het team zat in de andere kamer rustig met elkaar te praten. De Russen probeerden de Amerikanen te peilen en vice versa.

'Kunnen we samenwerken?' vroeg Will.

Korina nam hem op. 'Dat zullen we moeten afwachten.' Ze stak een sigaret op en wees naar hem. 'Maar ik waarschuw je, ik ben niet gek. Als je probeert me beet te nemen, zal ik het jou en je mannen betaald zetten.'

'Ik ben niet van plan je beet te nemen. Ik ben hier gekomen omdat ik je hulp nodig heb.' Hij fronste zijn wenkbrauwen. 'Is dit een post die ze normaal gesproken geven aan iemand met...'

'Een knappe vrouw zoals ik?'

'Dat is niet wat ik wilde zeggen.'

'Wat dan?'

'Het is gewoon dat je me beter geschikt lijkt voor het hoofdkwartier in Moskou.' Will wist niet zeker of hij wist waar hij op doelde. Misschien was het dat de elegantie van Korina niet leek te passen bij de hardvochtigheid van dit deel van Rusland.

Korina inhaleerde rook. 'Ik heb geen familie meer. Ik heb mijn moeder nooit gekend, want ze is ervandoor gegaan met een andere man toen ik nog een baby was. Toen ik oud genoeg was om voor mezelf te zorgen, was mijn vader vaak gedurende langere perioden op zee. Ik denk dat ik er harder door ben geworden. Ik had geen zin in een comfortabel bureaubaantje in Moskou. Daarom heb ik me als vrijwilliger opgegeven voor dit gebied.'

Will begreep het. De tragedies in zijn eigen jeugd hadden hem er ook toe gedreven voor dit extreme bestaan te kiezen. 'Het spijt me van je vader.'

Korina liet haar hoofd zakken. 'Ze wilden me eerst niet vertellen hoe hij is vermoord. Ze dachten ongetwijfeld dat dat te schokkend was. Maar ik heb mijn invloed aangewend en ik weet nu alles.' Ze keek op. 'Die smeerlap heeft hem afgeslacht.'

Will aarzelde en legde zijn hand toen op de hare. 'Ik weet hoe je je voelt.'

Haar gezichtsuitdrukking verhardde. 'Hoezo?'

'Mijn ouders zijn omgekomen.'

'Een ongeluk?'

'Vermoord.'

Ze kneep even in zijn hand, liet hem los en mompelde: 'En daar zitten we dan, de leegte te vullen.' Ze knikte. 'Ja, ik denk wel dat jij en ik kunnen samenwerken.' Ze drukte haar sigaret uit en voegde eraan toe: 'Er is nog iets wat je moet weten. Toen ik in mijn kantoor zat, heb ik mijn telegrammen doorgekeken. Een van hen was afkomstig van het hoofdkwartier van GRU Moskou. Er stond DRINGEND op. Het was naar mij en alle andere GRU-chefs gestuurd die in Rusland buiten Moskou zijn gestationeerd. In het telegram stond dat we alle inlichtingendossiers die we in ons bezit hebben in dozen moeten stoppen, klaar om te verbranden voor het geval onze kantoren worden ingenomen door Amerikaanse strijdkrachten.'

34

Halverwege de ochtend zaten ze in de SUV en reden door hevige sneeuwbuien naar de buitenwijken van Vladivostok. Korina sprak gehaast en streng in haar mobieltje. 'We zijn met zes personen, drie van GRU, plus drie van een speciale divisie. We...' ze zweeg en luisterde naar de man aan de andere kant van de verbinding. Dan: 'Als u ons de toegang wilt weigeren, bel dan het hoofdkwartier van GRU en leg hun uit waarom u een belangrijke inlichtingenoperatie wilt dwarsbomen.' Ze luisterde opnieuw, glimlachte en klapte de telefoon dicht. Ze keek naar Will. 'Er is ruimte voor ons in een transportvliegtuig. Het zal niet de meest comfortabele vlucht worden maar het is de eerstvolgende vlucht hiervandaan en hij vertrekt over vijfenveertig minuten.'

'Uitstekend. Maar hoe komen mijn mannen en ik door de beveiliging?'

Korina haalde haar schouders op. 'Als ze eenmaal mijn identiteit hebben vastgesteld, zal dat wel lukken.'

Vanaf de voorstoel keek Markov om over zijn schouder. 'We zijn er over een paar minuten. Naast jullie eigen tassen liggen er achter in de SUV nog vijf Bergen-rugzakken met Spetsnaz gevechtsuitrusting, MR-445 Varjag-pistolen, tactische communicatiesystemen, mobiele telefoons en reservemunitie. Vastgebonden aan de Bergens zijn AS Val automatische geweren met geluiddempers. Vitali en ik hebben die van onze basis meegenomen nadat majoor Tsvetaeva ons had gebeld. Ik heb geen idee of die uitrusting toereikend is voor wat jullie nodig hebben, maar we hadden geen tijd om kieskeurig te zijn.'

Roger knikte. 'We zullen ons er vast wel mee redden.'

'Tijd om de monden dicht te houden. We naderen de basis,' riep Vitali.

Hij reed de SUV van de hoofdweg een brede laan op. Borden met kruizen lieten automobilisten weten dat ze een militaire zone naderen die verboden toegang was. Een gewapende soldaat stond aan een kant van de laan en gebaarde dat ze moesten doorrijden; al snel passeerden ze een andere soldaat die hetzelfde deed. Aan het eind van de laan werden ze geconfronteerd met een grote boog, waaronder vier soldaten stonden en die werd afgesloten door een elektronisch bediende slagboom. Aan beide zijden van de ingang stond een hek van prikkeldraad van vier meter hoog.

Vitali stopte de auto, draaide het raampje open en liet een van de soldaten zijn identiteitskaart van Spetsnaz GRU zien. De soldaat stak zijn hoofd naar binnen en nam elke inzittende nauwlettend op. Korina boog zich naar voren, toonde haar ID en sprak snel met de bewaker. Hij gaf haar het document terug en richtte zijn aandacht op Will en zijn collega's. Hij vroeg hun wie ze waren, waarop Markov zijn portier aan de voorzijde opende, om de voorkant van de SUV heen liep tot hij pal voor de bewaker stond. Hij greep de soldaat bij zijn jas. Markov trok het angstige gezicht van de bewaker dicht naar zich toe en mompelde iets onverstaanbaars. De bewaker, die een stuk kleiner was dan Markov, zag er doodsbang uit. Hij sprak dringend en riep iets naar zijn collega's, die de slagboom onmiddellijk omhoog lieten komen. Markov liet de soldaat los en schreeuwde iets naar de vier soldaten, die allen in de houding sprongen. Hij knikte hen langzaam toe, nog steeds met een woedende blik en stapte opnieuw in. Vitali gaf gas. Ze reden het militaire vliegveld op.

Markov schudde zijn hoofd. 'Stelletje stomme idioten. Ze hadden bevel ontvangen om ons door te laten nadat majoor Tsvetaeva haar ID had laten zien. Maar ze besloten zelf om ons voertuig wat grondiger te inspecteren om indruk te maken op hun commandanten en te bewijzen dat ze initiatief toonden en uitstekend werk verrichtten.' Hij glimlachte. 'Ik heb hun van mening doen veranderen.'

De basis was groot, met verschillende start- en landingsbanen en toegangswegen, reusachtige hangars en andere gebouwen en overal stonden grote en middelgrote militaire transportvliegtuigen. Hoewel het dag was, werd alles verlicht door halogeenlampen die fel licht wierpen over de grijze lucht en de aanhoudende sneeuwval. Sommige vliegtuigen taxieden, sommige stonden stil, andere landden of stegen op. Grondpersoneel en andere militairen liepen over de wegen of reden in jeeps over wegen parallel aan de landingsbanen. Er reden ook sneeuwschuivers. Het was duidelijk dat Vitali bekend was met de plattegrond van de luchthaven, want hij bestuurde de suv met zelfvertrouwen en veranderde verschillende keren van richting totdat hij de auto naast een gebouw parkeerde.

Korina keek naar Will. 'Blijf hier.' Ze keek voor zich. 'Markov, kom met me mee.'

De twee Russen stapten uit en liepen het gebouw in. Vitali stak een sigaret op, draaide zijn raampje een paar centimeter open en keek naar de landingsbanen. Will en zijn cia-collega's volgden zijn blik. Ongeveer duizend man stonden in rijen met zware bepakking en geweer, naast twee grote vliegtuigen waarmee troepen werden verplaatst. Andere mannen, waarschijnlijk hun onderofficieren en officieren, liepen heen en weer. Ze schreeuwden waarschijnlijk bevelen naar de soldaten, hoewel je niets kon horen boven het bulderende lawaai van de verschillende vliegtuigen. Aan de andere kant van de basis gingen de deuren van sommige hangars open en liepen nog meer soldaten het asfalt op totdat enkele duizenden manschappen zichtbaar waren. Ze wachtten allemaal tot ze aan boord konden, geduldig wachtend terwijl de dichte sneeuw op hen neerdaalde.

Vitali mompelde in het Engels: 'Ze horen bij het 5de leger. Hun commandant, luitenant-generaal Viktor Fursenko, heeft hun bevel gegeven te mobiliseren naar de westelijke afdeling van het Operationeel Strategisch Hoofdkwartier.'

'Waarom?' vroeg Will.

'Het is allemaal show... om het Westen te laten zien dat we grote jongens zijn en serieus genomen moeten worden aan de onderhandelingstafels.'

'Die soldaten daar hebben dat niet te horen gekregen.' Laith klonk plechtig. 'Ik denk dat hun leidinggevende officieren hun hebben verteld dat dit serieus is.'

Vitali knikte langzaam en trok aan zijn sigaret terwijl hij naar de troepen bleef kijken. 'Natuurlijk. Ze moeten gereed zijn voor het geval het tot een echt gevecht komt.' Hij zuchtte, wierp zijn sigaret naar buiten en sloot het raampje. 'Mijn jongere broer zal een van de soldaten zijn die daar staat. Hij is twee jaar geleden ingedeeld bij de 60ste Independent Motor-Rifle Brigade. Ik heb geprobeerd hem over te halen dat niet te doen omdat hij niet geschikt is voor de manier van leven in het leger en omdat hij veel betere opties had.'

Markov kwam terug en boog zich in het voertuig. 'Tijd om te gaan. Pak je spullen. Als iemand je aanspreekt, niks terugzeggen.'

Vitali sprong onmiddellijk uit de auto en liep naar de achterkant. Will, Roger en Laith kwamen bij hem staan.

Markov opende de kofferbak en wierp iedere man een zware Bergen-rugzak toe. 'Het is goed dat we allemaal pakken en overjassen dragen. Het feit dat we anders gekleed zijn dan alle anderen hier betekent dat we een speciale missie hebben. Daardoor hebben we minder kans dat we worden gecontroleerd.'

Will sloeg een hengsel van zijn Bergen over een schouder, pakte zijn andere tas en keek toe terwijl het team hetzelfde deed. Korina liep het gebouw uit, pakte haar eigen reistas op en knikte naar Markov die hen voorging over de vliegbasis naar een groot II-76M transportvliegtuig dat ver weg stond van de massa manschappen. Een man van de luchtvaartdienst stond te wachten met een klembord in zijn hand. Korina zei iets tegen hem, knikte naar het team en gebaarde dat ze moesten doorlopen.

Toen Will het vliegtuig in klom, verwachtte hij dat het zo goed als leeg zou zijn gezien het feit dat de brigades die hij net nog had gezien aan de andere kant van de basis stonden. Maar het vliegtuig zat vol met soldaten die op hun bepakking zaten, met hun automatische geweren over hun knieën. Ze droegen allemaal opvallende hemelsblauwe paratroeperbaretten. Will liep achter Korina aan naar het midden van het vliegtuig, tussen de soldaten door die hen met een verbaasde blik aankeken, totdat hij en zijn team achter in de II-76M zaten. Er waren geen stoelen in het vliegtuig. Will zette zijn rugzak neer en ging erop zitten, met enige ruimte tussen hem en de achterste paratroeper. Roger nam in die ruimte plaats.

Het vliegtuig begon onmiddellijk te taxiën en accelereerde hard voor het opstijgen. Het geluid in het vliegtuig was eerst oorverdovend en zwakte daarna af tot een lage dreun toen het eenmaal in de lucht was. Will keek links van hem naar Laith. De SOG-officier was ofwel in slaap of hij deed alsof. Tegenover hem probeerde Korina het zich zo comfortabel mogelijk te maken. Markov en Vitali zaten naast haar met elkaar te praten. Will keek naar Roger, die zijn wenkbrauwen gefronst had. Hij volgde zijn blik en zag dat een van de paratroepers tegenover Roger probeerde zijn AKS-74-geweer uit elkaar te halen en schoon te maken en weer in elkaar te zetten. De soldaat leek nauwelijks achttien jaar, zweette en zijn handen trilden terwijl hij onhandig probeerde het wapen weer in elkaar te zetten. Twee van de soldaten naast de paratroeper keken grinnikend toe. Roger boog zich snel naar voren, greep de onderdelen van het geweer, haalde het deskundig uit elkaar, keek in de loop om te zien of die schoon was, controleerde de andere onderdelen, zette het wapen snel weer in elkaar en hield het voor zich. De paratroeper pakte zijn wapen, glimlachte dankbaar en greep zijn wapen zo stevig vast dat zijn knokkels er wit van werden. Terwijl Roger achteroverleunde, zag Will dat Markov en Vitali hun gesprek hadden onderbroken en naar Roger keken met hun mond lichtjes open.

Roger maakte een kommetje met zijn hand en zei tegen Will: 'Russisch of wat dan ook, geen enkele soldaat verdient het om een defect wapen te dragen.'

Will keek om zich heen naar de andere soldaten in het vliegtuig. Sommigen lachten en grapten op een overdreven manier met elkaar. Anderen hielden zich bezig met onbenullige klusjes. Maar de meesten van hen waren stil, gespannen en in gedachten verzonken. Will kende dit gedrag maar al te goed. Hij had zelf als jonge paratroeper in militaire vliegtuigen gezeten, wachtend op de strijd. En de geur die in die vliegtuigen hing was dezelfde als de geur die hem nu omringde. Het was de geur van angst.

35

Het was halverwege de avond. Will, Korina en Markov liepen vlug over een lange, kronkelende en verlichte oprit die was omgeven door bomen. Voor hen lag de datsja. Het was een vrij grote villa en de lichten brandden. Twee stilstaande voertuigen stonden bij de ingang aan de voorkant. Het oord lag geïsoleerd in het bos en zag er mooi en huiselijk uit, terwijl er zachtjes sneeuw viel, verlicht door het gele schijnsel van de lampen. Ze bevonden zich zestig kilometer buiten Moskou en waren hier om de Amerikaanse verrader te ondervragen.

Markov klopte op de voordeur en deed een stap terug. Een stem riep iets. Markov gaf antwoord: 'Majoor Tsvetaeva. GRU.'

Er werden grendels verschoven en de deur zwaaide open. Een lange, donkerharige man in een pak en met een holster met een SPS Serdyukov halfautomatisch pistool stond in de deuropening. Korina stapte naar voren en toonde haar ID terwijl ze op kalme toon iets zei. De SVR-officier bekeek haar ID-kaart nauwkeurig, keek achterom en riep een naam. Er kwam iemand bij hem die er hetzelfde uitzag als hij. Markov haalde een pakje sigaretten tevoorschijn, zei iets tegen de mannen en lachte. Ze glimlachten, stapten de deuropening uit en gingen bij Markov staan roken. Korina en Will liepen het huis in.

In de datsja hing een dikke walm tabaksrook. Toen ze door de gang liepen hoorden ze een tv. Ze kwamen langs een keuken, een garderobe en twee slaapkamers. Will zag dat het er vanbinnen lang niet zo huislijk uitzag als de buitenkant deed vermoeden. Het was eerder minimalistisch en functioneel. Ze kwamen in een grote zitkamer en zagen het felle scherm van de televisie. Het licht van de tv was de enige verlichting en flakkerde over de omgeving, wat een soort snapshot opleverde van een man die op een bank zat.

'Doe het licht aan en zet de tv uit,' zei Will op luide toon.

De man reageerde verschrikt. Hij grabbelde naar de afstandsbediening, zette de tv uit en deed een tafellamp aan. 'Ik dacht dat jullie morgen zouden komen.' De Amerikaan keek twijfelend terwijl hij zich terug liet zakken op de bank. Hij was tenger, halverwege de twintig, het haar weggeschoren bij zijn slapen en achterhoofd, blootsvoets en hij droeg een trainingsbroek en een sweatshirt met de tekst US NAVY BASE KITSAP, NOT SELF BUT COUNTRY op de voorkant. Hij pakte een fles bier op en nam een teug. 'Ik ben nu een belangrijk iemand. Ik zit niet te wachten op kloterige verrassingen.'

Will stapte naar voren. 'Er is een dame bij. Ik tolereer geen smerige taal.'

De Amerikaan leek zich te ontspannen. 'Nou, krijg dan de tering.' Hij nam nog een teug bier.

Will kwam naderbij maar Korina legde een hand op zijn onderarm en zei tegen de Amerikaanse matroos: 'Het is duidelijk dat je een domme man bent. Als je je niet gedraagt, zal ik ervoor zorgen dat je hier voor altijd blijft.'

De Amerikaan grijnsde breed. 'Goed, want ik heb het nooit beter gehad. Dag en nacht beveiliging, gratis eten, drank en sigaretten.' Hij stak een sigaret op, trok eraan en tikte de as af in een overvolle asbak. 'Bovendien heeft de SVR ervoor gezorgd dat ik naar Amerikaanse kabel-tv kan kijken.' Zijn glimlach verdween en er verscheen een uitdrukking van minachting op zijn gezicht. Hij richtte zijn blik op Korina en mompelde: 'Het enige wat de Russen me nog niet hebben gegeven is een oosters kutje. Is dat de reden waarom jij hier bent, schatje?'

Korina keek hardnekkig naar Will en begon te zeggen: 'Nee, William...'

Maar Will negeerde haar, deed twee stappen naar de matroos en gaf hem een harde mep.

'Godverdomme!' De matroos legde een hand op zijn rode wang.

Will deed een stap terug. 'De volgende keer komt het harder aan.'

De Amerikaan spuwde boos. 'Hoe is het mogelijk dat die Rus volmaakt Engels spreekt, zonder accent?'

'Omdat het zo moet zijn.' Will liet zich in een van de andere leunstoelen vallen.

'We zijn hier om je vragen te stellen over de inlichtingen die je hebt gegeven aan Taras Khmelnytsky. We willen weten of je je ervan bewust was dat die inlichtingen niet langer op waarheid berusten.'

De matroos gniffelde. 'Ik geef alleen antwoord aan Khmelnytsky en...' hij keek om zich heen, '... mijn nieuwe SVR-gastheren.'

'Je geeft antwoord aan degene die autoriteit heeft op het gebied van marinezaken. En op dit moment ben ik dat.'

Korina wilde weer iets zeggen, maar Will onderbrak haar. 'Hoe heeft Taras je gerekruteerd?'

De matroos sloeg zijn bier achterover. 'Hij zei tegen me dat ik niet langer als uitschot hoefde te leven. "Als je me geeft wat ik wil, zal ik ervoor zorgen dat die arrogante officieren van je je zullen benijden."'

'Dus dat is het?' Korina boog zich naar voren. 'Je hebt Amerika bespioneerd omdat Khmelnytsky je jouw idee van het paradijs thuis kon leveren en misschien zelfs...' – ze glimlachte, hoewel de blik in haar ogen giftig was – '... een oosters kutje.'

De Amerikaan zei niets. Hij keek nog steeds uitdagend.

Korina priemde met een vinger naar hem. 'We hebben gehoord dat de drie Ohio-onderzeeërs de Russische wateren in zullen varen op een andere datum maar dat is alles wat we weten. Ik ben hier om erachter te komen of je hier iets van weet.'

De matroos schudde zijn hoofd. 'De data waren zeer nauw omschreven. Ik heb nooit iemand horen zeggen dat ze op een andere datum zouden gaan.'

'Waren er protocols voor het geval de inzet om de een of andere reden werd uitgesteld?' vroeg Will.

De Amerikaan keek onzeker. 'Nee.'

Will zuchtte en keek naar Korina. 'Dit was pure tijdsverspilling.'

Toen ze bij de gehuurde BMW kwamen aan het eind van de oprit, zei Korina tegen Markov: 'Ga met Vitali, Roger en Laith observeren. Laat het me weten zodra het doelwit de datsja verlaat.'

Markov verdween in de nacht. Will en Korina sprongen in de auto. De GRU-majoor keek Will aan en sprak met zachte stem. 'Dank je.'

Will haalde zijn schouders op. 'Het was niets. Een domme man iets onbesuisds laten doen is nauwelijks dank waard.'

Korina schudde haar hoofd. 'Dat is niet waarom ik dankbaar ben.'

'Dat weet ik.'

Ze legde haar hand op de zijne en liet hem daar even liggen. 'Het voelde fijn dat... dat iemand het voor me opnam.' Ze keek naar voren, legde haar hand op het stuur en startte de motor. Haar volgende woorden klonken weer luid. 'We moeten positie kiezen.' Ze schakelde en reed weg. 'We zullen uit het zicht wachten, anderhalve kilometer verderop. Zodra de rest van het team ziet dat die vuilbekkende idioot de datsja verlaat, volgen we hem totdat hij ons naar zijn meester heeft geleid.'

Het was pikdonker, zowel in de auto als buiten. Ze stonden een paar meter naast de weg, op ruig terrein, omgeven door bomen. Will en Korina hadden uren in het voertuig zitten wachten en hadden nauwelijks iets gezegd. Slechts af en toe had ze de motor laten draaien om voor wat warmte te zorgen.

Het mobieltje van Korina ging over. Ze luisterde zwijgend. 'Ze zagen hem het huis uit gaan, redetwisten met zijn SVR-bewakers die wilden dat hij bleef. Toen stapte hij alleen in een auto en reed weg. Ons team achtervolgt hem in twee auto's. Hij rijdt in de richting van Moskou.'

'We laten hem voorbijrijden, wachten een paar minuten en dan volgen we het team en het doelwit,' mompelde Will. Hij opende even zijn portier zodat de binnenverlichting aanging en keek op zijn horloge. Het was een paar minuten na vier uur in de ochtend; een nieuwe dag was begonnen. Alles hing nu af van de vraag of de matroos contact zou leggen met Razin, maar tot dusver was alles wat Will en Sentinel hadden ondernomen om hem in de val te lokken misgelopen. Hij begon te zweten en te twijfelen, tot hij bij een ding uitkwam dat wél zeker was.

Over drie dagen zouden de Amerikaanse onderzeeërs de Russische wateren binnenvaren. Als dat gebeurde, zou Razin zijn bom tot ontploffing brengen zodat dat zou lijken op een Amerikaanse aanval. Rusland zou dat opvatten als een daad van agressie.

36

Een kwartier later reed Korina met grote vaart terwijl Will bij het schijnsel van een zaklamp de plattegrond van Moskou bestudeerde die bij de huurauto hoorde. Het viel hem op dat de stad een buitenring, een centrale ring en een binnenring had, en dat negen snelwegen in en uit de metropolis leidden. Zijn mobieltje rinkelde; hij legde de kaart en de zaklamp weg en luisterde naar de stem van Roger.

'We zitten op de m-10 en naderen Moskou vanuit het noordwesten. We zijn net de borden naar Skhodnya gepasseerd. Het doelwit rijdt met normale snelheid.'

'Goed.'

Korina hield haar blik op de weg gevestigd en zei: 'We zitten maar vier of vijf kilometer achter hem.'

Will sprak weer in zijn telefoon. 'We gaan harder rijden en proberen jullie en het doelwit in te halen. Instrueer het hele team dat we moeten overschakelen op militaire communicatie.'

'Begrepen.'

Korina trapte het gaspedaal van de bmw verder in, veranderde van rijbaan en reed hard over de snelweg. Will boog zich naar de achterbank, rommelde in zijn Bergen-rugzak en haalde er twee waterdichte, tactische communicatiesystemen uit. Hij trok zijn bovenkleding open, plaatste een van de sets op zijn lichaam met behulp van zwarte tape om de vleeskleurige bedrading met het oordopje en de keelmicrofoon op zijn huid te bevestigen. Toen hij klaar was met het dichtknopen van zijn overhemd en jas zei hij: 'Ik moet die andere aan jou vastmaken.' Hij glimlachte. 'Ik kan het draadje aan jou vast tapen of ik kan dichterbij komen en persoonlijker worden en het op je lichaam vastmaken op de manier waarop de meeste vrouwelijke leden van de geheime dienst het graag hebben.'

Korina glimlachte ook. 'Mijn huid is allergisch voor tape.'

Will opende haar jas en blouse en bevestigde de set rondom haar middel. Hij hield de draad vast, leidde die onder haar beha, langs een borst en trok hem uit haar hemdje totdat het systeem goed vastzat. Nadat hij de set had aangezet en het juiste kanaal had gekozen, knoopte hij haar kleding voorzichtig weer dicht en zei: 'Goed, nu zijn we allemaal met elkaar verbonden.' Hij zette zijn eigen setje aan en sprak in de microfoon: 'Roger, Markov, kunnen jullie me horen?'

'Ja,' antwoordde Markov. Hij en Roger zaten in de auto die het dichtst bij de matroos was. Roger zat achter het stuur.

'Vitali, Laith; hoe zit het met jullie?'

Laith gaf antwoord. Hij zat in het andere voertuig op de passagiersstoel. 'Ja, we horen alles. We zitten ongeveer vierhonderd meter achter het doelwit. We moeten over anderhalve kilometer overgaan op het andere systeem.'

'Begrepen,' zei Roger.

Korina reed nu honderddertig kilometer per uur. De snelweg was verlicht, maar spaarzaam en met grote tussenruimten en af en toe reed ze met groot licht terwijl ze over de weg jakkerde.

Na vijf seconden zei Roger: 'Oké, we minderen vaart tot vijfenzeventig. Het doelwit rijdt van ons weg. Vitali, neem de positie over.'

'We zijn onderweg.'

Will keek Korina aan. 'We zijn ongeveer vijftien kilometer van de buitenste ringweg van de stad. We moeten voor het doelwit zien te komen voordat hij dat punt bereikt.' Hij pakte zijn MR-445 Varjag-pistool en zei in zijn microfoontje: 'Enig teken van politie waar jullie zijn?'

'Nee, niks te zien,' zei Laith.

'Niets,' antwoordde Markov.

Will keek naar Korina. 'Verhoog je snelheid naar honderdnegentig.'

Korina gaf gas en binnen enkele seconden reden ze met de vereiste snelheid. De wegverlichting vloog nu in razende vaart voorbij.

Will controleerde zijn pistool. 'Je kunt ons nu elk moment zien. We houden onze snelheid aan terwijl we jullie passeren. Laat me weten of het doelwit nerveus wordt.'

Ze haalden burgerauto's in en wisselden af en toe van rijbaan om voertuigen die in de weg reden in te halen.

Twintig seconden later zagen ze de auto van Roger en Markov. Hij was weer harder gaan rijden om het doelwit bij te houden. Will zei: 'We rijden nu langs jullie.'

Tien seconden later naderden ze het voertuig van Vitali en Laith en honderd meter verderop was het voertuig van het doelwit duidelijk zichtbaar. Laith zei: 'Je passeert ons... je passeert het doelwit... wacht... hij rijdt gewoon door... ik geloof niet dat hij iets in de gaten heeft. Ik heb geprobeerd je kentekenplaat te lezen maar dat ging niet met die snelheid, dus het is niet mogelijk dat het doelwit jullie ID heeft kunnen vaststellen.'

Will keek naar Korina. 'Houd deze snelheid aan totdat we uit het zicht zijn verdwenen.' In zijn microfoontje zei hij: 'Laat ons weten wanneer we langzamer kunnen gaan rijden en met welke snelheid.'

'Nu nog niet,' antwoordde Vitali.

Will wachtte en telde zwijgend de seconden af.

Vitali was weer in de lucht. 'Jullie zijn nu uit het zicht van ons en het doelwit. Onze snelheid is honderdzeventien kilometer per uur.'

'Begrepen.' Will knikte naar Korina. Ze minderde onmiddellijk vaart totdat ze precies dezelfde snelheid hadden als de auto's achter hen en vervolgens ging ze op de middelste rijbaan rijden. Will sprak in zijn microfoontje: 'We moeten heel dicht bij de buitenste ringweg zijn. Is het doelwit al op de rechterbaan gaan rijden?'

'Nee,' antwoordde Laith. 'Er is nog geen aanwijzing dat hij de M-10 gaat verlaten.'

Will vloekte in stilte en keek om zich heen. Hij zei, tegen niemand in het bijzonder: 'Groot militair konvooi voor ons. Aangezien jij niet denkt dat het doelwit onze kentekenplaat heeft gezien, blijven we achter het konvooi en hopen we dat we geen verdachte indruk op hem zullen maken.'

Ze gingen dichter bij het konvooi rijden totdat ze een rij van twintig vrachtwagens zagen met troepen die op de middelste rijbaan reed en negen vrachtwagens met reusachtige 9A52-2 BM-30 Smerch 300mm raketwerpers op de rechterrijbaan voor langzaam verkeer. Hij knikte naar Korina. 'Zo is het goed. Sluit achter hen aan.'

Ze deed wat hij vroeg en reed nu zestig kilometer per uur. 'Het konvooi rijdt Moskou in. Het leger bereidt zich erop voor om de stad te verdedigen als alles fout loopt.'

'Vitali, je moet ons en het konvooi nu elk moment kunnen zien.' Will sprak op scherpe toon.

Een paar tellen later antwoordde Vitali: 'We zien je.' De lijn bleef een tijdje stil. 'Doelwit houdt dezelfde snelheid, nu langzamer, hij komt pal achter jullie, hij haalt jullie in, er is geen sprake van dat hij de afslag neemt.'

'Vitali, Laith: ga voorop rijden. Markov, Roger: blijf achter hen. Wij gaan achteraan rijden.'

Ze reden zo een kwartier door en passeerden de afslagen naar de middelste en binnenste ringwegen. Het doelwit was onderweg naar het hart van Moskou.

Tien minuten later zei Markov: 'Hij houdt iets in zijn hand, dicht bij zijn hoofd. Maar ik kan alleen zien wat het is als we vlak naast hem gaan rijden.' Stilte. 'Hij mindert vaart, hij heeft de mogelijkheid een afslag te nemen, geeft geen richting aan, mindert nog meer vaart... Verdomme! Hij neemt de afslag zonder richting aan te geven. Hij moet ons gezien hebben!'

Will voelde hoe zijn maag zich samentrok. 'Hij houdt een mobiele telefoon vast.' Hij trok zijn pistool en keek om zich heen. 'Die matroos weet alles over het afschudden van achtervolgers. Hij heeft ons zelf niet gezien. Maar iemand anders wel en die persoon vertelt ons doelwit nu wat hij moet doen. Taras is mobiel en in de buurt.' Will verknoeide geen tijd. 'Aan iedereen: volg hem. Maakt niet uit of we ontdekt worden.'

Moskou lag nu voor hen. Slechts enkele andere auto's bevonden zich op de weg.

Will zei: 'Taras gidst hem naar de locatie van hun afspraak, maar op zo'n manier dat wij zelf het doelwit worden. Markov, zit hij nog steeds te bellen?' Will ademde diep in en probeerde zijn bonkende hart te kalmeren.

'Aan één stuk door.'

Will keek om zich heen, maar dit stuk weg was nu verlaten. Hij vroeg zich af hoe Razin zich zo goed verborgen wist te houden. Hij dacht het te weten. Hij richtte zich tot iedereen en zei: 'Taras is vooruit gegaan, waarschijnlijk naar de ontmoetingsplek. Hij maakt zich niet druk over ons team en formatie nu, omdat het doelwit gebruik gaat maken van een vooraf ingerichte antisurveillanceroute.'

Laith zei: 'Misschien moeten we het doelwit arresteren, hem dwingen te zeggen waar hij Taras zal ontmoeten?'

'Nee, Taras heeft hem de route nog niet gegeven en als hij dat wel doet dan alleen met stukjes en beetjes. Op dit moment wil Taras niet dat het doelwit weet waar hij hem zal ontmoeten, juist voor het geval we zouden doen wat jij voorstelt.'

Markov ging verder met zijn verslag. 'Hij mindert weer vaart, hij gaat linksaf een zijstraat in, geen andere voertuigen, hij rijdt door, ik zie zijn remlichten...' Stilte. '... ik zie hem stoppen, achteruitrijlichten branden, hij rijdt achteruit, hij zet zijn auto op een parkeerplek.'

'Hij gaat te voet verder!' Wills hart bonsde nog heviger. 'Markov, spring uit je auto en ga naar hem toe. Roger, parkeer je auto ergens waar het veilig is en sluit je aan bij Markov. Alleen niet opvallende pistolen en magazijnen. Vitali, Laith: ga verder de stad in. Parkeer ergens totdat we een idee hebben waar hij naartoe gaat.' Hij keek naar Korina. 'Ik stap uit; ik wil dat jij mobiel blijft.' Hij zei tegen iedereen: 'We komen nu in de buurt. Maar kijk uit voor politiepatrouilles. Als een van jullie wordt aangehouden, probeer dan de GRU ID te gebruiken om weg te komen, maar zorg dat je geen vertraging oploopt. Als je denkt dat ze argwaan koesteren, doe wat je moet doen.' Will stopte zijn pistool en reservemunitie in de zak van zijn overjas, opende het portier van de auto en sprong op straat.

'Doelwit gaat te voet, kijkt me recht aan. Nu draait hij zich om, loopt weg,' mompelde Markov.

Roger en Markov waren zestig meter bij Will vandaan. Hij zag dat ze begonnen te lopen, achter het doelwit aan.

Will volgde, maar hield afstand voor het geval hij plotseling van richting moest veranderen. Zachtjes vroeg hij: 'Beschrijving van matroos?'

Roger antwoordde bijna fluisterend. 'Met opgeslagen capuchon, lange zwarte jas, spijkerbroek, sportschoenen. Hij loopt snel.'

'Heeft hij zijn mobieltje bij de hand?'

'Op dit moment niet.'

De matroos had tot dusver alleen aanwijzingen ontvangen voor het eerste stuk van zijn voettocht.

Grote sneeuwvlokken dwarrelden door de zwarte lucht, verlicht door straatlantaarns. Het zweet op Wills gezicht werd onmiddellijk ijskoud; hij veegde het weg voor het kon bevriezen. Hij stak zijn handen in zijn jaszakken en greep zijn pistool beet.

Ze liepen langs rijtjeswoningen en kantoren die aan weerskanten van de straat stonden. Alle gebouwen waren in duisternis gehuld. Toen ze het eind van de straat naderden, mompelde Roger: 'Hij is blijven staan. Hij draait zich om. Hij staat met zijn gezicht naar ons toe, onder een lamp. Wij bevinden ons op dertig meter van hem, duidelijk zichtbaar.' Roger zweeg een paar tellen. 'Hij reikt in zijn jaszak, haalt iets tevoorschijn... zou zijn mobieltje kunnen zijn... correctie, het is een pakje sigaretten. Hij steekt een sigaret op, kijkt naar ons, blijft stilstaan.'

Will bleef staan en wachtte, twintig meter achter de CIA-medewerker en de Spetsnaz-soldaat.

'Hij heeft nu direct oogcontact met ons... die smeerlap staat te lachen. Hij kijkt hoe laat het is, rookt wat, smijt zijn sigaret weg, draait ons de rug toe, maar hij staat nog steeds te wachten.'

Will dacht na als een razende. Hij vroeg zich even af of dit de plek kon zijn waar de matroos Razin zou ontmoeten. Het leek hem onwaarschijnlijk, het was te riskant met het team van Will zo dicht bij het doelwit. Maar tot dusver had Razin zich niet druk gemaakt over risico's of tegenstanders. 'Kijk goed uit. Taras kan vanaf elke kant komen,' zei Will rustig.

Vijf minuten gingen voorbij. Er gebeurde niets. Will, Roger en Markov bleven roerloos staan. Ze bleven het doelwit in de gaten houden en hielden hun handen stevig op hun verborgen pistool voor het geval ze werden aangevallen.

Tien minuten gingen voorbij. Het doelwit bewoog niet.

Vijftien minuten. Markov vertelde dat het doelwit zojuist weer een sigaret had opgestoken.

Will keek op zijn horloge. Het was zestien minuten over vijf in de ochtend.

Na zeventien minuten stond Will op het punt de rest van het team te zeggen dat ze hun voertuigen dichter naar het gebied moesten rijden.

Maar Roger sprak eerst. 'Hij laat zijn sigaret vallen, trapt hem uit en loopt weg.'

Roger en Markov wachtten. Will deed hetzelfde.

'Hij rent!' Roger begon onmiddellijk te sprinten.

Will rende hem achterna en riep: 'Wat ligt er voor hem?'

'Hoofdweg.' Markov was buiten adem. 'Hij kan daar heen gaan om zich te laten oppikken door een auto.'

'Onwaarschijnlijk.' Will ging nog harder lopen. 'Nog iets anders op die weg waar hij gebruik van zou kunnen maken?'

Er was even een stilte voordat Markov zei: 'Weet ik niet zeker.'

Opeens schoot Will een idee te binnen. 'Hoe laat gaat het metrosysteem van Moskou open?'

'Twintig over vijf.' Markov zweeg twee tellen. 'Shit! Hij stond te wachten tot de metro opening. De stations Tverskaja en Čechovskaja liggen aan de weg waar hij naartoe loopt.'

Will was nu in volle vaart aan het sprinten en rende over de met sneeuw bedekte stoep en zwenkte tussen geparkeerde auto's door naar het midden van de straat. 'Zijn ze met elkaar verbonden?'

'Ja. Tussen hen in lopen drie andere lijnen, zodat hij zes mogelijke richtingen op kan.'

Will greep zijn microfoontje. 'Korina, rij anderhalve kilometer naar het noorden. Wacht daar. Laith: ga naar een station oostelijk van mij. Parkeer daar en wacht op verder informatie. De rest van ons zal hem te voet volgen.'

Will bereikte de hoofdweg en zag zijn collega's achter hem aan sprinten. Het doelwit rende snel voor hen uit.

'Hij is de ingang van Čechovskaja ingegaan.' Roger was slechts twintig meter achter de matroos.

'Markov, werkt dit communicatiesysteem ondergronds?' riep Will.

'Meestal wel.'

Will voelde kramp in zijn maag. 'We moeten er maar het beste van hopen. Ik neem de Tverskaja-ingang. Blijf met me praten als ik binnen ben.'

Hij rende het metrostation in. Afgezien van een beambte was het leeg. Hij pakte wat roebels uit zijn zak, liep naar een kaartenmachine en kocht een dagpas. Hij vervloekte de paar seconden die hij daarmee had verloren en sprintte naar de poortjes. 'Welke lijn?'

'Weet ik niet. We volgen hem verder het station in, maar hij heeft nog geen specifiek perron gekozen.'

Will passeerde het poortje en liep door een gang. Hij bleef even staan bij een plattegrond van de metro van Moskou en prentte zich de namen en locaties van andere stations in de buurt in. Hij zag dat alleen de groene lijn door Tverskaja kwam, hoewel hij Čechovskaja en de twee andere lijnen binnen het complex kon bereiken. Hij liep naar voren, want hij wilde per se het contact met Markov en Roger niet verliezen.

Markovs stem klonk in zijn oortje. Hij sprak langzaam en duidelijk articulerend. 'Hij neemt de paarse lijn, de lijn die in oostelijke richting loopt.'

'Verdomme!' Will zocht naar borden die naar Čechovskaja wezen.

'Nee, wacht.' Markovs stem klonk nu rustiger maar nog steeds duidelijk. 'We hebben nog zeven minuten voordat onze trein arriveert. Kijk wanneer de volgende metro van de groene lijn naar het zuiden rijdt.'

Will rende naar het perron en zag dat er over minder dan een minuut een metro zou komen. Hij gaf dit door aan Markov.

'Goed. Als je die trein neemt, stap dan over in het volgende station Okhotny Ryad en ga dan verder naar het noorden via de oranje lijn. Je kunt bij onze volgende halte in Lubyanka zijn voor we daar komen. Als het doelwit in dat station uitstapt, ben je hem voor en kunnen wij uit het zicht verdwijnen.'

Terwijl Will op het verlaten perron stond en zag hoe een trein uit een donkere tunnel opdook en op hem af reed, zei hij: 'Ervan uitgaand dat ik geluk heb met de verbindingen.'

'Het is een risico, maar ik denk dat mijn vriend gelijk heeft,' zei Roger. 'Taras kan ons de hele dag rondjes laten lopen zolang we aan het doelwit vastgekleefd zitten als lijm. Misschien moeten we opzettelijk iets fout doen.'

De trein kwam naderbij. Will probeerde wanhopig te beslissen wat hij moest doen. Door in de trein te stappen zou hij zich nutteloos voor het team kunnen maken. Maar als het risico resultaat had, kon hij een positie innemen en zou het doelwit denken dat hij zijn achtervolgers had afgeschud. De trein minderde vaart, stopte en de deuren gingen open. Will zuchtte en stapte naar voren. 'Ik stap in de metro.'

Er bevonden zich drie mannen in het rijtuig. Ze waren zo te zien eind twintig, met kaalgeschoren hoofden en gespierd. Ze hadden flessen drank bij zich. Ze loerden naar hem vanaf de andere kant van het rijtuig. Will liet zijn hoofd zakken om oogcontact met de dronken groep te vermijden en bleef bij de deuren staan. 'Ik ga naar het zuiden. Mobiele eenheden, kunnen jullie me horen?'

De lijn kraakte even voordat Korina zei: 'Ja, William. Ik sta stil in de buurt van station Belorusskaja, noordelijk van jou.'

Over het geruis heen zei Vitali: 'Laith en ik zitten noordoostelijk van jouw locatie, bij station Chistiye Prudy. We blijven hier totdat jij ons vertelt waar we naartoe moeten.'

De trein reed ratelend verder. Will probeerde zich voor te stellen waar Razin in Moskou zat te wachten. Hij vroeg zich af of Razin niet in een van de andere rijtuigen in deze metro zou zitten, of in de trein waar Markov, Roger en het doelwit in zaten. Of misschien hield hij nu Korina of Vitali en Laith in de gaten, zich gereedma-kend om naar hun voertuigen te lopen en met een mes de inzit-tenden af te slachten.

De trein stopte in Okhotny Ryad. Hij stapte uit het rijtuig en be-gon te lopen. De drie mannen deden hetzelfde. Ze lachten.

Roger zei iets, maar zijn woorden klonken vervormd.

'Nog een keer.' Will hield zijn microfoontje omhoog. 'Je werd onderbroken.'

Deze keer waren de woorden duidelijk. 'Nog drie minuten voor-dat we vertrekken.'

Will volgde de borden naar de oranje lijn en liep snel door een helder verlichte tunnel. Hij hoorde het geluid van brekend glas ach-ter zich. De dronken mannen lachten opnieuw.

'Nog twee minuten voor vertrek.'

Will liep de tunnel uit en kwam uit op het perron van de oranje lijn. Hij keek naar de elektronische dienstregeling boven hem en zag dat zijn trein over een minuut zou arriveren. Hij keek op zijn horloge en zei: 'Het zal heel krap worden.'

De drie mannen liepen het perron op. Ze keken naar hem. Een van hen riep iets in het Russisch; zijn woorden klonken brabbe-lend. Will schudde zijn hoofd en liep van hen weg totdat hij een eind verderop op het perron stond. Hij hoorde het geluid van zijn trein die al snel langs het perron denderde. De felle binnenverlichting en de buitenlampen zorgden ervoor dat hij zijn ogen moest samenknijpen. Toen de deuren opengingen, stapte hij in het rijtuig.

Markov sprak, hoewel het onmogelijk was te verstaan wat hij zei. Will wilde net reageren maar hij hield zich in toen hij zag dat de drie mannen in hetzelfde rijtuig als hij waren gestapt. Ze keken hem grijnzend aan. Twee van hen namen een teug uit hun fles. De derde hield zijn fles bij de hals. Hij was in twee stukken kapotgeslagen en het uiteinde had scherpe punten aan één kant.

Will duwde zijn microfoontje plat tegen zijn huid en zei bijna fluisterend: 'Ik weet niet zeker of jullie me kunnen horen. Ik zit in de oranje lijn.'

De trein reed weg. Will liep verder de wagon in. De mannen kwamen verschillende stappen dichterbij totdat ze nog maar een paar meter van hem af stonden. Een van hen nam een grote slok drank en spuwde de vloeistof naar Will. Will schudde nogmaals zijn hoofd en verwijderde zich nog verder van hen totdat hij aan het eind van de wagon stond.

'Onze trein is gearriveerd, we zijn...' Het was de stem van Markov, maar die werd onderbroken door een krakend geluid.

'Herhaal dat,' zei Will op luide toon.

De Russische mannen hoorden zijn woorden. De grootste van de drie grote mannen mompelde: 'Amerikaan?'

De grijns op de gezichten van de mannen verdween en ze keken hem nu vijandig aan.

Will zei niets.

De Rus die de gebroken fles vasthield wees met de gevaarlijke scherpe punten naar het hoofd van Will terwijl hij knikte. 'Amerikaans.'

Will sloot even zijn ogen en vloekte in stilte. Hij had geen idee hoe lang de reis naar Lubyanka zou duren, maar hij nam aan dat die maar een minuut of twee zou duren. Hij kon zich in geen geval veroorloven daar te laat te zijn. Hij rook slechte adem en alcohol. Iets scherps raakte zijn wang. Hij opende zijn ogen en zag dat de mannen vlak bij hem stonden. De grootste man hield zijn geïmproviseerde wapen tegen Wills gezicht.

Will glimlachte. Hij sloeg de fles snel opzij met een zwaai van zijn arm, deed een stap naar voren en stompte met zijn vlakke hand tegen de neus van de man. Die veranderde in een bloederig hoopje en de man struikelde naar achteren. Hij sloeg een hand voor zijn gezicht en schreeuwde. Will dook omlaag toen de andere mannen hem tegen zijn hoofd probeerden te stompen. Met de hak van zijn schoen schopte hij een van hen in zijn knieholte. Hij kwam zijdelings omhoog en gebruikte de kracht van die beweging om zijn elleboog tegen de kaak van de andere man te stoten. Beide mannen vielen op de grond. De grote man met de gebroken neus schudde zijn hoofd, trok zijn handen weg van zijn bebloede gezicht, loeide en stormde op Will af. Will deed een stap opzij, bukte en zwaaide zijn vuist in de maagstreek van de Rus terwijl die naar voren rende. De kracht van de stoot tilde de man in zijn geheel van de vloer. Hij kotste de drank en de rest van zijn maaginhoud uit.

Will keek naar de drie kronkelende mannen bij zijn voeten en stapte snel over hen heen naar de treindeuren. De trein minderde vaart. In zijn microfoontje zei hij: 'Ik nader station Lubyanka.'

Roger antwoordde met een heldere stem. 'Blijf alert. We hebben geen idee wat het doelwit van plan is. Hij zit achter in ons rijtuig. Hij zit naar ons te grijzen.'

'In welk rijtuig zit je?'

'Het tweede van voren.'

Wills trein stopte. Hij rende de wagon uit en verliet het perron, zoekend naar borden naar de paarse lijn. Terwijl hij dat deed, zei hij: 'Vitali, rij met je auto naar station Kitai-Gorod voor het geval het doelwit op deze lijn blijft. Korina, rij verder naar het oosten voor het geval het doelwit van lijn verandert en in noordelijke richting reist.'

'Begrepen,' antwoordden beiden.

Will bereikte het perron van de paarse metrolijn. Er stonden nog een paar mensen die eruitzagen als vroege forenzen. Will was blij met hun aanwezigheid, want die zou hem enige dekking geven. Hij liep naar het uiterste puntje van het perron zodat hij achter in de trein zou kunnen stappen als die arriveerde, weg van Roger, Markov en het doelwit.

Markov zei: 'We minderen vaart, naderen Lubyanka.'

'Ik hoor jullie trein.' Will keek uit over het perron. Er kwamen nog meer forenzen bij, en de hele groep dromde samen naar de binnenrijdende trein. 'Wat doet het doelwit?'

'Hij zit nog steeds, maar dicht bij de deuren.'

'Waar zijn jullie?'

'We zitten op een stoeltje, ver genoeg van de uitgang om hem kwijt te raken als hij wegrent zodra de deuren gaan sluiten.'

'Goed.'

De trein kwam langzaam en met veel geknars tot stilstand langs het perron. De deuren gingen open. Niemand stapte uit. Iedereen op het perron begon met instappen. Will liep met de meute mee, dicht achter een stel dat voor hem liep.

Roger sprak rustig en beheerst. 'Hij zit daar nog steeds, kijkt naar de deuren... we hebben net het signaal gehoord dat we gaan vertrekken... deuren gaan dicht... hij zit nog steeds... nu rent hij opeens weg. Hij rent de trein uit!'

Will keek vlug over het perron. Aan het andere uiteinde zag hij de matroos de trein uit sprinten op het moment dat de deuren zich achter hem sloten. In hetzelfde rijtuig stonden Roger en Markov nu met hun handpalmen tegen het raam aan de perronzijde gedrukt terwijl ze hun hoofd schudden en naar het doelwit staarden. Hun toneelstukje leek te werken. Terwijl de trein begon op te trekken, draaide de matroos zich om en stak een vinger naar hen op voordat hij zich omdraaide en wegrende. Hij had Will niet gezien.

Will zei: 'Roger, Markov: jullie volgende station is Kitai-Gorod. Ga daar de metro uit.' Hij liep door een gang totdat hij in de buurt van de stationsuitgang kwam. Het doelwit liep snel en had zijn mobieltje tegen zijn oor gedrukt; het was duidelijk dat hij nieuwe instructies ontving van Razin.

Will volgde hem door de poortjes bij de uitgang en kneep zijn ogen samen tegen het daglicht buiten het station. Het sneeuwde hevig, het was ijskoud, er waren mensen en auto's op straat. Hij hield een afstand van vijftig meter aan achter de matroos en liep net zo snel als hij over de stoep. Na dertig seconden bleef het doelwit staan. Hij hield even zijn telefoon tegen zijn oor, klapte hem dicht en stopte hem in zijn zak. Will wachtte. De matroos keek om zich heen, maar niet achterom naar Will. Achter de man was het Lubyanka-gebouw, het huidige hoofdkwartier van de grensbewaking waar ook een afdeling van de FSB huisde. Maar in het tijdperk van de Sovjet-Unie was het een beruchte gevangenis geweest voor politieke dissidenten en spionnen. Het was de plek waar Sentinel zes jaar lang was opgesloten en gemarteld.

Het doelwit wilde de weg oversteken, maar hij deed een stap terug toen veertien militaire vrachtwagens snel de weg op reden. Voetgangers en auto's stopten om voorrang te verlenen aan het konvooi. Terwijl de colonne langs hen en het doelwit denderde en de sneeuw opspatte vanaf de weg, keek Will snel naar de militaire voertuigen. Ze zaten vol met gewapende paratroepers met hemelsblauwe baretten. Toen de laatste vrachtwagen voorbij was, zag hij dat een van de soldaten achterin hem bekend voorkwam. Opeens herkende hij hem; het was de jonge soldaat die er tijdens de vlucht naar Moskou niet in was geslaagd zijn wapen weer in elkaar te zetten. De man keek niet naar hem maar naar het geweer dat Roger zo kundig voor hem in elkaar had gezet.

Het doelwit stak over. Will deed hetzelfde.

Will sprak in zijn microfoontje. 'We lopen naar het zuidoosten.'

'Je gaat de kant op van onze positie buiten Kitai-Gorod.' Vitali was duidelijk te verstaan.

'En ook onze kant.' Roger klonk alsof hij snel liep of rende. 'We staan op het punt datzelfde station te verlaten.'

Will knikte. 'Roger: jij en Markov zijn gespot dus jullie mogen niet meer te voet gezien worden. Neem Vitali's auto over en rij een paar honderd meter naar het zuiden. Wacht daar.'

'We gaan naar Nikol'skiy pereulok,' zei Markov.

'Oké. Vitali, Laith: ga verder te voet, blijf buiten het station. Korina, het doelwit zou naar de rivier kunnen gaan. Neem de auto en kijk of je daar ergens kunt wachten.'

Nadat hij het doelwit nog een minuut had achtervolgd zag Will het metrostation. Hij inspecteerde alle voetgangers in de buurt en zag Laith links van de ingang staan en Vitali ongeveer tien meter verderop. 'Ik kan jullie beiden zien. Als het doelwit het station in gaat, laat ik me terugzakken zodat jullie voorop kunnen gaan. Ik volg jullie dan het station in. Als hij niet het station in gaat, ga ik voor jullie uit.'

Vitali en Laith wisselden van positie. Niemand zei iets.

De matroos liep naar het station en bleef abrupt staan. Hij stond pal naast Laith. Hij viste zijn mobieltje uit zijn zak en luisterde ernaar. Will keek naar hem, roerloos. Het doelwit klapte zijn mobieltje dicht en bleef lopen. Hij passeerde de ingang en liep verder de straat door. Laith liep achter hem aan. Vitali ging aan de andere kant van de weg lopen om hem te volgen. Will bleef even staan en stak toen snel de weg over. Hij ging een andere straat in en sloeg links af een straat in die parallel liep aan de route van het doelwit. Nu hij uit het zicht was van de matroos, ging hij rennen. Hij ontweek voetgangers op de met sneeuw en ijs bedekte stoep. Onder het rennen passeerde hij een stilstaand voertuig, waar Roger en Markov in zaten.

'Hij loopt nog steeds, in hetzelfde tempo,' zei Vitali.

'Ik moet nu voor je zijn. Laat me weten of hij van de weg afgaat,' antwoordde Will. Hij bereikte het eind van de weg, ging naar links en liep door totdat hij weer op de straat uitkwam waar het doelwit liep. Hij bleef staan. 'Ik ben aan het eind van de weg.'

'Wij zijn halverwege,' zei Laith.

Will begon weg te lopen van het team achter hem.

'Doelwit gaat sneller lopen.' De stem van Vitali klonk rustig. 'William, ik kan je zien en we komen dichter bij jouw locatie. Verhoog je tempo.'

Dat deed Will.

'Doelwit steekt zijwegen over, loopt in rechte lijn verder.' De stem van Vitali klonk luider. 'Korina, we volgen het doelwit in de richting van Moskvoretskaja naberezhnaja, langs de rivier. Waar ben jij?'

'Op die weg, dicht bij de plek waar jouw weg erop uitkomt,' antwoordde Korina.

'Ga naar het oosten voordat hij je ziet,' zei Will snel. Hij bleef vlot doorlopen totdat hij de hoofdweg bereikte en de naastgelegen rivier de Moskva. 'Roger, Markov: ik ga in westelijke richting verder over de weg. Begin te rijden naar mijn locatie.'

Hij liep een tijdje snel en keerde toen terug naar zijn vorige tempo. Het doelwit zou de weg al snel bereiken en Will zou weten of hij nog achter hem liep of dat hij in plaats daarvan linksaf was gegaan naar de locatie van Korina. Een Russische stem, versterkt door een luidspreker, riep iets vlak bij hem. Will bleef roerloos staan en keek in de richting van het geluid. Twee krachtige boten van de rivierpolitie en een kanonneerboot snelden over de rivier, grote stukken ijs opwerpend die op het oppervlak dreven. De Russische man die door de versterker sprak bleef dezelfde zin herhalen. Will keek naar de verschillende burgervaartuigen op de machtige rivier en zag dat ze vaart minderden. Hij begreep wat er gebeurde. Ze kregen te horen dat ze moesten aanleggen, dat uitsluitend militaire boten en politieboten de vaarroute nog mochten gebruiken.

'Doelwit naar links afgeslagen, in oostelijke richting.' De stem van Laith klonk gespannen.

Will vloekte in stilte en verhoogde zijn tempo terwijl hij zei: 'Markov, Roger: kom snel naar mij toe. Ik moet opgepikt worden.'

'We zijn onderweg,' antwoordde Roger.

Will haalde zich de wegenkaart van Moskou voor de geest die hij eerder had bestudeerd. 'Korina, hij gaat de kant op van de brug bij Sadovnicheskiy proyezd. Bevind jij je ten oosten daarvan?'

'Ja. Ik heb mijn auto geparkeerd, hoewel ik niet zeker weet hoe lang ik hier kan stilstaan.'

'Doe wat je kunt. Als hij niet zuidelijk bij de brug over de rivier gaat, komt hij jouw kant op. Roger, Markov: ik heb jullie nu hier nodig.'

'We kunnen je zien.' Markovs zware stem klonk beheerst. 'Begin te rennen, we moeten je met enige snelheid oppikken wat je kunt hier nergens veilig stoppen.'

Will deed wat er werd gevraagd. Auto's passeerden hem maar geen daarvan was van zijn team.

'We zitten honderd meter achter je... nu zeventig... nu vijftig... nu twintig... portier is open... We minderen vaart.' Markov was even stil. 'Kijk nu naar links.'

Will keek opzij, zag de auto en het geopende portier, ging iets sneller sprinten om het voertuig bij te houden en dook op de achterbank. Markov greep zijn arm en trok hem naar binnen. Roger zetten zijn voet op het gaspedaal. De auto slipte over een stuk ijs voordat hij grip kreeg en snel optrok.

Will sloeg het portier dicht. 'Neem de volgende brug en rij dan terug via de andere kant van de rivier zodat we parallel aan het doelwit in oostelijk richting rijden.'

Roger reed snel en bracht hen tot aan het oostelijke puntje van het Rode Plein voordat hij hen via het kruispunt in zuidelijke richting over de rivier reed. Toen ze aan de overkant waren, sloeg Roger links af.

Will keek uit over de rivier. 'We rijden terug jouw kant op, aan de andere kant van de rivier. Waar ben jij?'

Laith antwoordde: 'Doelwit loopt langzamer, zit weer aan zijn mobieltje, ongeveer vijftig meter van Sadovnicheskiy proyezd.' Laith zweeg. 'Wacht, er gebeurt iets.' Meer stilte. 'Hij heeft zijn mobieltje weggestopt. Hij staat stil. Nu kijkt hij naar links en naar rechts de weg over.'

'Hij gaat oversteken en neemt de brug.' Will legde een hand op Rogers schouder. 'We moeten aan de andere kant van de brug zijn voordat hij daar is.'

Roger accelereerde nog meer en zwenkte behendig tussen twee auto's door om hen in te halen.

Vitali sprak. 'Doelwit heeft gezien dat er geen verkeer aankomt. Hij rent over de weg. Als we hem volgen geven we ons bloot want op dit gedeelte steken voetgangers normaal gesproken niet over.'

'Blijf aan jouw kant van de weg.' Will probeerde snel na te denken. 'Korina, kun je omdraaien?'

'Onmogelijk op deze hoofdweg. Maar ik kan de auto verlaten en te voet dichterbij komen.'

'Nee, blijf bij de auto. Het is van groot belang dat we een voertuig hebben aan de noordelijke zijde van de rivier.' Will sprak tegen iedereen. 'Oké, we kiezen positie zodra het doelwit de zuidelijke kant van de brug heeft bereikt. Als we weten waar hij naartoe gaat, zal ik jullie nieuwe informatie geven zodat we onze formatie kunnen aanpassen.'

'Hij zit aan de noordelijke kant van de brug.' De stem van Laith klonk kalm. 'Hij rent niet meer maar loopt nu in snel tempo. We staan nu stil. Hij is vijftig meter van ons verwijderd. Op de brug rijdt matig druk verkeer in beide richtingen. Hij loopt verder.'

Will kon de brug zien. Dringend vroeg hij Roger: 'Kun je hier ergens stoppen?'

'Moeilijk, maar ik zal mijn alarmlichten aanzetten en doen alsof ik pech heb. Als er politie of andere beambten komen, regel ik het wel.'

Will knikte. 'Vitali, Laith: wat is jullie laatste informatie?'

'Hij loopt langzamer...' Vitali zweeg even, '... hij blijft halverwege de brug staan.'

'Staan?'

'Ja. Nu kijkt hij om zich heen.'

Will voelde zijn hart bonzen. 'Met zijn mobieltje bij de hand?'

'Nee.'

Roger stopte op de harde wegberm. Will sprong uit de auto, stak een hand in zijn zak en greep zijn pistool beet. Roger en Markov verlieten de auto eveneens. Will keek in de richting van de brug. 'Aan allen, de brug is het waarschijnlijke ontmoetingspunt. Ik herhaal, brug is ontmoetingspunt.' Hij wierp een blik in de richting van Markov. 'Kom met mij mee. Roger, blijf bij de auto.'

Roger leek boos. 'Ik moet bij jou blijven.'

Will schudde ongeduldig zijn hoofd. 'De kans is nu erg groot dat Taras het doelwit oppikt met een auto. Als dat gebeurt ben jij de enige ten zuiden van de rivier die hem kan achtervolgen en aanhouden. Het is van het grootste belang dat jij bij je voertuig blijft.'

Roger glimlachte; zijn woede was op slag verdwenen.

Will en Markov liepen over de weg tot ze dicht bij de brug waren.

'Hij blijft nog steeds staan. Hij probeert een sigaret op te steken,' zei Laith.

'Ik zie nog een andere voetganger op de brug.' Nu was het Vitali die sprak.

Will en Markov bleven meteen staan.

'Hij komt van de zuidelijke kant... grote vent...' Vitali zweeg. Zijn volgende woorden klonken verward. 'Hij lijkt hier niet op zijn plaats... niet in dit weer. Hij draagt geen jas.'

'Voertuig?' snauwde Will.

'Geen, afgezien van burgervoertuigen die over de brug rijden.'

Will begon te sprinten en trok zijn pistool. 'Hij is het! Hij is het!' Hij laadde zijn wapen door. 'Laith, Vitali: ga dichter naar de brug toe zodat jullie kunnen ingrijpen, maar blijf voorlopig uit het zicht van het doelwit!'

Markov rende snel naast hem mee. Hij hield zijn pistool op heuphoogte vast.

Will bereikte de brug en liep erop. Hij zag auto's, zware sneeuwval, nog meer militaire vaartuigen op de rivier onder hem en een

240

man die in gestaag tempo met zijn rug naar hem toe liep, niet meer dan zeventig meter bij hem vandaan. Will bleef staan en greep Markov bij zijn arm om hem tegen te houden. 'Wacht, wacht.'

De man bereikte het doelwit en bleef pal naast hem staan.

'Zo te zien zeggen ze iets tegen elkaar.' Will hield zijn vingers tegen het microfoontje bij zijn kraag. 'Geen andere voetgangers op deze brug. Maar waarom is hij hier in godsnaam zonder voertuig en zonder overjas?'

'Wij staan aan de andere kant van de brug,' zei Vitali. 'We kunnen hen beiden zien. Ze spreken inderdaad met elkaar. De grote man haalt iets tevoorschijn... kan niet zien wat het is.'

'Ik ook niet,' vulde Laith aan.

'Grote man legt hand op schouder van doelwit...' Vitali klonk volkomen in de war. '... doelwit probeert hem af te schudden... probeert weg te lopen... grote man trekt hem naar zich toe... iets in de hand van de grote man...'

In een flits begreep Will wat er aan de hand was. 'Het is een moordaanslag! Tussenbeide komen! Nu!'

Hij sprintte over de brug en negeerde aanstormende burgervoertuigen die claxonneerden. Zijn voeten gleden weg op de sneeuw en het ijs onder hem maar hij bleef overeind en rende nog sneller. Markov liep aan zijn zijde, met zijn pistool nu op ooghoogte.

Will hief zijn wapen om te schieten. Hij was maar vijftig meter van hem verwijderd. Terwijl hij dat deed draaide de grote man zich naar hem toe, daarbij de matroos als schild gebruikend.

Het was Razin.

In een flits hief de Rus een pistool. Hij vuurde drie kogels op Will af. Een van de kogels vloog langs Wills gezicht precies op het moment dat hij en Markov achter een voorbijrijdende auto doken die slippend tot stilstand was gekomen. Hij stond op en zag de matroos achter de auto op de grond liggen. Hij werd omgeven door met bloed doordrenkte sneeuw. Achter het lijk sprintte Razin weg, heen en weer zwenkend tussen de auto's door.

Will en Markov renden achter hem aan. Markov schreeuwde: 'Vitali, Laith: hij komt recht op jullie af.'

Ze konden maar een glimp van Razin opvangen, te kort om goed op hem te kunnen richten. Ze hoorden nog twee schoten van de andere kant van de brug, gevolgd door Vitali die 'Fuck!' riep.

Toen ze de overkant van de brug hadden bereikt zagen ze Vitali op zijn knieën zitten, zijn gezicht verwrongen van de pijn, met een hand op zijn been. Laith rende langs de rivier, hij vuurde vier schoten af.

'Wat is er gebeurd?'

Vitali antwoordde met opeengeklemde kaken. 'Het is maar een vleeswond, maar ik ben er wel door neergevallen.'

'Oké, ga naar Roger. Markov, met mij mee.'

Laith schreeuwde iets, zo goed als buiten adem. 'Ik ren in oostelijke richting op de weg ten noorden van de rivier. Kan hem niet zien.'

Roger sprak. 'Ik ben uit de auto gestapt en ik ga ook naar het oosten. Ik controleer de zuidelijke oever.'

'Ik ben op de noordelijke oever, ongeveer tweehonderd meter van jullie positie. Zes militaire vrachtwagens zijn me net voorbij geraasd. Ze reden in de richting van de brug,' zei Korina.

'Blijf bij je voertuig, Korina.' Will vond dat in ieder geval één lid van zijn team mobiel moest blijven.

'GRU! GRU!'

Will keek naar de locatie van Roger op de zuidelijke oever. 'Wat gebeurt er?'

Stilte.

'Wat gebeurt er?'

Meer stilte.

Toen het geluid van schoten.

'Ik word...' Roger schreeuwde boven het geluid van snel opeenvolgde geweervuur uit, '... aangevallen. Politie en soldaten.'

Will zag lichtflitsen op de zuidelijke oever; het geluid van de schoten in zijn oordopje was nu constant.

Korina schreeuwde: 'Ik kan gaan rijden, proberen om een plek te vinden waar ik kan keren en proberen jullie op te pikken.'

'Nee!'

'Ik ben bij Roger, we worden naar het oosten gedrongen,' zei Vitali.

Will tuurde ingespannen voor zich uit. Hij sprintte zo snel hij kon maar hij had geen idee of hij Razin nog steeds volgde. 'Laith. Nog nieuws?! Ik heb geen visueel contact. Ik herhaal, geen visueel contact.'

'Niets.'

Ze waren hem kwijt.

Will werd overmand door frustratie. 'Verdomme! Verdomme!' Hij bleef rennen. 'Laith, Markov: steek de volgende brug over en haal Roger en Vitali weg.'

'Je kunt niet in je eentje achter hem aangaan.'

'Doe gewoon wat ik zeg!'

Markov verwijderde zich van Will en stak de eerstvolgende brug over. Niet veel later dook Laith op de brug op. Hij rende in volle vaart, pistool in de hand.

Will bleef doorrennen over de weg.

Tien seconden later schreeuwde Markov: 'We gaan in zuidoostelijke richting via de Sadovnicheskaya ulitsa.'

De stem van Laith klonk. 'Vitali, Roger: we zijn nu aan de zuidzijde van de rivier. We moeten bij jullie in de buurt zijn.'

Roger sprak met stemverheffing om boven de geweerschoten en het automatisch geweervuur uit te komen. 'Er zitten ongeveer honderd soldaten achter ons aan.' Zijn woorden klonken vervormd; het was duidelijk dat hij pijn leed.

Nog meer zwaar geweervuur.

'We kunnen jullie zien. Jullie komen recht op ons af,' schreeuwde Laith.

Will stopte op een kruising. Hij keek verwoed alle kanten op. Dit was hopeloos. Razin was verdwenen.

'William.' Korina's stem klonk wanhopig. 'Moet ik naar het team gaan?'

'We zijn nu allemaal samen,' zei Laith. 'Ze zijn met te veel. William, we gaan ze weglokken van jou door hen in zuidelijke richting mee te nemen via Novokuznetskaja ulitsa.'

Will vloekte en bleef langs de rivier rennen.

'Magazijnen verwisselen.' Hij kon horen dat Roger rende. 'Laatste clip zit er nu in. Ik zal jullie allemaal dekking geven. Ren twintig seconden achter me aan, geef me daarna dekking als ik me terugtrek.'

Een paar tellen later schreeuwde Vitali: 'In positie en klaar om je te dekken. Ga.'

'Nog twee vijanden neer, nu drie.' Laith sprak boven het lawaai van drie schoten uit zijn pistool uit.

Markov vloekte. 'Nog meer sirenes, versterkingen.'

'Bijna geen munitie meer... laatste clip.' Dat kwam van Vitali.

Will bleef staan. Hij was misselijk van het gevoel gefaald te hebben. 'Ik ben hem kwijt. Ik kom naar jullie toe.'

Roger antwoordde onmiddellijk. 'Ga naar Korina. Ga de stad uit.'

'Ik kom naar jullie toe,' herhaalde Will.

'Nee, dat laat je verdomme uit je hoofd! We zijn nu aan alle kanten omsingeld. Jouw aanwezigheid maakt niets meer uit.'

Will trok zijn pistool. 'Geef me je locatie. Ik kom naar je toe.'

'Nee.'

'Geef me je locatie!'

Roger zuchtte. Er klonken weer schoten. 'We zitten op Novokuznetskaja ulitsa. Ongeveer zevenhonderdvijftig meter ten zuiden van de brug waar Taras die matroos heeft vermoord. Maar in godsnaam, kom hier niet naartoe...' Hij werd onderbroken door een hevige kogelregen. 'Blijf uit de buurt.'

Will liep naar de volgende brug, rende eroverheen en liep in zuidelijke richting naar de kant van het geweervuur. Hij rende door woonstraten, wegen met bedrijven en wegen met kantoorgebouwen. Aangestampte sneeuw bedekte de wegen en stoepen en voetgangers stonden in elkaar gedoken in portieken, schuilend voor het vuurgevecht dat verderop plaatsvond. Sommigen staarden naar Will terwijl hij langs rende zonder een poging te doen zijn pistool te verbergen. De burgers leken verstijfd van schrik.

Will had geen gedetailleerde kennis van de stad nodig om te weten waar hij naartoe ging. Hij hoefde alleen maar het geluid van het vuurgevecht te volgen. 'Ik ben nu heel dichtbij. Als ik de vijandelijkheden zie, open ik het vuur en probeer ik een paar van die lui bij jullie weg te lokken.'

'Ze zijn met te veel.' Laith klonk geërgerd. 'We zijn helemaal ingesloten.'

Het geweervuur klonk nu heel dichtbij. Will minderde vaart terwijl hij de bocht naar de Novokuznetskaja ulitsa naderde. Hij bereikte de straat, bleef staan en drukte zich tegen de gevel van een gebouw. Het wemelde van de soldaten en de politie. De meesten gebruikten de dekking van portieken en voertuigen om op zijn team te schieten. Halverwege de straat zag hij een glimp van de vierkoppige CIA-GRU-eenheid. Ze waren ongeveer negentig meter van hem verwijderd en gebruikten alle dekking die ze konden vinden om het vuur te beantwoorden. Achter hen waren nog meer soldaten. Will ging van de straat af en probeerde wanhopig te beslissen wat hij moest doen. Zelfs als hij ging schieten, zou hij slechts een paar van de ongeveer tweehonderd manschappen naar zich toe trekken. Roger had gelijk. De toestand was hopeloos. Hij wierp nogmaals een blik in de straat met de soldaten en zijn team. Hij sprak zijn mannen toe. 'Het spijt me. Hou op met schieten. We hebben gefaald. Geef je over.'

Het was een tijdje stil.

Toen sprak Roger tot zijn kameraden. 'Schakel je communicatiesysteem over op een willekeurig ander kanaal zodat ze William en Korina niet kunnen traceren. Houd je mond dicht, wat de soldaten je ook aandoen.'

Er gingen nog een paar tellen voorbij voordat Markov iets in het Russisch schreeuwde. Toen liep hij een portiek uit, met zijn handen op zijn hoofd. Laith dook op uit een andere portiek en smeet zijn pistool op straat. Roger kwam achter een voertuig vandaan met uitgestrekte armen, zijn handpalmen naar de soldaten gericht. Uit een van zijn ledematen droop bloed. Vitali kwam naast hem lopen met zijn armen hoog in de lucht en schreeuwde nog wat naar de soldaten. De troepen en politiemensen naderden de vier mannen; allen hadden hun wapens op het team gericht. Een van de agenten riep met barse stem instructies. Roger ging op zijn knieën zitten, daarna deed de rest van het team hetzelfde. De troepen renden naar voren. Terwijl ze dat deden, keek Roger naar Will en glimlachte.

De politiemannen en de soldaten grepen de mannen beet, draaiden hun armen op hun rug en deden ze plastic handboeien om. Een soldaat sloeg de kolf van zijn geweer tegen Laith' hoofd. De CIA-officier viel terug op de grond. Zijn hoofd zat onder het bloed. Een ander stak de mond van zijn wapen in Markovs maag, waardoor de Spetsnaz-man dubbelklapte en overgaf. Een politieofficier met de rangtekens van kapitein stapte naar voren en schreeuwde naar de soldaten. Het was duidelijk dat hij hen berispte voor hun brute gedrag. Sommigen van de soldaten en de politiemannen grepen de teamleden vast en trokken hen overeind. Aan de andere kant van de straat trok een militaire viertonner op. De kapitein wees ernaar en schreeuwde bevelen. De mannen van Wills team werden er langzaam naartoe gebracht. Handen hielden hen vast, en de rest van het leger en de politie bleven hun wapens gericht houden op de gezamenlijke Russisch-Amerikaanse inlichtingen-eenheid. Toen ze achter in de vrachtwagen werden geladen, wierp Will een laatste blik op zijn mannen. Hij wist dat ze gevangengezet zouden worden, wreed zouden worden gemarteld en geëxecuteerd.

Hij keerde zich misselijk van de straat af. Meer dan wat dan ook wenste hij dat hijzelf gevangengenomen was in plaats van zijn team. Hij stak zijn pistool weg, draaide zich om en liep weg. Zijn gezicht deed pijn van het schampschot, maar dat kon hem niets schelen.

De sneeuw viel nog heviger neer. De lucht werd kouder. Hij passeerde voetgangers die nu weer de straat op gingen en naar elkaar riepen. Ze negeerden hem en wezen in de richting van de Novokuznetskaja ulitsa. Mannen, vrouwen, kinderen, oud en jong.

Hij hoorde de stem van Korina in zijn oordopje. Ze vertelde hem waar ze was en wat hij moest doen. Bij elke stap die hij in de richting van haar locatie zette, voelde hij zijn maag verkrampen.

Hij had nog één optie om Razin te vangen. Maar de gedachte aan die mogelijkheid deed hem walgen.

37

Ze reden naar het zuiden, weg van Moskou en waren nu twee uur onderweg. Korina zat achter het stuur; Will zat naast haar. Het was halverwege de ochtend, hoewel de hemel donker was en het hevig sneeuwde. Will had geen idee waar ze naartoe reed. Hij had niet de moeite genomen het te vragen en het kon hem ook niets schelen. Hij zat daar maar te zwijgen, misselijk van het gevoel gefaald te hebben. Tijdens de reis hadden ze de stad geleidelijk aan zien overgaan in buitenwijken en inmiddels reden ze door bebost platteland. Will keek naar de omgeving en wist dat hij de met sneeuw bedekte bomen en de glooiende heuvels normaal gesproken mooi zou vinden, maar nu kon hij zich alleen voorstellen hoe het landschap om hem heen eruit zou zien na een alles verwoestende oorlog.

Korina minderde vaart en sloeg af. Ze reed een smalle weg in die het bos in leidde. Ze reed nog tien minuten door en stopte toen voor een groot achttiende-eeuws huis. Ze draaide zich naar Will. 'Het huis van mijn vader. Ik kon geen andere plek bedenken.'

Will stapte uit en haalde zijn tas en zijn Bergen-rugzak uit de kofferbak. Korina pakte haar tas, liep naar de voordeur, voelde aan de hendel en merkte dat de deur op slot zat. Ze keek Will aan. 'Wacht hier.' Ze verdween om de hoek van het huis en kwam een minuut later weer terug. 'Pa hield altijd een sleutel verborgen in de schuur.' Korina opende de deur en liep naar binnen. Will kwam achter haar aan.

Hij liep door een brede gang met schilderijen in gouden lijsten, langs een majestueuze trap met rood tapijt, langs een studeerkamer, een grote keuken met een ontbijttafel die was gedekt voor zes personen en een grote eetkamer met salon. Aan een kant van de kamer stond een Bechstein-vleugel, erbovenop lag een viool en strijkstok en in een standaard ernaast stond een cello. Korina liep achter een eikenhouten eettafel om waar een kroonluchter boven hing naar een luxueuze leren driedelige zitcombinatie, liet haar tas op de grond vallen en liet zich in een van de fauteuils zakken. Ze haalde beide handen door haar haar en keek om zich heen. 'Ik ben hier een tijdje niet geweest, maar er is niets veranderd. Ik betaal nog steeds iemand om hier een keer per week schoon te maken en ik heb zelfs de vriezer en de kasten volgeladen met eten voor het geval... ach, ik weet ook niet waarom.' Ze knikte naar de instrumenten. 'Als kind begeleidde mijn vader me tijdens mijn vioolspel.' Ze glimlachte flauwtjes, hoewel haar ogen droevig stonden. 'Ik denk dat hij zijn best heeft gedaan om een echte dame van me te maken, maar uiteindelijk heeft hij het opgegeven en toegestaan dat ik mijn eigen weg volgde.' Haar glimlach verdween. 'Maar het moet moeilijk geweest zijn voor hem om te zien dat zijn kleine meisje zo was.'

Will knikte langzaam en keek om zich heen. Er hingen foto's aan de muren. Hij zette zijn rugzak en reistas neer en liep hij ernaartoe. Op een van de foto's was een jongere Korina te zien: ze zag eruit als begin twintig. Ze droeg een legeruniform en te oordelen naar haar rangtekens was ze een jonge luitenant.

In een hoekje van een van de foto's stond iets in cyrillisch handschrift.

Voor mijn lieve Korina. Ik ben heel trots op je.

'Die is genomen op de dag dat ik afstudeerde aan de GRU-trainingsschool,' riep Korina. Haar stem werd zachter. 'Hoewel mijn vader geschokt was door de carrièrekeuze die ik had gemaakt, was hij die dag heel trots op me.' Ze vervolgde met luidere stem: 'Ik moet even naar je wond kijken.'

Will wilde tegensputteren maar Korina wuifde hem weg met haar hand, stond op en liep naar hem toe. Ze greep zijn hand en zei: 'Dit huis zit vol met medische voorraden.' Ze leidde hem de kamer uit, de trap met het rode tapijt op naar een grote badkamer. Ze draaide hem haar rug toe, haalde wat spullen uit een kast tegen de muur en legde die bij de wasbak. Toen trok ze haar jasje en blouse uit. Eronder droeg ze een wit hemd. Ze stak een sigaret in haar mond. Nadat ze die had aangestoken, greep ze wat spullen en liep op hem af. 'Ga op de grond zitten alsjeblieft.'

'Ik kan die wond zelf wel verzorgen.'

'Dat zal vast wel.' Korina sprak met de sigaret tussen haar tanden.

'Of je kunt het mij laten doen. Je mag zelf kiezen.'

Will keek haar een tijdje aan voordat hij zich op de grond liet zakken.

Korina ging tegenover hem op haar hurken zitten, en streek voorzichtig watten gedrenkt in een ontsmettingsmiddel over de snee op zijn gezicht. Met andere watten veegde ze het aangekoekte bloed rond de wond weg. Tot slot plakte ze er pleisters op om de wond te sluiten. 'Het zal wel een litteken blijven.'

Will stond op en Korina deed hetzelfde. Ze liep terug naar de wasbak, doofde haar sigaret, trok haar onderhemd en beha uit en vulde de bak met heet water. Met haar rug naar Will begon ze zich te wassen. 'Ik ga vanavond wel echt in bad. Maar eerst wil ik wat eten voor je klaarmaken, en dat kan niet zonder een wasbeurt.' Ze smeerde zich in met zeep voordat ze haar handen tot een kom vormde en water over zich heen spoelde. Ze greep een handdoek, draaide zich om naar Will en stond stil. Water drupte van haar naakte bovenlichaam omlaag naar haar broekband.

Will keek naar haar gezicht, haar lange zwarte haar, haar slanke armen en schouders en haar volle borsten. Hij bewoog zich niet toen zij op hem toe liep, de handdoek op de grond liet vallen en haar armen om hem heen sloeg.

Terwijl ze haar lippen dicht bij de zijne bracht, fluisterde Korina: 'Vitali en Markov zullen niet doorslaan bij een ondervraging, maar de GRU weet dat ik hen heb geleend van hun Spetsnaz-eenheid. Dat betekent dat de FSB een arrestatiebevel voor mij heeft uitgevaardigd.' Ze hief haar hand op naar zijn gezicht en streek met haar vingers zachtjes over zijn wang. 'Mijn leven is voorbij, tenzij ik uit Rusland kan ontsnappen.' Ze trok hem dicht tegen zich aan, kuste hem vol op de lippen, hield hem strak tegen zich aan, drukte haar borsten tegen zijn lichaam.

Heel even kwam Will in de verleiding om alles te vergeten, om Korina vast te houden, haar lichaam op te tillen en haar in zijn armen te wiegen, om haar naar een slaapkamer mee te nemen en haar zachtjes op het bed neer te vleien. In plaats daarvan maakte hij zich van haar los en zei: 'Kleed je aan.'

Korina fronste haar wenkbrauwen. Haar ogen waren vochtig. 'Ik dacht...' ze staarde hem een tijdje aan voordat ze de handdoek van de vloer opraakte. Ze sloeg hem om haar schouders en schudde haar hoofd. Er was nu frustratie op haar gezicht te lezen. 'Dat was dom van me.'

Will zuchtte. 'Nee.' Even wendde hij zijn blik van haar af, zichzelf in stilte vervloekend. Toen keek hij haar langdurig aan. 'Ik moet me opfrissen en schone kleren aantrekken. Daarna zal ik je helpen met koken.'

Na een bad en nadat hij zich had omgekleed in schone, arctische gevechtskleding en gevechtslaarzen, liep Will naar de keuken. Korina was daar al bezig. Ze ontdooide een hele kip en voorverpakte groenten in een magnetron. Ze pakte al het eten en spreidde het uit op een grote snijplank.

Ze staarde ernaar en mompelde: 'Ik besef nu opeens dat ik nog nooit voor een man heb gekookt.' Ze bleef naar het eten kijken en leek onzeker wat nu te doen.

Will kwam naast haar staan, stak het gas aan, zette er een diepe braadpan op en pakte een groot keukenmes en een snijplank. Vakkundig pelde hij sjalotjes die hij in schijfjes sneed en in de pan deed met olijfolie en boter. Toen beende hij de kip uit en sneed die in stukken, bakte hem met gekneusde knoflook, peper en fijngehakte kruiden. Hij goot rode wijn in de pan en liet de alcohol verdampen. Daarna proefde hij de jus en deed er wat zout en suiker bij.

Hij keek naar Korina. 'Het is geen vijfsterrengerecht, maar het zal best smaken bij rijst of aardappelen.'

Korina keek verbaasd. 'Het ziet er beter uit en ruikt ook beter dan iets wat ik ooit had kunnen maken. Waar heb je leren koken?'

Will haalde zijn schouders op. 'Voor een van mijn vakken op school moest ik kiezen tussen metaalbewerking en koken. Ik heb voor het laatste gekozen omdat ik wist dat ik de enige jongen zou zijn in een klas vol tienermeisjes.' Hij glimlachte. 'Het gaf me zekere voordelen.'

Een half uur later zaten ze aan de eettafel en aten ze in stilte hun maaltijd. Korina leek afwezig en niet op haar gemak. Toen ze klaar waren met eten, keek ze uit het raam en mompelde: 'Ik heb frisse lucht nodig. Ga je mee?'

Ze liepen de ruime tuin in. Het sneeuwde nu minder hevig, hoewel er nog steeds grote sneeuwvlokken door de lucht dwarrelden. Ze kwamen bij een grote eikenboom, waar aan een van de takken een schommel hing. Korina ging erop zitten en keek naar de met sneeuw bedekte grond. 'Mijn vader hield van dit land, maar stiekem haatte hij de manier waarop het werd geregeerd. Hij geloofde dat Rusland een betere plek om te leven zou worden nadat het communisme was ineengestort. Maar hij zag dat het land een kweekvijver was geworden voor de ergste excessen van kapitalisme, voor gekken die nergens voor terugdeinsden om geld te verdienen. De laatste jaren heb ik gezien dat hij gelijk had.' Will keek een tijdje zwijgend naar haar en ging toen voor haar staan. 'Dus zo heeft mijn collega van MI6 jou gekregen. Hij ontdekte dat je net als je vader een hekel had aan het regime van je land.'

Het was avond. Will zat alleen in de eetkamer. Hij haalde de inhoud van zijn rugzak leeg en legde alles op de grote tafel. Hij besefte dat die rugzak bedoeld was geweest voor een Spetsnaz-man die moest opereren in ruig, woest terrein. Voorzichtig legde hij alles op tafel: twee ijsbijlen, klimijzers, een kleine schop, een slaapzak van puur dons, onder- en overhandschoenen, thermisch ondergoed, een witte fleecejas, een wollen muts, een sneeuwbril, een waterdichte broek, een kompas, een eerstehulpsetje en een militair mes.

Hij haalde zijn AS Val-automatisch geweer uit elkaar en controleerde de werking van alle onderdelen, zette er de geluiddemper op, controleerde zijn MR-445 Varjag-pistool, vulde zijn reservemagazijnen opnieuw en testte het tactische communicatiesysteem dat hij en Korina eerder die dag in Moskou hadden gebruikt.

Korina kwam binnen, blootsvoets en gekleed in een ruime flanellen broek en een flodderige sweater met V-hals en niets eronder. Haar haar was vochtig; ze rook naar shampoo en zeep. Ze liep naar de open haard, legde er aanmaakblokjes, twijgen en houtblokken in en streek een lucifer aan om het vuur aan te krijgen. Bij het drankkastje schonk ze grote bellen Château de Beaulon-cognac in twee grote glazen. Ze gaf Will een van de glazen en ging op de grond voor het vuur zitten.

Ze nam een slok en keek hem aan. 'Jij noemt hem Sentinel, ik ken hem als Gabriel. Ik heb altijd geweten dat het niet zijn echte naam is, net zoals jij niet echt William heet, maar dat heeft me nooit iets kunnen schelen.' Ze tuurde in het vuur, walste de cognac onder haar neus en nam nog een slok. Het vuur knapte en wierp een flakkerend licht over haar gezicht. 'Uiteraard ken ik de identiteit van zijn andere Russische agenten niet, maar ik wed dat ze allemaal net zo over hem denken als ik. Hij geeft ons heel veel hoop.'

Will nipte van zijn drank en hield zijn blik op Korina gericht. 'Hij zal nu na marteling erg snel breken. En als hij doorslaat, is er iets wat jij moet weten. Hij zal bellen en vragen of hij je kan ontmoeten. Hij zal hetzelfde doen met de twee andere agenten. Vervolgens zal Taras jullie allemaal proberen te vermoorden.'

Korina keek geschokt. 'Ik...'

Will onderbrak haar met een handgebaar. 'Ik ga niet toestaan dat je in de buurt van Razin komt. Zodra ik de tijd en locatie van de ontmoeting heb, ga ik ernaartoe om de boel in de gaten te houden.'

'Ik ga met je mee.'

'Nee.'

Korina keek hem scherp aan. 'Ik ben een professionele inlichtingenofficier. Ik ga hier niet zitten niksen.'

Will zuchtte. 'Het is te riskant.'

'Dat is hier blijven ook! De GRU en FSB zouden me hier kunnen zoeken terwijl jij weg bent. En bovendien...' Ze zette haar glas neer en knoeide een beetje cognac op de vloer. 'Taras heeft mijn vader vermoord. Ik wil er bij zijn.' Ze keek Will recht in de ogen. 'Ik zál erbij zijn.'

Will vroeg zich af wat hij moest zeggen. Er schoot hem niets te binnen omdat hij precies begreep hoe Korina zich voelde. Hij ging naast haar zitten bij de open haard en legde zijn hand op de hare. Ze sloot haar vingers rond de zijne.

Zo bleven ze zitten, zwijgend, slechts elkaars hand vasthoudend, starend in het niets.

Beiden medewerkers van de inlichtingendienst.

Vluchtelingen.

En met niemand anders in hun leven.

Will trok zijn kleren uit, deed het licht uit en ging op het logeerbed zitten.

Hij probeerde zijn gepijnigde lichaam te ontspannen en alle gedachten uit zijn hoofd te zetten. Maar de beelden bleven door zijn hoofd razen.

Hij zag een Russisch bemanningslid van een onderzeeër op de grond liggen met opengesneden lichaam, een oude vrouw die uit elkaar werd gereten door een explosie, een militaire commandant die een toost uitbracht op vrede, een nobel maar arm echtpaar dat hun laatste eten weggaf, een generaal die vakkundig de werking van een pistool inspecteerde, het dode lichaam van een Schot dat werd achtergelaten voor de dieren, vier Amerikanen en Russen die hun wapens op de grond gooiden en zich overgaven aan de troepen die hen hadden omsingeld en hij zag een Engelsman die met een hand over liggende patronen voor zijn pistool streek met een uitdrukking van totale droefheid op zijn gezicht.

Hij vroeg zich af of die beelden nu iets betekenden.

Hij werd overmand door onzekerheid en wanhoop. Hij had het gevoel dat het lot van Amerika en Rusland op zijn schouders rustte.

Hij ging staan, keek naar het bed en liep naar het raam. Het was donker buiten; hij kon niets zien, maar toch bleef hij staan, alleen maar kijkend.

Hij dacht aan Korina. Ze had zo veel risico's voor hem genomen en toch had hij haar afgewezen. Die beslissing leek hem nu helemaal verkeerd, want hij wist dat ze zich tot elkaar aangetrokken voelden.

En ze wisten beiden dat ze morgen dood konden zijn.

Hij keerde zich van het raam af, liep de kamer door, opende de deur en bleef stilstaan. Aan de andere kant van de gang lag nog een slaapkamer. De deur was dicht. Korina was daarbinnen. Hij staarde bijna twee minuten naar de deur voordat hij een beslissing nam.

Het was de juiste beslissing.

Hij stak de gang over en klopte op haar deur.

Ze stond nu voor hem, gehuld in haar badjas.

Een nauwelijks waarneembaar glimlachje op haar gezicht.

Een knikje van haar hoofd.

Een heel klein stapje zijn kant op.

Will bewoog zich naar haar toe, hield haar even vast, tilde haar lichaam op zodat ze in zijn armen lag, kuste haar hartstochtelijk op de lippen en droeg haar voorzichtig terug de slaapkamer in.

38

Het was zes uur in de ochtend. Het was zo goed als zeker dat Sentinels geest inmiddels gebroken zou zijn. Over twee dagen zouden de Ohio-onderzeeërs de Russische wateren bereiken. Will had zich aangekleed en schonk koffie in in de keuken. Terwijl hij de dampende mok naar zijn mond bracht, rook hij de geur van Korina op zijn hand.

Toen ze binnenkwam, droeg ze een jasje, een lange broek en wandelschoenen; haar haar was opgestoken en ze had make-up opgedaan. Ze sloeg een arm om zijn middel, kuste hem in de nek, pakte een mok koffie en liep naar de andere kant van de kamer. Ze zette de televisie aan en zapte langs de zenders tot ze een nieuwsprogramma had gevonden. Will keek naar het scherm en zag dat de Russische president een persconferentie gaf. Zijn toon was plechtstatig. Onderaan op het scherm werden zijn woorden vertaald in het Engels, Frans en Chinees. Will las de Engelse ondertiteling en voelde hoe zijn maag zich samentrok.

De diplomatieke relaties met de Verenigde Staten van Amerika zijn verbroken. We doen er alles aan om deze situatie ongedaan te maken en we hopen dat Amerika hetzelfde doet. Het staat vast dat Rusland niets heeft gedaan om deze politieke catastrofe te veroorzaken. Wat er ook gebeurt, ik beloof alle Russen dat ik u zal blijven dienen met onwrikbare loyaliteit. Moge God het vaderland zegenen en beschermen.

Korina zette de televisie uit. Ze bracht de koffiemok naar haar mond. Haar hand trilde. 'Wat er ook gebeurt, ik kan niet in Rusland blijven. Denk je dat MI6 me in Engeland onderdak zal geven?'

Will knikte. 'Uiteraard. Ze zullen je niet in de steek laten met het risico dat je in de gevangenis belandt of...'

'Of wordt geëxecuteerd.' Korina fronste haar wenkbrauwen. 'Ik ben nooit in Engeland geweest. Ik zou niet weten waar ik moest wonen.'

Will bleef haar aankijken. 'Met Londen is niks mis.' Hij glimlachte. 'Ik heb een appartement dat uitkijkt op de Theems. Daar zou je kunnen wonen.'

Korina kwam dichterbij en pakte zijn handen. 'Dat is een aardig aanbod.'

'Mijn huis kan wel een vleugje vrouwelijkheid gebruiken. Het zou veel schelen als jij daar woonde.'

Korina glimlachte maar schudde haar hoofd. 'Een vleugje vrouwelijkheid?'

Will lachte. Hij stelde zich voor dat Roger hem nu zou zien. Hij probeerde gauw aan iets anders te denken. 'Ik ben vaak weg. Die woning wordt nauwelijks gebruikt.'

Korina liep naar hem toe, legde een hand tegen zijn wang en maakte toen haar halsketting los. Ze hield de ketting en het medaillon voor hem op, een glimlach op haar gezicht. 'Je mag het medaillon pas openen als we in je appartement zijn.'

Will nam het halssnoer aan, knikte en stopte het in een binnenzak.

Ze pakte haar koffie en staarde naar haar mobieltje op de keukentafel. 'Ik heb mijn gewone telefoon vernietigd omdat ik weet dat de GRU zal proberen het signaal te traceren. Maar deze telefoon heb ik gekregen van Sentinel. Alleen hij heeft het nummer.' Ze keek om zich heen. 'Mijn vader en ik hebben jaren samen doorgebracht aan deze tafel. Wat zou hij nu van me denken?'

Will vroeg zich even af wat hij moest antwoorden. Hij besloot haar te zeggen wat hij werkelijk dacht. 'Hij zou trots op je zijn.'

Korina keek hem aan. 'Ja, ik weet zeker dat hij dat zou zijn.' Ze glimlachte, hoewel ze een getergde uitdrukking op haar gezicht had. 'Zijn kleine meisje...'

Ze waren een tijdje stil. Buiten viel dichte, hevige sneeuw en de bomen in de tuin deinden op de harde wind, maar de geluiden van het slechte weer drongen niet door tot in de keuken. In de hele kamer was het stil.

Maar toen niet meer.

Een elektronisch piepgeluid weerklonk in de keuken. Het geluid ging vergezeld van een knipperend lichtje.

De telefoon van Korina ging over.

Will pakte zijn eigen mobieltje op en staarde er even naar. Er hing zo veel af van het telefoontje dat hij op het punt stond te plegen. En zo veel hing af van de man aan de andere kant van de lijn. Twijfels schoten door zijn hoofd. Misschien zat de man nu in een vliegtuig, in een vergadering, sliep hij, had hij vakantie of deed hij iets anders waardoor hij niet kon opnemen.

Zijn vingers trilden terwijl hij de nummers begon in te toetsen.

Toen hij het laatste cijfer had ingetoetst bracht hij de telefoon bij zijn oor.

De telefoon ging één keer over.

Drie keer.

Wills hart bonkte.

Zes keer.

Zeven keer.

Klik.

De man nam op.

39

Will reed de Toyota Prado in noordoostelijke richting naar de stad Shatura. Korina zat naast hem en inspecteerde de onderdelen van haar pistool. De SUV was van haar vader geweest en verkeerde in onberispelijke staat. Hij had een voorraadje benzine in een reservetank aan boord plus een aantal jerrycans. Naast de navigatie op het dashboard stond een verschoten foto van Korina en haar vader; ze droegen ski's en wintersportkleren en stonden glimlachend op een met sneeuw bedekte helling. Ingeklemd tussen de deur en Wills stoel lag het AS Val automatisch geweer met geluiddemper.

Hun bestemming lag achter Shatura. Sentinel had Korina een exacte routebeschrijving gegeven naar de geïsoleerde boerderij die honderddertig kilometer rijden was.

Het sneeuwde hevig en de krachtige wind blies de sneeuw op, zodat het zicht slecht was. Hoewel het dag was, reed Will met groot licht. De weg was verlaten en liep door bossen en een glooiend landschap. Ze hadden nu een uur gereden, nauwelijks iets tegen elkaar gezegd en ze waren niet afgeweken van de route. Alles om hen heen bleef hetzelfde.

Will had pijn in zijn ogen van het geconcentreerd kijken op de weg en van het desoriënterende effect van de sneeuwvlokken die voortdurend op zijn auto afstormden. Hij wreef over zijn gezicht, keek naar zijn navigatie en zag dat ze nog ongeveer negentig kilometer te gaan hadden naar Shatura.

'Iets voor ons.'

Will keek onmiddellijk om zich heen. Langzaam rijdend bereikte hij het einde van het bos. Hij zag dat de met sneeuw bedekte velden nu aan beide zijden lagen. Hij kon niet veel verder kijken dan honderd meter, maar wat hij zag was genoeg om hem pijn in zijn maag te bezorgen. Er stonden er minstens vijftig, waarschijnlijk waren er nog meer verborgen door de vallende sneeuw en ze waren allemaal omhoog naar de hemel gericht. Het waren RT-2UTTKh intercontinentale raketten, bevestigd op MZKT-79221 rijdende lanceerinstallaties met zestien wielen. Soldaten liepen heen en weer tussen de wapens. Geen van hen lette op Wills voertuig terwijl hij gestaag bleef doorrijden. Ze leken allemaal te druk in de weer met het installeren van de dodelijke projectielen.

Will wist dat de geleide raketten een effectief bereik van tienduizend kilometer hadden en dat elke raket een kernkop had van vijfhonderdvijftig kiloton. Ze konden gemakkelijk legers in Europa bereiken en vernietigen en indien nodig konden ze overal naar Rusland worden gestuurd om aanvallen vanuit zee in het oosten te bestrijden. Als ze eenmaal waren gelanceerd waren ze zo goed als onverwoestbaar, immuun voor elk raketschild en beveiligd tegen elektromagnetische pulsen, lasers en zelfs kernexplosies op een afstand van vijfhonderd meter.

Toen hij de laatste installatie was gepasseerd, wist hij zeker dat de raketinstallatie over een dag op een andere locatie zou staan en de komende dagen en weken voortdurend van plek zou wisselen om niet ontdekt te worden. Slechts een klein aantal mensen in de top van het Russische leger zou informatie hebben over de precieze bewegingen van de raketten. Will vroeg zich af of een van die mannen of vrouwen een vooraanstaande agent was die bij Sentinel hoorde.

Na zestig minuten waren ze nog vijf kilometer van Shatura verwijderd. De weg was recht en werd omgeven door vlak, onopvallend landschap. Terwijl hij naar de kille omgeving keek schoot hem een herinnering te binnen. Hij was een kleine jongen, gekleed in een slecht zittend zwart pak, een wit overhemd en een zwarte das waar hij een grote hekel aan had omdat die zijn keel afknelde. Hij zat in een gammele SUV met koude, aftandse plastic stoeltjes. Zijn oudere zus zat naast hem. Ze was ook in het zwart gekleed en snikte zachtjes. Zijn moeder zat achter het stuur. Haar lange, zilvergrijze haar was met een zwart lint opgebonden tot een knot. Het enige wat hij hoorde was het geluid van de ruitenwissers en de geselende wind. Het enige wat hij zag was de jachtende sneeuw en het eindeloze vlakke land aan beide zijden van de weg. Ze reden naar het westen, weg van hun huis in de buitenwijk van Washington DC naar Lancaster, de geboorteplaats van hun vader in de buurt van

Columbus, Ohio. Ze gingen daar heen voor een herdenking van zijn overleden vader.

De herinnering vervaagde. Hij vroeg zich af wat zijn vader nu van hem zou vinden, rijdend door een landschap dat sterk deed denken aan het Midwesten. Er waren veel lichten voor hen. Af en toe ving hij een glimp van gebouwen op. Ze naderden de rand van de stad Shatura. Hij gaf meer gas en reed snel de stad in. Er liep maar een hoofdweg doorheen en er waren maar weinig auto's en voetgangers te zien. Het leek een erg rustig stadje. Hij reed anderhalve kilometer weg van de stad totdat ze zich op een lange strook vlak land bevonden met het grote Svyatove-meer aan zijn linkerhand en een ander, middelgroot meer aan zijn rechterhand. Die meren liet hij spoedig achter zich. Alles om hem heen was kaal en leeg. Hij trok op tot negentig kilometer per uur.

Ze reden nog veertig kilometer in zuidoostelijke richting totdat ze acht grote en middelgrote meren zagen die in noordzuidelijke richting lagen. Terwijl hij reed telde Will de meren totdat hij zeker wist dat hij het grote meer in het zuiden had bereikt. Algauw kon hij een glimp opvangen van een bos in de verte.

'Dichterbij kunnen we met de auto niet komen.' Hij stopte de suv, pakte zijn geweer en sprong de auto uit. Korina greep naar haar pistool en volgde hem.

Ze liepen de weg af naar de oever van het meer voordat ze van richting veranderden en langs de oever naar het bos toe liepen.

Will bewoog zijn geweer van links naar rechts. Hij keek zoekend rond naar de boerderij en de open plek ervoor waar Korina volgens de instructies haar auto moest parkeren en wachten. Ze naderden het bos. Een zweem van kleur tussen de bomen. Will tikte Korina op de arm en knikte in de richting van de kleuren. Korina hurkte neer en kroop naar voren; Will deed hetzelfde. Ze bereikten de rand van het bos. Het meer lag nog steeds naast hen. De kleuren waren van twee auto's, die op de grote open plek geparkeerd stonden. Will hield zijn geweer stevig vast, met een vinger om de trekker. Ze liepen een paar meter verder het bos in, bleven staan en lieten zich langzaam zakken totdat ze plat op de grond lagen.

Achter de twee voertuigen lagen gebouwen. Ze stonden ver uit elkaar. Een van de gebouwen stond naast het meer en zag eruit als een botenhuis, twee andere lagen verder landinwaarts, een soort hutten, en daartussenin lag een gebouw dat eruitzag als een grote houten schuur of een werkplaats. Maar er was geen teken van leven.

Ze wachtten tien minuten. Toen rolde Will op zijn zij, zette zijn handen tegen Korina's oor en fluisterde: 'We moeten ons verplaatsen om de boerderij vanuit een andere hoek te bekijken.'

Korina knikte. Toen sperde ze haar ogen open en greep Will hard bij zijn arm beet.

Will keek onmiddellijk dezelfde richting op.

Een grote man kwam uit een van de hutten. Zijn gezicht werd aan het oog onttrokken door een lichaam dat over zijn schouder hing. De man liep rustig over de open plek naar de schuur, trok de dubbele deuren open en verdween uit het zicht. Een moment later dook hij weer op. Zijn gezicht was nu wel te zien.

Will zag hem door het vizier van zijn geweer, met zijn vinger om de trekker.

Klaar om de trekker over te halen en Razin een kogel door zijn kop te jagen.

Razin liep terug over de open plek, ging de hut binnen en kwam eruit met een ander lichaam over zijn schouder. Toen hij de schuur bereikte, smeet hij het slaphangende lichaam het gebouw in, greep een klaarstaand benzineblik en begon de buitenwanden te besproeien. Het was overduidelijk dat hij van plan was het gebouw en de lijken te verbranden. Hij keek op zijn horloge. Ongetwijfeld vroeg hij zich af hoeveel tijd hij nog had voordat zijn laatste agent arriveerde. Korina Tsvetaeva, een GRU-majoor en verraadster van het vaderland. Als ze op tijd zou zijn, had hij nog een half uur.

Will bleef roerloos liggen, starend naar de man die hij nu eenvoudig kon doden, de man achter wie hij al weken aan jaagde. Hij dacht aan de ontmoetingen die hij had gehad met de Spetsnaz-kolonel: het gevecht bij het onderduikadres in Sint-Petersburg waar Razin klap voor klap zijn gelijke was gebleken; het moment waarop hij een granaat naar Will had gegooid, waarna hij Sentinel uit de berghut had kunnen slepen; de achtervolging over de brug in Moskou, net nadat Razin de Amerikaanse matroos had vermoord.

Hij wilde niets liever dan de trekker overhalen.

Nu definitief een einde maken aan deze zaak.

Maar hij moest wachten.

Razin liep een van de andere gebouwen in en was niet meer te zien. Will ontspande zijn vinger die om de trekker lag. Hij keek naar Korina, zag dat ze haar ogen had samengeknepen, dat ze haar pistool had gericht op de man die haar vader had vermoord. Hij fluisterde: 'Doe geen domme dingen.'

'Dat ben ik niet van plan,' zei ze knarsetandend.

'Oké. Blijf hier en hou dit deel van de boerderij onder schot. Ik ga naar de andere kant.'

Korina bleef roerloos liggen, haar pistool gericht op het open terrein voor haar.

Will rolde van haar weg, kroop een paar meter terug, stond op en maakte een bocht. Al die tijd bleef hij gebukt, met zijn geweer voor zich uit. Twee minuten later stond hij aan de andere kant van de boerderij. Door de gebouwen kon hij Korina niet zien, maar dat deerde niet want samen hadden ze nu al het open terrein van het complex onder controle. Hij lag plat op de dikke sneeuwlaag en wachtte. Grote sneeuwvlokken dwarrelden langzaam op zijn lijf neer.

Tien minuten gingen voorbij.

Alles was stil.

Nog eens tien minuten.

Geen teken van Razin.

Will besloot dat hij dichter naar het gebouw moest waar hij Razin naar binnen had zien gaan. Voorzichtig bewoog hij vooruit, zijn geweer naar links en rechts bewegend. Hij bereikte de hut, hurkte neer, luisterde maar hoorde niets, afgezien van het geluid van de ijskoude wind. Hij liep drie meter naar voren, was dicht bij de deur en zag dat die naar binnen openging. Mocht hij op slot zitten dan kon je hem gemakkelijk open trappen. Naar alle waarschijnlijkheid kon hij de hut binnengaan en Razin neerleggen voordat de man er iets aan kon doen. Desalniettemin had hij liever eerst een verdovingsgranaat naar binnen gegooid, maar die had hij niet bij zich. Hij sloop verder naar de deur, ging rechtop staan en maakte zich gereed voor de aanval.

De dreun kwam van boven en was overweldigend. Will stortte in elkaar, zijn lichaam in shock. Zijn schouders deden hevig pijn, zijn longen waren dichtgeklapt. Toen zijn hoofd tegen de grond smakte, zag hij een grote man vlak bij zich snel bewegen en begreep hij wat er was gebeurd. Razin was vanaf het dak van de hut boven op hem gesprongen. Een schoen schopte hem zo hard in zijn gezicht dat hij met zijn hele lijf omrolde. Een andere trap trof hem in de ribben. Toen greep Razin een pluk haar beet en stompte hij met volle kracht zijn vuist tegen de zijkant van Wills hoofd. Will zag alles wazig en was misselijk. Razin trok zijn vuist terug voor een volgende vernietigende dreun. Maar op dat moment sloeg Will hem tegen zijn keel, zodat de Spetsnaz-commandant naar lucht hapte en dicht tegen Will aan viel met zijn handen om zijn strot. Nog steeds op zijn rug liggend gaf Will Razin een kopstoot in het gezicht. Met zijn voeten en vuisten begon hij met al zijn krachten naar de Rus uit te halen. Razin weerde een aantal van de slagen en trappen af en verwrong zijn gezicht van pijn om de slagen die op zijn gezicht en bovenlichaam belandden. Zelf liet hij ook een regen van slagen op Will neerkomen.

Dit was hopeloos.

Ze vermoordden elkaar.

Will greep Razin bij zijn pols en draaide die om. De Rus viel op zijn zij op de grond. Will schopte zijn lichaam weg van Razin. Beide mannen stonden snel op en wilden verdergaan met het gevecht toen ze plotseling ophielden.

Motorgeluiden. Ze kwamen naderbij. Voertuigen, onmiskenbaar. Een ervan klonk als een vrachtwagen.

Razin fronste zijn wenkbrauwen en staarde Will recht aan met een blik van totale vijandigheid. 'Klootzak!'

Hij draaide zich om en rende weg, tussen de gebouwen door schietend tot hij uit het zicht was verdwenen.

Will rende niet achter hem aan. Dat was niet nodig. In plaats daarvan keek hij om zich heen, greep zijn op de grond gevallen geweer, verbeet de pijn in zijn lichaam en rende naar buiten. Hij liep om het gebouw heen tot hij weer terug was bij Korina.

Ze keek bezorgd naar zijn gehavende en bebloede gezicht. 'Heb je met hem gevochten? Waar is hij?'

Will negeerde haar vragen.

Het geluid van de motoren hield op.

Een paar tellen later bewoog er iets.

Twaalf mannen liepen vanaf de voertuigen naar de boerderij. Ze droegen allen witte gevechtskleding en bivakmutsen en hielden halfautomatische geweren in de aanslag. Ze liepen doelgericht en in stilte naar de gebouwen. Een van hen, duidelijk de leider, communiceerde met de anderen middels handgebaren. Hij stuurde drie soldaten naar het botenhuis. Ze staken snel het open terrein over en hielden hun geweren hoog. De deur werd geopend en een van de mannen ging naar binnen, gevolgd door een andere. Binnen een paar tellen kwamen ze weer naar buiten. De commandant gebaarde naar anderen in zijn team. Vier van hen bereikten een van de hutten. Dezelfde procedure. Maar ze vonden niets. De leider knikte naar de andere hut. Dezelfde vier mannen liepen ernaartoe en gingen snel naar binnen.

Herrie.

Geschreeuw.

Een schot.

Toen nog een.

Drie andere soldaten renden het gebouw in. De commandant en de overgebleven vier mannen bleven roerloos op één knie zitten. Twee van hen negeerden de hut en hielden hun geweer op de schuur gericht; de andere twee hielden de hut onder schot waarin de rest van het team zich bevond.

Een soldaat rende de hut uit, draaide zich om en richtte zijn geweer op de deur. Nog twee anderen kwamen naar buiten en gingen aan beide kanten van de uitgang staan. Een man in het gebouw riep iets. De commandant schreeuwde iets terug.

Het gebeurde heel snel. Soldaten renden naar buiten. Razin werd ruggelings meegevoerd. Een soldaat had zijn vingers in Razins neusgaten gestoken, drie anderen hadden hem bij zijn ledematen vast. Ze dumpten hem in het midden van de open plek voordat ze uitwaaierden en een cirkel om hem heen vormden, hun geweren op zijn lichaam gericht.

De commandant stond op, liep op Razin toe en zei met luide stem: 'Kolonel Khmelnytsky. U staat onder arrest wegens de verdenking van misbruik van Russische militaire eigendommen.'

Will werd overmand door opluchting en vreugde.

Want zijn plan had gewerkt.

Zijn telefoontje van die ochtend aan Otto von Schiller, waarbij hij de Duitser had verteld dat hij die nucleaire blauwdrukken in handen zou krijgen, had ertoe geleid dat de svr-agent dit onmiddellijk aan zijn superieuren had gerapporteerd. En Will had hem de exacte tijd en locatie van de overdracht gegeven. Het zendertje in Razins auto was ingeschakeld. Zijn locatie was doorgegeven aan de inlichtingendienst van Von Schiller. En er werden onmiddellijk mannen ingezet om Razin te arresteren voordat een Britse wapenhandelaar er met de vitale documenten vandoor kon gaan.

Will had Razin niet fysiek kunnen verslaan.

Maar hij was hem wel te slim af geweest.

40

Razin zat op zijn knieën in het midden van de open plek bij de boerderij. 'U maakt een grote fout!' De Spetsnaz-commandant trok de bivakmuts van zijn hoofd en kamde met zijn vingers door zijn blonde haar.

'Kapitein Zaytsey. Spetsnaz Vympel. Ik heb trainingen met hem gevolgd,' fluisterde Korina.

'We hebben het bevel u mee te nemen voor ondervraging,' zei Zaytsey.

'Weet u wel tegen wie u het hebt?'

'Niemand van ons vindt het leuk om dit te doen bij iemand met uw status.'

Razin maakte aanstalten op te staan. Twee van de soldaten deden een stap naar voren en begonnen naar hem te schreeuwen. Maar Zaytsey hief een hand. 'Gun hem enige waardigheid.' Hij keek Razin aan. 'Waar zijn de blauwdrukken?'

'Welke verdomde blauwdrukken?'

'Je was hier om een Britse wapenhandelaar die Thomas Eden heet te ontmoeten om hem de blauwdrukken te verkopen van de nucleaire wapens waarmee u hebt getraind. Die willen wij hebben.'

Razin schudde zijn hoofd. Op zijn gezicht was razernij te lezen. 'Ik heb nooit blauwdrukken gehad. Uw commandanten zullen dat weten.'

'Dat is zo. We nemen aan dat u de bommen door een expert hebt laten onderzoeken zodat u die blauwdrukken in het geheim hebt kunnen laten maken.'

'Dit is schandalig!' Razin keek naar de Spetsnaz-mannen. 'Ik zal u en uw commandanten voor de krijgsraad slepen!'

De mannen verroerden zich niet.

Zaytsey wees op Razin. 'Het bevel voor uw arrest is gecontrasigneerd door generaal Platonov zelf. De enige die voor de krijgsraad komt bent uzelf.' Hij stak zijn hand uit. 'Ik wil graag uw pistool.'

'En ik wil uw hoofd!'

'Uw pistool, kolonel.'

Razin aarzelde.

'Kolonel!'

Langzaam haalde Razin zijn pistool uit de holster. Hij woog het even op zijn hand voordat hij het aan Zaytsey overhandigde. De commandant pakte het wapen en stopte het in zijn jas.

Razin zette zijn handen in de zij en keek naar de mannen. Afgezien van Zaytsey had iedereen zijn bivakmuts nog op. 'Van welke eenheid zijn jullie?'

'Dat is geheim,' antwoordde Zaytsey.

'Voor mij is niets geheim!'

De commandant staarde hem aan en knikte toen. 'Het maakt ook niks uit. We zijn van Vympel.'

'Dat maakt álles uit.' Er klonk nog steeds woede door in Razins stem, maar hij vertoonde geen tekenen van angst. Zijn houding was die van een hoge officier die zijn manschappen toesprak. 'Je moet weten dat ik zelf bij Vympel zat voordat ik het commando kreeg over Alpha. We horen bij dezelfde club en wíj verkopen geen Russische geheimen.'

'Als dat waar is, zult u van alle blaam worden gezuiverd. Maar die beslissing wordt genomen door mannen die meer macht hebben dan ik. We zijn hier alleen maar om u mee te nemen.'

'Stomkoppen!'

'Uw Alpha-mannen zijn teruggeroepen en worden ondervraagd. De signaalzendertjes op de kernbommen zijn ingeschakeld. Alle bommen zijn teruggevonden, op een na. We weten niet waar die is omdat de zender ervan was verwijderd.'

'Verwijderd of defect? Hoe dan ook, ik kan je niet helpen hem terug te vinden,' brieste Razin.

'Men denkt dat dit de bom is die is ontmanteld zodat de blauwdrukken konden worden gemaakt.'

Zweet begon over Wills rug te druppelen. Het feit dat de zender van de bom was verwijderd betekende dat Razin hem moest hebben aangebracht.

Langzaam draaide Razin zich volledig om. Hij nam de tijd om elke man om hem heen aan te kijken voordat hij zijn blik weer op Zaytsey richtte. 'Jullie zijn allemaal bij de neus genomen en ik denk dat ik weet door wie.'

'Als dat het geval is moet u dat aan uw superieuren vertellen.'

Razin lachte. 'O, ik zal die idioten alles vertellen. Maar op dit moment moeten jij en je mannen weten dat ik de man over wie ik het heb, heb gevangen. Hij is een officier van MI6, een van de machtigste mannen in de westerse inlichtingendienst en ongetwijfeld ónze grootste vijand. Hij heeft op mij gejaagd en ik op hem. Ik heb hem als eerste te pakken gekregen. Maar deze farce...' – hij maakte een weids armgebaar – '... was zonder enige twijfel zijn verzekering; een manier om mij zwart te maken in de ogen van het moederland.'

Zaytsey kwam dichterbij. 'Is hij dood?'

Will voelde hoe hij verstrakte.

'Nee. Ik heb hem gevangen. Maar als ik niet snel naar hem terugkeer, is er grote kans dat hij weet te ontsnappen.' Hij glimlachte. 'Misschien zou het beter voor jou en je mannen zijn terug te keren naar jullie kazerne met de man op wie elke Russische inlichtingendienst al tientallen jaren jacht maken, in plaats van...' – hij wees met een duim op zichzelf – '... of een man die met zekerheid zijn onschuld kan bewijzen en die jou en je soldaten tot een lachertje zal maken ten overstaan van heel Spetsnaz.'

Kapitein Zaytsey kneep zijn ogen tot spleetjes. 'Waar is hij?'

Stilte.

Toen knikte Razin. Met luide stem gaf hij hun enkele coördinaten.

Korina greep Will bij de arm en zei geagiteerd: 'Hij begint ze te overtuigen!'

'Dat weet ik,' mompelde Will.

Hij tijgerde een paar meter naar voren, legde zijn vinger strakker om de trekker en richtte zijn geweer midden op Razins schedel.

Hij hoorde voeten krakend over sneeuw lopen, geritsel van kleding, zag beweging aan de rand van zijn gezichtsveld.

Te ver weg om haar nog te kunnen grijpen of tegenhouden stapte Korina snel tussen de bomen uit de open plek op.

Nee Korina! dacht Will.

'Kapitein Zaytsey.' Ze sprak op luide toon. 'Majoor Tsvetaeva, GRU.'

Vier van de Spetsnaz-mannen draaiden zich bliksemsnel om en richtten hun geweer op de naderende vrouw.

'We hebben samen getraind. Een jaar geleden, een ondervragingscursus.' Ze bleef doorlopen. 'Kolonel Khmelnytsky liegt tegen u over de bom.'

Zaytsey fronste zijn wenkbrauwen. 'Ja, ik kan me u herinneren, majoor Tsvetaeva. Wat is hier in godsnaam aan de hand?' Ze liep recht op de kapitein en Razin af en wees achter haar. 'Er liggen dode mensen in de schuur. Vermoord door Khmelnytsky. Controleer hun identiteit. Ik vermoed dat u zult ontdekken dat het gaat om hoge Russische officials.'

'Eerder verraders!' siste Razin.

'Jij bent de verrader, Khmelnytsky!' Korina keek weer naar Zaytsey. 'Dit is erger dan u denkt. Controleert u het even, alstublieft.'

Zaytsey keek bedenkelijk, maar hij gebaarde naar twee van zijn mannen. Ze liepen naar de schuur.

Nog meer zweet liep Will over de rug. Hij moest verborgen blijven, moest zijn geweer op Razin gericht houden. Als hij Korina had kunnen tegenhouden, zou hij het gedaan hebben, hoewel hij haar handelswijze begreep. Maar alles hing nu af van haar vermogen om ervoor te zorgen dat de mannen hun bevelen zouden uitvoeren.

Een minuut later kwamen de twee mannen terug. Ze spraken zachtjes met hun commandant.

Zaytsey keek Razin aan. 'Een kolonel van de luchtmacht en een hoge regeringsbeambte. Beiden inwoners van dit land. Hebt u hen vermoord?'

Razin kwam dichter bij de kapitein en Korina staan. 'Ze waren MI6-agenten, ze stonden onder leiding van de man die ik gevangen heb genomen.'

Will paste zijn positie iets aan. Korina stond met haar rug naar hem toe en blokkeerde gedeeltelijk zijn zicht op Razin, hoewel hij hem nog steeds gemakkelijk in zijn hoofd zou kunnen schieten.

Razin glimlachte terwijl hij Korina aankeek. 'En zij zijn niet de enige MI6-agenten naar wie ik op zoek was. Er is er nog een. En ik denk...' – hij keek om zich heen – '... dat die persoon hulp heeft gekregen van een andere MI6-officier.'

Korina kwam met luide, geagiteerde stem tussenbeide. 'Kapitein – die bom. Khmelnytsky is van plan om die te gebruiken om...'

Ze zei niets meer.

Er was iets mis.

Zaytsey schreeuwde.

Zijn mannen liepen snel naar hem toe.

Korina viel achterwaarts op de grond.

Met een groot mes in haar borst.

Will voelde zijn maag verkrampen; hij klemde zijn tanden op elkaar.

Nee! Nee! Nee!

Soldaten grepen Razin vast.

Nee!

Hij werd tegen de grond gewerkt.

Nee!

Will sloeg met zijn vuist op de grond, overmand door ongeloof.

Kapitein Zaytsey knielde neer bij Korina. Ze lag roerloos. Hij legde een hand tegen haar keel, vingers op haar pols en legde zijn hoofd op haar hart. Hij stond langzaam op, schudde zijn hoofd, liep naar Razin die met zijn gezicht voorover op de grond lag en zei tegen zijn mannen die hem vasthielden: 'Laat hem gaan!'

Ze weken terug.

Zaytsey torende boven hem uit. 'Ze is dood.'

Will werd overmand door emoties.

Dood? O grote god, nee!

'Je hebt een GRU-majoor vermoord!' Kapitein Zaytsey bewoog een arm. Will kon niet zien wat hij deed.

'Nee!' Razin klonk paniekerig, hij keek weer met grote ogen om zich heen, duidelijk in een poging Will te lokaliseren. 'Ik heb nog meer informatie die jullie nodig hebben...'

'Bek dicht!' Op luide, autoritaire toon zei Zaytsey: 'Kolonel Taras Khmelnytsky, held van de Russische Federatie, soldaat van het moederland. Ik ontneem u uw rang, titel en nationaliteit.'

Hij zwaaide zijn arm naar voren.

In Zaytseys hand lag het pistool van Razin.

'Stop!' schreeuwde Will.

Maar zijn stem werd volledig overstemd door het geluid van een pistoolschot.

Het geluid weergalmde door het bos en over het meer.

De kapitein liet langzaam zijn arm zakken en liet het pistool op het lichaam van Razin vallen. Het achterhoofd van Taras Khmel-nytsky was volledig uit elkaar gespat.

Razin was dood.

41

Tien minuten later lag Will er nog steeds roerloos bij. De soldaten waren druk bezig met het inspecteren van de boerderij. Een van hen benaderde kapitein Zaytsey en rapporteerde dat elke centimeter van het terrein was doorzocht en dat er geen spoor was van de bom of van blauwdrukken. Onderzoek in de auto's, waaronder ook Razins suv, had ook niets opgeleverd.

Een andere soldaat liet weten dat de schuur was besproeid met benzine. Hij wilde weten wat hij moest doen met de lijken die in het gebouw lagen. Zaytsey dacht even na en zei toen: 'Leg de majoor en Khmelnytsky erbij. We steken het in brand voor we vertrekken. Breng onze voertuigen hierheen.'

Na nog een kwartier reden een viertonner en een jeep de open plek op. De kapitein riep de chauffeurs en de rest van zijn team bij elkaar. Toen ze om hem heen stonden, zei hij: 'Dit is een absolute klerezooi. Normaal gesproken zou ik dit meteen aan het hoofdkwartier melden en ook de locatie van de mi6-gevangene doorgeven zodat ze een ander team kunnen sturen om hem op te pakken. Maar ik denk dat we nog een laatste kans hebben om dit tot een goed einde te brengen. Ik stel voor dat we die mi6-man zelf oppakken.'

Zaytsey bestudeerde zijn mannen.

Allen knikten instemmend.

'Goed. Laten we gaan.'

De mannen renden naar de voertuigen en startten de motoren. Zaytsey stapte niet in. Hij liep naar de schuur, pakte een aansteker, stak hem aan, wierp hem naar de schuur, draaide zich om en rende naar de jeep.

De Spetsnaz-voertuigen waren uit het zicht verdwenen toen Will naar de schuur rende. Het hele gebouw stond in lichterlaaie. Toen hij de schuur tot op vijf meter was genaderd, bleef hij staan. Hij hield zijn armen voor zijn gezicht om zich te beschermen tegen de intense hitte. Hij deed een stap naar voren maar ging meteen achteruit. De pijn op zijn huid was immens. Hij probeerde het nogmaals, maar onwillekeurig stapte hij opnieuw achteruit.

Hij moest daar naar binnen.

Hij had geen andere keus.

Hij deed een paar passen achteruit en staarde naar de dubbele deuren van de schuur. Ze waren bedekt met vlammen. Hij zoog zijn longen vol met lucht, hield zijn adem in, zette zich schrap tegen de pijn die zou komen en rende recht op de vuurzee af.

Het was erger dan hij had verwacht. Veel, veel erger. Maar hij was niet van plan te stoppen.

Hij rende door naar de deuren, raakte ze met zijn schouder en beukte ze open. Hij rolde op de vloer van de schuur, stond op en keek om zich heen. Daar lag Korina. Hij rende naar haar toe, pakte haar op en hield haar in zijn armen.

Precies zoals hij dat had gedaan voordat hij haar behoedzaam op het bed had gelegd.

Hij rende zo snel hij kon, liep het gebouw uit, met een gezicht vertrokken van pijn terwijl de vlammen om hem heen krulden en de rook in zijn ogen walmde. Hij strompelde, viel bijna en zette zorgvuldig zijn ene voet voor de andere. Hij vreesde even dat hij het bewustzijn zou verliezen, maar hij bleef doorlopen.

De pijn ebde weg.

Koude lucht was als balsem op zijn gezicht.

Nog enkele stappen.

Het geraas van het inferno nam bij elke stap af.

Hij draaide zich om en keek naar de schuur. Hij stond op dertig meter afstand; het vuur werd niet minder. Hij liep verder weg totdat hij zich midden op de open plek bevond. Voorzichtig legde hij Korina op de grond. Hij zakte in elkaar totdat hij naast Korina op de grond zat.

De borstwond vertoonde veel bloed. Razins verborgen mes was zo diep in haar lichaam gestoken dat ze ongetwijfeld op slag dood was geweest. Maar de rest van haar lichaam en gezicht was niet aangetast door wat hier vandaag was gebeurd. Will legde zijn trillende hand tegen haar wang, boog zich naar haar toe en kuste elk gesloten oog, daarna haar lippen. Hij greep haar lichaam, liet zijn hoofd zakken totdat het tegen het hare lag aangevlijd. Zijn lichaam begon te schudden en hij begon te snikken.

Hij hief zijn hoofd en bovenlichaam op en schreeuwde: 'Sterf allemaal!'

42

Will programmeerde de coördinaten in het navigatiesysteem van de Prado en belde Patrick. 'Drie Ohio-onderzeeërs varen naar de Barentszzee met de bedoeling om morgen in het geheim de Russische wateren binnen te dringen. Wanneer dat is gebeurd zal er een nucleaire explosie plaatsvinden die de Russen het idee zal geven dat ze zijn aangevallen door die onderzeeërs. Je moet ervoor zorgen dat die boten omkeren.'

'Wat?! Waar is die kernbom?'

'Dat weet ik niet, maar ik vermoed ergens aan de noordelijke kustlijn van Rusland.'

'Dat is een enorm uitgestrekt gebied. Maar weet je zeker dat die bom daar ergens ligt?'

'Nee. Hij kan ook in Moskou liggen of waar dan ook in Rusland, maar alle informatie suggereert dat het ergens in het noorden is. Spreek met de admiraliteit of de president. Als je er maar voor zorgt dat die onderzeeërs meteen rechtsomkeert maken.'

Vijf minuten later ging zijn mobiele telefoon. Patrick.

'Het gaat niet lukken.'

'Hoezo niet?'

'Ze laten die onderzeeërs niet omkeren.'

'Dat meen je niet!'

'Ik heb met de admiraliteit gesproken. Ze zeiden dat ze de onderzeeërs nu niet meer gaan terugtrekken, na maanden van voorbereiding en een investering van miljoenen dollars.'

'Neem dan contact op met de president!'

'Dat heb ik gedaan. Hij heeft advies gevraagd aan de admiraliteit en is het met hen eens.'

Will kon zijn oren niet geloven. 'Heb je hun over die bom verteld?'

'Ja. De admiraals zeiden dat ik gek moest zijn als ik dacht dat ze

van hun plannen zouden afwijken omdat een of andere officier in
het veld een vermoeden heeft. In werkelijkheid gebruikten ze veel gro-
vere taal.

'Idioten!'

'*Het spijt me.*'

'Mij ook!'

Het was nacht. Will was uitgeput en zijn lichaam was geradbraakt.
De aanwijzingen van de navigatie leidden hem zuidwaarts, rond
steden, kleine dorpen, bossen, over vlak land, glooiend platteland,
over rivieren, rotsige heuvels en door steeds onherbergzamer wor-
dend terrein, maar hij nam de omgeving nauwelijks in zich op. Terwijl hij honderden kilometers door Rusland reed in de richting van
de bergen van de Kaukasus, speelde er slechts één gedachte door
zijn hoofd.

Of Sentinel nou dood is of niet, mijn enige hoop is dat Razin een
aanwijzing heeft achtergelaten over de locatie van de bom.

De nacht werd dag.

Vandaag zouden de onderzeeërs Rusland bereiken.

Overal lag sneeuw en ijs, maar de hemel was blauw en het was
onbewolkt. Nog meer uren verstreken. De wegen werden smaller
en hobbelig. Algauw zag hij geen enkel levensteken meer; in de
verte was een imposante bergrug zichtbaar. Hij reed nog een uur
door totdat hij de uitlopers van de bergen tot op enkele kilometers
was genaderd.

Het bergachtige gebied strekte zich uit over de gehele lengte van
de Russische grens met Georgië, Azerbeidzjan en Armenië, tussen
de Zwarte Zee en de Kaspische Zee, en was meer dan negenhonderd kilometer lang en honderdvijftig kilometer breed. De bergen
zagen er majestueus en verbluffend mooi uit, hoewel Will wist dat
er zich in dit gebied vanaf de oudste geschiedenis tot aan de recente
Tweede Tsjetsjeense oorlog talrijke bloederige veldslagen en
wreedheden hadden afgespeeld.

Hij reed de weg af en volgde een bochtig pad dat naar een hoge
berg liep. De helling werd steiler terwijl hij afdaalde in een ravijn;
bijna geheel met ijs bedekte bergwanden rezen op aan beide zijden.
Hij kwam bij een houten hek met een bord waarop stond dat het
hier privéterrein was. Het hek lag in duigen, waarschijnlijk veroor-
zaakt door een voertuig.

Will reed door; de bergwanden aan beide zijden waren nog maar dertig centimeter verwijderd van zijn auto. Ze wierpen een donkere schaduw over de gehele weg voor hem, en de hellingen rezen tot driehonderd meter hoog boven het pad uit. Daarboven was de steile helling te zien van een berg die minstens zesendertighonderd meter hoog was. Hij zette de auto in een lage versnelling omdat het pad steeds steiler werd. De banden bleven goed grip houden, ondanks de dikke laag sneeuw.

Plotseling trapte hij op de rem. Voor hem zag hij twee stilstaande voertuigen. Een van hen was een viertonner, de andere een jeep. Het kleinere voertuig lag op zijn kant en was een verwoest wrak. De vrachtwagen was geheel uitgebrand. Will stapte uit en liep naar de wrakken. Hij keek in de jeep. De benen van de chauffeur ontbraken; de rest van hem was uiteen gereten door stukken metaal. Naast hem zat kapitein Zaytsey. Het gezicht van de Spetsnaz-officier was zwart en gezwollen, zijn blonde haar was volledig verschroeid en een groot stuk van het metalen chassis van de jeep stak uit zijn buik. Will liep naar de achterkant van de truck en keek in de laadbak. Wat hij zag was weerzinwekkend. Tien zwaar gehavende lijken.

'Vuile smeerlap,' mompelde hij hoofdschuddend.

Razin had mijnen op de route gelegd. Hij wist dat eenieder die hier kwam om naar Sentinel te zoeken die poging niet zou overleven of moest omkeren, de MI6-officier aan zijn lot overlatend.

Hij had niet veel tijd meer. De onderzeeërs zouden inmiddels dicht in de buurt van Rusland zijn.

Will besloot dat er een andere manier was om de berghut te bereiken, een route die hoogstwaarschijnlijk net zo gevaarlijk was als de weg met de explosieven. Hij opende zijn rugzak, hield hem op zijn kop en schudde de inhoud eruit op de weg. Hij pakte de witte bivakmuts, de sneeuwbril, handschoenen, bevestigde de klimijzers onder zijn laarzen, stopte het MR-445 Varjag-pistool en de reservemagazijnen in zijn fleecejas en bond het militaire mes en de schede om zijn middel. Toen wikkelde hij zijn handen door de lusjes van twee ijsbijlen en greep de handvatten beet. Hij was nu van top tot teen gekleed als een in het wit gehulde poolsoldaat.

Hij keek naar de ijsmuur naast zich, stapte eropaf en sloeg beide bijlen in het ijs boven zijn hoofd. Hij trok zich omhoog en ramde de klimijzers in het ijs. Het ijs hield zijn gewicht; hij wist nu dat hij kon gaan klimmen. Hij strekte zijn benen, trok een van de bijlen los en sloeg hem hoger in het ijs. Daarna deed hij hetzelfde met de andere bijl. Hij trok zich op en stak zijn klimijzers vast in een nieuw stuk ijs. Deze handelingen herhaalde hij tot hij zich honderd meter boven de weg bevond.

Hij keek omlaag. Het ravijn was bijna geheel duister, hoewel hij zijn SUV en de Spetsnaz-voertuigen nog kon onderscheiden. Een zuchtje wind blies ijsdeeltjes van de ijswand die tegen zijn sneeuwbril sloegen. Hij veegde zijn bril schoon, keek op, sloeg zijn bijl een stuk hoger in het ijs en vervolgde de bestijging. Na vijf minuten had hij weer honderd meter ijs bedwongen. Hij rustte een paar tellen uit, voelde dat hij zweette onder zijn bivakmuts en onderkleding en klom verder. Bij elke zwaai van zijn bijlen en elke stoot van zijn klimijzers nam de pijn in zijn lichaam toe.

Maar hij bleef doorgaan. Steeds weer trok hij zijn zware lijf een halve meter op.

Hij bevond zich nu zo'n tweehonderdvijftig meter boven het pad. Zijn adem ging zwaar en zijn onderkleding en bivakmuts waren doornat van het zweet. Hij keek langs de ijsmuur omhoog maar zag niets anders dan hemel. Hij hoopte dat dat betekende dat de berg achter de ijswand minder stijl was en dat het volgende gedeelte gemakkelijker te beklimmen zou zijn. Die hoop gaf hem vleugels en hij bewoog sneller. Hij naderde de top van de ijswand, zwaaide een bijl over de rand naar het verborgen ijs erachter, deed hetzelfde met de andere en trok zijn lichaam over de rand totdat hij plat op de grond lag. Even was hij opgelucht dat hij de bijna onmogelijke klim had voltooid. Maar toen hij opkeek zonk de moed hem in de schoenen.

De grond voor hem was tot ongeveer dertig meter relatief vlak. Maar daarachter lag een nieuwe ijswand. Deze was veel hoger, en halverwege de helling krulde hij naar binnen en vormde bovenaan een overhangend gedeelte. Hij keek naar de angstaanjagende ijsmuur en kon maar één ding denken: deze klim was écht onmogelijk.

Hij stond op, liep snel naar de onderkant van de ijsmuur, keek omhoog, vloekte, zette de punt van zijn bijl tegen het ijs boven zijn hoofd, aarzelde even en sloeg hem toen diep in het ijs. Hij begon te klimmen, maar deze keer had hij het gevoel dat elke zwaai en elke steek van zijn klimijzers hem dichter bij een plek brachten waar hij zou vallen en sterven.

Razin kende dit terrein ongetwijfeld; hij wist dat de enige weg naar de berghut vanuit Rusland via het pad liep waar hij mijnen had gelegd. Daarom had hij die plek gekozen om Sentinel gevangen te houden. En door Will de locatie ervan te geven, had hij hem de dood in gejaagd.

Will klom een kwartier door. Hij stopte twee keer even om meer zuurstof op te nemen. De lucht was nu kouder en elke ademhaling deed pijn in zijn longen. Hij bereikte een hoogte van zo'n negenhonderd meter. Dit was de plek waar de muur geleidelijk voorover begon te hellen. Hij keek op, zag het reusachtige overhangende gedeelte boven hem op negenhonderd meter afstand, keek omlaag en vroeg zich heel even af of hij terug moest gaan. Maar hij wist dat hij dat niet kon. Hij was Razin te slim afgeweest, maar hij had Korina's leven niet kunnen redden, en evenmin de levens van de andere agenten die hij had moeten verdedigen, en het was hem niet gelukt om te voorkomen dat Roger, Laith, Vitali en Markov gevangen waren genomen, gemarteld zouden worden en onvermijdelijk ook geëxecuteerd. Hoewel de taak die hij nu moest volbrengen onmogelijk was, moest hij proberen Sentinel te bereiken. Het was mogelijk dat hij nog leefde en hij moest zijn gevangenis doorzoeken om informatie te achterhalen over de locatie van de bom. Dit was zijn laatste kans om iets goeds te doen, ook al zou het zijn dood worden. Maar deze beklimming duurde te lang.

Hij bewoog zijn armen en benen en concentreerde zich alleen op het ijs direct voor hem. Zijn lichaam hing een paar centimeter achterover; het risico dat zijn ijsbijlen zouden losschieten was aanzienlijk. Hij kwam nog maar langzaam vooruit. Elke keer nadat hij zijn bijl en zijn klimijzers in het ijs had geplant, testte hij zorgvuldig of hij nog grip had voordat hij verderging. Het koste hem dertig minuten om honderd meter te stijgen. Nu de helling hem nog enkele centimeters verder achteroverdrukte, kostte het hem een uur om de volgende honderd meter te klimmen. De spieren in zijn armen, rug en benen voelden aan alsof ze van zijn botten werden losgescheurd. Zijn hart bonkte, hij voelde het kloppen in zijn oren. Hij proefde bloed in zijn mond en rook het in zijn neus. Hij stopte.

Zijn ademhaling was oppervlakkig en snel en hij durfde zijn blik niet van de bijlen los te maken. De driehonderd meter hoge helling boven hem werd steeds ontoegankelijker en als hij de top bereikte moest hij zeventig meter langs een bijna verticaal overhangend stuk vooruit kruipen. Hij beet op zijn tanden en ging verder.

Afgezien van pijn voelde hij nu ook misselijkheid. Hij slikte hard, probeerde uit alle macht niet over te geven, te stikken of de grip op de bijlen te verliezen. De wind wakkerde aan en er sloeg nog meer ijs tegen zijn gezicht. Ondanks zijn inspanningen rilde zijn lichaam nu: het zweet van de eerdere klim was zodanig afgekoeld dat zijn kleding koud tegen zijn lijf plakte. Hij probeerde elke zwaai van zijn bijl te tellen en stelde zich voor dat hij de driehonderd moest halen om deze vreselijke plek achter zich te kunnen laten. Maar hij raakte steeds de tel kwijt. Hij kon zich nergens anders op concentreren dan op de juiste bewegingen van zijn armen en benen.

Hij deed er nog een uur over om het overhangende gedeelte te bereiken. Zijn lichaam hing nu in een hoek van vijfenveertig graden achterover. Hij keek omlaag. Zeshonderd meter onder hem was de richel. Voor hem nu uit het zicht en nog eens driehonderd meter lager was de bodem van het ravijn. Hij bleef roerloos hangen en keek omhoog. Direct boven zijn hoofd helde de berg sterk over. Hij keek naar het overhangende gedeelte en vroeg zich af of hij over een paar minuten dood neer zou vallen. Hij ging verder.

Na twee zwaaien van zijn bijl was hij op het overhangende deel. Zijn rug was gericht naar de reusachtige diepte onder hem. Hij balde zijn lijf zo veel mogelijk samen en zette zijn bijlen en klimijzers met kleine stukjes vooruit. Hij sloeg ze schuin in het oppervlak. Terwijl hij centimeter voor centimeter vooruit kroop dacht hij aan drie dingen. *Is het ijs sterk genoeg? Ben ik sterk genoeg? Hebben de onderzeeërs al de Russische wateren bereikt?*

Hij slaagde erin dertig meter af te leggen van het tweehonderd meter lange schuine uitsteeksel. Daarna pauzeerde hij even. Hij liet zijn zware lichaam hangen, een dood gewicht tussen de kleine teenstukken van zijn klimijzers en de dunne punten van zijn bijlen. Hij trok omzichtig de punt van een van de bijlen los, sloeg hem hard in het ijs, trok eraan om de grip te testen en ging verder. Dertig minuten later was hij weer dertig meter verder. Een uur later had hij het midden van de helling bereikt. Meer dan iets anders maakte hij zich zorgen over zijn handen. De banden van de bijl zaten eromheen maar dat was niet genoeg om vallen te voorkomen als zijn pijnlijke vingers onwillekeurig hun greep zouden verliezen. Hij probeerde zijn vingers strakker om de steel van zijn ijsbijlen te sluiten, probeerde ze te bewegen om het bloed goed te laten doorstromen als zijn klimijzers goed vastzaten, maar niets kon de pijn verminderen. Hij had het gevoel dat hij ter plekke zou sterven.

Hij had altijd geweten dat hij een gewelddadige dood zou sterven, maar hij besloot nu dat het beter was om te sterven bij het beklimmen van een afschrikwekkende oude berg dan door te worden gedood door een andere man. Die gedachte gaf hem weer moed. Hij keek naar beneden. De hele wereld leek onder hem te liggen. Het zag er zo mooi uit, zo volmaakt. Het leek een oord dat zijn bestaan ooit had getolereerd, maar nu niet meer.

Hij sloeg een voet in het ijs, priemde er een bijl in, stak zijn andere voet in de overhang, hapte naar lucht en zwaaide zijn andere arm in de juiste positie. Het leek allemaal futiel, maar toch ging hij zo nog eens zestig meter door.

Zijn bevroren handen begonnen trager te bewegen en grepen mis. Hij wist dat de dood nu heel dichtbij was. Hij keek naar het overhangende gedeelte op een paar centimeter afstand van zijn gezicht, rekte zijn hoofd en nek om naar de hemel te kijken en zag de zon, blauwe lucht, dunne wolkenflarden en de eindeloze bergen erachter.

Hij ramde de punt van een bijl een stukje verder, spuwde bloed en zag hoe dat ver onder hem in de diepte viel. Hij voelde de huid op zijn gezicht verstrakken, zwaaide zijn andere bijl en keek naar het einde van de overhang. Dat punt was nu nog maar een meter van hem af.

Hij hoorde een geluid. Het was eerst nauwelijks hoorbaar, maar het leek uit de hemel te komen. Hij kneep zijn ogen samen terwijl hij die kant op keek. Hij zag een klein stipje dat steeds groter werd. Het geluid zwol aan. Zijn handen en voeten trilden, de berg schudde. De stip werd groter en groter en hij leek zich erg snel te bewegen. Zijn ledematen beefden nu hevig. Hij ademde snel en keek angstig heen en weer tussen het ding in de hemel en de bijlen die hij in de berg had geslagen. Het ding werd groter en dat ging gepaard met een bulderend geraas. Will zette zich schrap in de wetenschap dat hij nu elk moment te pletter kon vallen. Hij kneep zijn ogen tot spleetjes. Het gevaarte kwam dichterbij. Toen boog hij schuin omhoog, slechts een paar honderd meter bij hem vandaan en vloog terug naar de hemel. Een MIG-gevechtsvliegtuig.

De piloot had hem onmogelijk kunnen zien en was ongetwijfeld bezig met het oefenen van manoeuvres boven het terrein, maar terwijl het straalvliegtuig recht omhoog de hemel inschoot waren de trillingen in de berg nog heviger voelbaar. Will rukte zijn blik los en keek wanhopig naar de overhang. Maar het was te laat. Een van zijn bijlen en zijn beide klimijzers schoten uit het ijs los. Hij viel omlaag en zwaaide als de slinger van een pendule. Hij hing nu slechts aan de ene bijl die nog in het ijs stak. Hij snakte naar adem, staarde naar het uiteinde van de bijl en wist dat hij elk moment los kon komen. Hij probeerde al slingerend zijn laarzen tegen het ijs te trappen, maar hij kon niet dicht genoeg bij het oppervlak komen. Zijn lichaam hing stil. Hij trok zich een paar centimeter op aan een arm, zwaaide zijn andere bijl naar het ijs maar miste, hij verloor zijn greep erop terwijl zijn arm snel door de lucht zwaaide, de bijl viel bijna uit zijn hand maar bleef nog hangen aan het bandje om zijn pols. Hij trok zich weer op met zijn arm; de inspanning was gigantisch, de pijn immens, maar hij bleef trekken, in de wetenschap dat hij veel dichter bij het ijs moest zien te komen deze keer, hoewel hij het gevoel had dat zijn arm ging exploderen. Hij bleef bewegen tot zijn arm een rechte hoek maakte, hij hield zijn andere bijl in de aanslag, concentreerde zich op de plek die hij wilde raken, zwaaide zijn bijl en ramde hem diep in het oppervlak. Hij verloor geen tijd, bewoog zijn benen naar achteren en zwaaide ze tegelijk naar de overhang. Zijn klimijzers begroeven zich in het ijs. Hij bewoog naar voren en bereikte de rand van de overhang. Blindelings sloeg hij één bijl over de rand en voelde hem ergens in vast slaan. Hij deed hetzelfde met de andere bijl.

Hij hoorde de straaljager weer. Het geluid zwol aan.

Hij trok een van zijn klimijzers los, bracht zijn knie omhoog tot onder zijn borst en sloeg zijn bergschoen in het ijs.

Het gebulder van het straalvliegtuig werd heviger. De berg begon te schudden.

Hij bewoog zijn andere voet en stak het klimijzer in het oppervlak.

Zijn hele lichaam trilde. Hij trok zich op aan zijn armen en sloeg zijn benen voorwaarts om de punt van de overhang heen.

Grote brokken ijs naast hem kraakten en vielen naar beneden. Met al zijn kracht trok hij zich op en uiteindelijk belandde hij op zijn borst op een vlak stuk grond aan de andere kant van de overhang. Hij bleef zich optrekken tot zijn ene voet vrijkwam, toen de andere, totdat zijn hele lichaam op de grond boven op de helling lag. Hij had de onmogelijke klim voltooid.

Maar misschien was het allemaal tevergeefs.

Hij kroop naar voren en keek om zich heen. De berg torende nog steeds boven hem uit maar hij zag dat hij niet verder zou hoeven klimmen. Hij bevond zich op een plateau van zeventig meter lang. Links van de berg lag een ravijn, daarachter lag een ander plateau met een pad dat naar een berghut in het midden liep. Hij had de gevangenis van Sentinel gevonden.

Hij kwam overeind en stak het plateau over. Hij keek naar de kloof die tussen hem en zijn bestemming in lag. Hij was ongeveer vijf meter breed en honderden meters diep. Hij draaide zich weg, hield zijn bijlen langs zijn hoofd en sprintte naar de kloof. Bij de rand nam hij een sprong, tilde zijn armen hoog op totdat ze volledig uitgestrekt waren en zwaaide ze naar voren terwijl hij de overkant naderde. De bijlen kwamen diep in de rand van de kloof terecht. Zijn bovenlichaam lag op het plateau waar de berghut lag, zijn benen bungelden nog in de kloof. De pijn was intens. Het terrein om hem heen was echter niet met ijs bedekt maar met sneeuw. Zijn spikes bewogen maar vonden nergens grip: zijn lichaamsgewicht trok hem omlaag de kloof in. Hij sloeg zijn bergschoenen hardnekkig tegen het oppervlak onder hem, maar zijn klimijzers kwamen alleen maar in nog meer sneeuw terecht. Zijn bovenlichaam gleed weg, de bijlen trokken lange groeven in de grond. Hij gleed naar zijn dood en hij kon niets doen om dat te voorkomen.

Zijn hoofd kwam bij de rand en zakte toen in de kloof. Zijn armen verdwenen van het plateau en waren nu boven hem. Hij zette zich schrap, wachtte tot de bijlen boven de rand kwamen en zich helemaal losmaakten, waarna hij een smak zou maken die zijn nek en elk bot in zijn lichaam zou breken en die zijn organen zou verpletteren.

Toen bleef hij hangen.

Hij keek op.

Een hand greep zijn pols met een ontzagwekkende kracht. Hij werd omhooggetrokken. Toen greep een andere hand Will bij zijn arm. Hij werd uit de kloof getild totdat hij met zijn gezicht omlaag op het plateau lag. Hij hief zijn hoofd.

Sentinel stond voor hem.

De MI6-officier droeg een spijkerbroek, een windjack en bergschoenen. In zijn gezicht stonden groeven van vermoeidheid. Hij stak een hand onder Wills oksel en hielp hem overeind. 'Is Razin dood?'

Wills hart bonkte en hij ademde zwaar. Hij knikte, trok zijn bivakmuts van zijn hoofd en keek om zich heen. 'Het maakt niets uit... Razin heeft een van de bommen geplaatst.' Will hijgde. 'Op dit moment... varen drie Amerikaanse onderzeeërs dicht in de buurt van Russische wateren. Zodra ze daar binnenvaren... zal de bom afgaan.'

'En zal er een oorlog beginnen.' Sentinel wreef over zijn gezicht. 'We moeten gaan.'

'Hoe heb je je uit je boeien weten te bevrijden?'

'Die heb ik nooit om gehad. Razin heeft me verdoofd.' Hij schudde zijn hoofd. 'Zo heeft hij me aan het praten gekregen. Hij moet gedacht hebben dat hij hier terug zou zijn lang voordat ik weer bij kennis kwam.'

'Je agenten zijn dood.'

Sentinel liet langzaam zijn hand zakken. 'Allemaal?'

'Ja.'

Sentinel zei een tijdje niets. Daarna mompelde hij: 'Dan is alles verloren.'

Hij draaide zich om en liep naar de hut.

Will bleef staan en keek naar hem. Hij herinnerde zich dat Sentinel hem had verteld hoe hij Razin had gerekruteerd, hoe ze in de lounge van de businessclass van Lufthansa in Frankfurt hadden gezeten en een uur lang hadden gepraat.

Hij stak zijn hand in zijn zak en pakte zijn pistool vast, ondertussen zijn blik op de man gericht houdend die snel en doelgericht naar de berghut liep. Hij hief zijn pistool en richtte het op Sentinel. 'Ik kan niet toestaan dat je daar naar binnen gaat.'

Sentinel bleef abrupt staan, met zijn rug naar Will toe. 'Je hebt nooit drugs in je lijf gehad.' Will legde zijn vinger om de trekker. 'Maar ik durf te wedden dat er een wapen in dat huis ligt.'

Sentinel bewoog zijn armen naar buiten. 'Waar heb je het over?' Will greep zijn wapen steviger beet. Hij was misselijk. 'Dit was je gevangenis niet. In plaats daarvan heb je die plek gebruikt om te wachten terwijl Razin het vuile werk voor je opknapte.'

Sentinel draaide zich langzaam om en liet zijn armen zakken. Hij keek Will recht aan en zei kwaad: 'Ik heb vijf dagen van een door drugs veroorzaakte hel overleefd en een man gered die op het punt stond dood te vallen. Laat je wapen zakken en help me hier weg te komen.'

Maar Will hield zijn wapen heel stil. 'Waarom? Ik ga je niet helpen hier weg te komen. En ik zal je doden als je nog een stap in de richting van die berghut zet.'

Sentinel zweeg en staarde hem alleen maar aan.

Will dacht koortsachtig na. Hij was in verwarring gebracht. Maar één ding wist hij zeker: Sentinel had hem al die tijd voor de gek gehouden. 'Was alles een leugen?'

Sentinel bleef hem aanstaren, niet langer zichtbaar woedend. Hij glimlachte bitter. Toen hij eindelijk begon te praten, was zijn stem kalm. 'Voor mij was het allemaal de waarheid.' Hij keek in de richting van de bergen. 'Kun je je voorstellen wat het betekent om zes jaar in een Russische gevangenis door te brengen, eindeloos gemarteld te worden, wetend dat het Westen je als dood beschouwt?' Hij keek Will aan. 'Hoe het voelt om uiteindelijk vrijgelaten te worden, om erachter te komen dat de Britse regering je datgene heeft afgenomen wat je het meest waardevol vond: de eretitel Spartan.' Zijn woede keerde terug. 'Toen dat me overkwam, haatte ik Rusland en haatte ik het Westen. Ik besloot dat ik, als de tijd daar rijp voor was, een oorlog tussen beide landen zou ontketenen zodat ze elkaar konden verscheuren.'

Het begon Will te duizelen. 'Waarom Amerika, waarom niet Groot-Brittannië?'

Sentinel kneep zijn ogen samen. 'Omdat het een CIA-Sovjet-agent was die me aan de SVR heeft verraden en hen naar mij heeft geleid. Toen de Koude Oorlog voorbij was, hadden de Amerikanen hem nooit terug naar Rusland moeten laten gaan. Ik wilde hen die fout betaald zetten. Bovendien wist ik dat Engeland niet de macht had om Rusland tot op de rand van een oorlog te brengen, maar Amerika wel.' Hij keek om zich heen. 'Maar nu die oorlog bijna gaat beginnen, is het slechts een kwestie van tijd voordat Groot-Brittannië erin wordt meegesleept, net als het grootste deel van Europa.' Hij glimlachte. 'Iedereen zal sterven.'

Will kon zijn oren niet geloven. 'Ben je verraden door een Russische CIA-agent?'

Sentinel keek Will strak aan. 'Razin heeft uitgezocht wie hij was. Ik heb hem opgespoord en gedood.'

'Dus door jouw toedoen heb ik een onschuldige MI6-officier gevangengenomen en ondervraagd!'

Sentinel knikte. 'Het verhaal van Borzaya was helemaal onwaar. Ik had hem wijsgemaakt dat we jóú als verrader probeerden te ontmaskeren en om dat te kunnen doen moesten we jou het idee geven dat we iemand anders verdachten. Jij moest geloven dat het hoofd van de afdeling Moskou de man was die Razin de namen van mijn agenten had gegeven. Je hebt je werk goed gedaan, hoewel Razin ervoor heeft gezorgd dat hij is gedood. Hij klom op het dak van de kerk en heeft er benzine over uitgegoten.' Hij keek naar de hemel. 'Toen ik Razin voor het eerst ontmoette, spraken we elkaar een uur in de lounge op het vliegveld, maar de inhoud van dat gesprek was anders dan de versie die ik jou heb gegeven. Ik besefte al snel hoe ambitieus die man was. Ik vertelde hem de halve waarheid dat ik het Westen haatte omdat ze me in de steek hadden gelaten in een Russische gevangenis, zei dat ik wraak wilde, dat we een oorlog moesten ontketenen en dat het Rusland geen ernstige schade zou toebrengen als hij mijn agenten doodde. Men zou hem als een held beschouwen en dan kon hij naar de macht grijpen. Razin stemde in met mijn voorwaarden.'

Het zweet stroomde over Wills gezicht en rug. 'Hoe kon je samenwerken met een monster als Razin?'

Sentinel glimlachte. 'Het is altijd mijn bedoeling geweest Razin te laten doden als zijn taak was voltooid. Hij was extreem capabel, maar ook psychotisch. Wat de toekomst ook in petto had voor Rusland, ik kon het land niet laten leiden door iemand die er weer een supermacht van wilde maken.'

'Svelte probeerde ons te waarschuwen voor jou...' riep Will uit. *Hij heeft ons verraden en wil een oorlog ontketenen.* 'En voor die onbetrouwbare schoft.' *Alleen Sentinel kan hem tegenhouden.*

Sentinel knikte. 'Mijn oorspronkelijke idee was om een kernbom te plaatsen op een Russische onderzeeër. Daar had ik Svelte voor nodig, maar hij weigerde en hij had al snel door wat ik van plan was.' Hij spuwde. 'Dat was onvoorzichtig van me. Svelte ontsnapte en gebruikte de DLB voordat ik de kans had dat zelf te doen.'

Will verbleekte. 'Is dat echt wat je wilt? Een totale oorlog?'

Sentinel wierp een blik op de berghut en keek toen weer naar Will. 'Ik wil niets anders meer dan dat. Zelfs mijn leven niet.'

Hij zette een stap in de richting van Will.

Will legde zijn vinger langs de trekker. 'Blijf waar je bent.'

Sentinel zette nog een stap naar hem toe.

'Blijf staan!'

Sentinel kwam dichterbij. 'Als je me dichterbij laat komen, zal ik proberen je te ontwapenen.'

Er stroomde nog meer zweet over Wills lijf. Zijn hart bonkte. 'Je zult je verdiende loon krijgen, maar ik wil je niet doden.'

Sentinel glimlachte. 'Mijn werk is voltooid.' Zijn glimlach verdween. 'En nu is het voorbij.' Hij liep snel naar voren.

Op dat moment werd Will woedend. Hij dacht dat hij de man had begrepen, hij had hem gerespecteerd, geloofd dat hij hield van zijn Russische contacten en agenten en hij had gemeend dat Sentinel stond voor alles wat goed was. Maar de man die nu naar hem toe liep was een heel ander iemand. Hij was iemand die bereid was miljoenen levens op te offeren om zijn wraaklust te bevredigen jegens de mensen die hem vele jaren geleden hadden gekwetst en in de steek hadden gelaten. Hij was de man die Razin in staat had gesteld om dappere mensen af te slachten, te verbranden en te onthoofden.

Maar terwijl hij de trekker overhaalde maakte zijn woede plaats voor verdriet en medelijden. Op een gegeven moment was een deel van Sentinels geest gebroken. Zover had het nooit mogen komen.

De enorme last die hij zijn hele volwassen leven had moeten dragen, was zelfs een man met zijn krachten te veel geworden. Machtige leiders in het Westen hadden hem uit zijn rol van geheim agent moeten bevrijden voordat hij erdoor werd vernietigd. Maar ze hadden niets gedaan. Ze hadden hem enorme risico's laten nemen totdat hij uiteindelijk werd verraden.

Het pistool ging iets omhoog toen de kogel de loop verliet, een paar meter door de lucht suisde en Sentinel in zijn onderbuik trof. Hij sperde zijn ogen open, zijn knieën knikten en hij zakte langzaam op de grond totdat hij geknield op de sneeuw zat.

Hij legde een hand op de wond, keek naar het bloed en daarna naar Will. 'De kogel heeft mijn lever doorboord. Ik ben over een paar minuten dood. Als je me in mijn hoofd had geschoten was het sneller gegaan.'

Will liet zijn pistool zakken, liep naar hem toe en vroeg: 'Waar is de bom?'

Sentinel zei niets.

'Je gaat sterven. Maar voor het zover is, heb je de kans om iets goed te maken.'

Sentinel glimlachte. 'Geen bekentenis op het sterfbed dit keer.'

Will staarde hem aan. Hij dacht eraan hoe Sentinel oorspronkelijk van plan was geweest Svelte te gebruiken. Er drong iets tot hem door. 'De Russen weten van die onderzeeërs. Ze zullen een onderschepper sturen als afleiding, waarschijnlijk een van hun nieuwe stealth-torpedobootjagers. Daar ligt de bom! Op een Russische boot.'

Sentinels glimlach verdween, maar hij bleef zwijgen.

'Ik denk dat Razin heeft gewacht totdat hij wist welke boot het bevel kreeg om uit te varen. Toen heeft hij die kernbom geplaatst.' Zijn hart bonkte. 'Ik heb gelijk, ik weet het zeker.'

Sentinel liet zijn hoofd zakken. Zijn ademhaling ging heel snel.

Will deed een stap naar hem toe. 'Ik moet weten waarom je me uit die kloof hebt gered.'

Sentinel hief zijn hoofd, keek naar de bergen en glimlachte. Schijnbaar in zichzelf fluisterde hij: 'Dit is een goede plek om te sterven.' Hij staarde naar Will en knikte langzaam. 'In de berghut ligt een detonator. Daarmee kun je de mijnen laten ontploffen zodat je toegang hebt tot het pad beneden ons. Aan de achterkant

van de berghut staat een auto en reservebrandstof. Je kunt ongedeerd ontsnappen en proberen uit Rusland weg te komen.' Bloed
stroomde over zijn broek en op de sneeuw om hem heen. Hij keek
naar de bergen achter zich. 'Ik heb je leven gered om mezelf te herinneren aan de man die ik eens was. Het is niet altijd een leugen
geweest. Ooit heb ik echt geloofd in het werk dat ik deed. Ik...' hij
hoestte bloed op, '... hield echt van mijn agenten.'

Will ging op zijn hurken voor hem zitten. Zachtjes zei hij: 'Die
man kun je weer opnieuw worden. Ik geef je mijn woord dat niemand, niemand, ooit te weten hoeft te komen wat je hebt gedaan.
Ik kan je in Engeland laten begraven met alle militaire eer. En ik
zal een gouden plaquette op je kist laten aanbrengen met het woord
Spartan erin gegraveerd. Ik beloof je dat ik dat kan doen. Als tegenprestatie moet je één keer knikken als de bom zich op de on-
derscheppende boot bevindt.'

Sentinel staarde hem aan. Uiteindelijk zei hij: 'Zou je dat doen?'

'Jazeker.'

De mannen verroerden zich niet.

De wind ging liggen.

Alles stopte.

Sentinel knikte één keer.

Toen sloot hij zijn ogen, stiet zijn laatste adem uit, liet zijn hoofd
zakken en stierf.

43

Will liep de trap van de Learjet af en stond op de landingsbaan van RAF Brize Norton. Het regende hevig, maar dat kon Will niets schelen en hij liet het water over zijn gezicht stromen. Hoewel hij nog nooit in zijn leven zo moe was geweest, had hij tijdens de vlucht van Moskou naar Engeland niet kunnen slapen. Hij keek om zich heen; het normaal gesproken drukke militaire vliegveld was zo goed als verlaten. Hij vroeg zich af of het er net zo had uitgezien toen Sentinel hier arriveerde na zijn vrijlating uit de Lubyanka-gevangenis. Dicht bij het straalvliegtuig stonden drie limousines. Mannen van de Special Forces in burgerkleding zaten in de voorste en achterste auto's. Twee mannen stonden buiten bij het middelste voertuig. Ze droegen een pak en overjas en hielden een paraplu voor hun gezicht.

Will liep langzaam naar hen toe.

Ze tilden hun paraplu een stukje op.

Alistair keek hem aan. 'Roger, Laith, Markov en Vitali zijn vrijgelaten. De Russen zijn weer opgenomen in hun Spetsnaz-eenheid.'

'En onze jongens liggen in een ziekenhuis in de VS.' Patrick keek somber. 'Ze zijn behoorlijk zwaar mishandeld, maar ze zullen erbovenop komen.'

Will wreef regenwater van zijn gezicht. 'De volgende keer dat ik in DC ben, zou ik graag even babbelen met de president en sommigen van zijn admiraals over hun beslissing om de onderzeeërs niet te laten omkeren. Ik zou ze graag inprenten dat ze in de toekomst naar me moeten luisteren, verdomme.'

'Het is allemaal goed afgelopen.'

Patrick stemde daarmee in. 'Een uitmuntend resultaat voor zowel Amerika als Rusland.'

Alistair kwam dichterbij. Hij keek bezorgd. 'Heb je iemand naar wie je toe kunt?'

Will negeerde de vraag. Achter zich hoorde hij stemmen. Hij keek om. Vier mannen waren bezig met het uitladen van een doodkist. Sentinel was eindelijk uit het veld gehaald. Hij was thuis en zou met volledige militaire eer worden begraven. Will had zijn woord gehouden en had aan niemand verteld wat er werkelijk was gebeurd, zelfs niet aan Alistair en Patrick.

Will richtte zijn blik weer op de twee chefs. 'Ooit kom ik ook thuis in een kist.'

44

Will maakte de voordeur open en liep zijn appartement in. Hij stapte over stapels reclame heen, liep de gang door en ging naar zijn grote open eetkeuken. Hij legde zijn tas met boodschappen en de krant op tafel, liep door de minimalistisch ingerichte ruimte, vulde de fluitketel en zette hem op het fornuis. Hij liep terug naar de tafel, ging zitten en keek naar de voorpagina van de krant.

Het hoofdartikel was nieuws dat vandaag met grote koppen in elke Britse krant stond. En datzelfde gold voor de media wereldwijd. Het was het verhaal van een opmerkelijke humanitaire actie. Een Russische torpedojager was ernstig beschadigd geraakt in de Barentszzee, en wel zodanig dat al het personeel moest worden geëvacueerd. Er waren geen Russische schepen in de buurt die de torpedojager konden bereiken voor hij zonk. Maar drie Ohio-onderzeeërs van de vs waren wel in de buurt. De president van de vs deed iets wat nog niet eerder was vertoond: hij gaf de onderzeeërs het bevel boven water te komen en de Russische zeelieden te redden. De gehele bemanning werd gered voordat de torpedojager naar de zeebodem zonk. De verstandhouding tussen de Verenigde Staten en Rusland was als gevolg van deze actie nog nooit zo goed geweest.

Wat er werkelijk was gebeurd zou lange tijd geheim blijven. De president van de vs had de Russische premier gebeld en hem verteld over de bom in de Russische torpedobootjager. Het was geen gemakkelijk gesprek geweest, maar uiteindelijk was hij erin geslaagd de Russische leider ervan te overtuigen dat dit geen ingewikkelde truc was met heimelijke motieven. Hij had hem ook gezegd dat de Ohio-onderzeeërs de enige schepen waren die de zeelieden konden redden voordat de bom afging. Precies dat deden ze en daarna voeren ze snel weg. De bom ontplofte en het schip werd verwoest, maar tegen die tijd waren de onderzeeërs al buiten de gevarenzone. Desalniettemin was een groot gebied op zee met straling besmet. Russische, Amerikaanse en Europese specialisten werkten samen in een poging de fall-out te bestrijden.

Will smeet de krant terzijde.

Alistair en Patrick hadden gelijk. De missie had succes gehad, maar dat succes had wel een aanzienlijk aantal mensen het leven gekost. Twee van hen had hij eigenhandig gedood.

Beiden MI6-officieren.

Vier dagen geleden had een andere officier zich van het leven beroofd.

Kryštof.

De rest was afgeslacht.

Hij tuurde naar de kale muren, de houten vloer die wel wat kleden kon gebruiken om de kamer kleur en warmte te geven, de functionele keukenstoelen en de eenvoudige witte bank. Hij haalde Korina's halsketting tevoorschijn en keek ernaar.

Ze had hem gevraagd het hangertje niet te openen totdat ze samen in zijn appartement waren. Even aarzelde hij. Hij woog de hanger in zijn hand. Toen zuchtte hij en opende het medaillon. Er zat een foto in. Van een man.

Svelte.

Een man die zijn leven had geriskeerd in een sneeuwstorm om een gecodeerd bericht naar het Westen te sturen. Een bericht dat een oorlog kon voorkomen. Een heroïsche daad die hem het leven had gekost.

Naast hem op de foto stond zijn mooie dochter Korina.

Een vrouw die alles had geriskeerd om het juiste te doen. Een vrouw die Will graag gekend zou hebben. Een vrouw van wie hij zonder twijfel had kunnen houden.

Hij sloeg met zijn vuist op tafel. Een deel van de inhoud van de boodschappentas viel eruit. Sjalotjes, kip, knoflook, kruiden. Dezelfde ingrediënten die hij had gebruikt toen hij voor Korina kookte.

Hij staarde naar het eten en langzaam opende hij zijn vuist. Hij drukte het medaillon tegen zijn wang. Een traan druppelde over zijn gezicht en hij sloot even zijn ogen.

Hij stond op en keek rond. Hij haatte dit huis. Hij haatte alles van zijn leven. En het meest van alles haatte hij het feit dat hij Korina had verloren.

Hij greep de keukentafel en smeet die zo hard tegen de muur dat hij brak. Hij greep de stoelen en sloeg die ook stuk.

Hij zakte op de grond, de hanger nog steeds in zijn hand. Zijn ademhaling ging snel, maar toen hij de ketting tegen zijn borst hield, begon hij rustiger te ademen.

Zijn mobieltje ging over.

Alistair.

Dat kon maar één ding betekenen.

Werk.

Hij overwoog het telefoontje te negeren en in plaats daarvan iets te gaan drinken in een bar, een wandeling te maken door de straten van Londen of een avondvoorstelling in een theater te bezoeken.

Will Cochrane zou dat soort dingen dolgraag doen.

Maar niet alleen.

Hij wilde dat doen met iemand die veel voor hem betekende.

Spartan nam op.

Dankwoord

Voor Jon en het team bij Orion (Verenigd Koninkrijk), David en het team bij William Morrow/Harper Collins (Verenigde Staten), Luigi Bonomi en Alison en de rest van het team bij LBA, Rowland White, Judith en de Secret Intelligence Service (MI6).

Woordenlijst

AEK-919K Kashtan halfautomatisch geweer – halfautomatisch geweer van de Russische Special Forces, schiet met 9mm patronen.

AK47 aanvalsgeweer – Russisch automatisch geweer, sinds 1949 in gebruik in de Sovjet-Unie en Rusland, maakt gebruik van 7,62mm patronen.

AKS-74 aanvalsgeweer – een verbeterde versie van de Russische AK-47. Beschikt over een uitklapbare metalen voorsteun en wordt gebruikt met 5,45mm patronen, met name door Russische paratroepers.

AMR-2 12,7mm sluipschuttersgeweer – een Chinees sluipschuttersgeweer dat vooral wordt ingezet om militair materieel te vernietigen. Er worden 12mm patronen mee afgevuurd en het heeft een effectief bereik tot vijftienhonderd meter.

Akula I onderzeeër – een Russische kernonderzeeër voor aanvalsdoeleinden. Hij beschikt ook over torpedobuizen voor conventionele wapens.

Akula II onderzeeër – een Russische kernonderzeeër voor aanvalsdoeleinden, groter en met een verbeterd sonarsysteem in vergelijking met de Akula I.

Anti-surveillance – Een methode die inlichtingendiensten gebruiken om vast te stellen of een medewerker in de gaten wordt gehouden door vijandige inlichtingendiensten. Het kan te voet worden uitgevoerd, in auto's of met behulp van andere wijzen van vervoer.

AS Val aanvalsgeweer – een in de Sovjet-Unie ontworpen aanvalsgeweer met een geïntegreerde geluiddemper. Er worden 9mm patronen gebruikt die pantserbekleding kunnen doorboren.

BfV – Bundesamt für Verfassungsschutz; Duitslands binnenlandse inlichtingendienst, vergelijkbaar met het Britse MI5 en de FBI in de Verenigde Staten.

BIS – Bezpečnostní Informační Služba. De belangrijkste inlichtingendienst van de Tsjechische Republiek.

CIA – Central Intelligence Agency. De buitenlandse inlichtingendienst van de Verenigde Staten, voornamelijk belast met het verzamelen van inlichtingen van buitenlandse menselijke bronnen. Voert ook speciale operaties uit.

Companies House – Register waarin alle Britse bedrijven zijn opgenomen, een overheidsinstantie.

DA – Defensie Attaché. Een militaire officier van hoge rang die is verbonden aan zijn of haar ambassades in het buitenland. Ze zijn belast met militaire zaken met betrekking tot het gastland, inclusief militaire aankopen.

Delta III onderzeeër – Russische onderzeeër bewapend met ballistische raketten.

Delta Force – naast DEVGRU de belangrijkste Special Operations Unit voor antiterroristische acties en evenals DEVGRU inzetbaar in alle heimelijke en openlijke oorlogsgebieden.

DEVGRU – United States Naval Special Warfare Development Group, bij het publiek beter bekend onder de vorige naam SEAL Team 6. Het is een van de vooraanstaande multifunctionele Special Operations Units van de Verenigde Staten en rekruteert medewerkers uit andere SEAL-eenheden.

DGSE – Direction Générale de la Sécurité Extérieure. De Franse buitenlandse inlichtingendienst, voornamelijk belast met het verzamelen van inlichtingen van buitenlandse menselijke bronnen. Voert ook speciale operaties uit.

DLB – Dead Letter Box. Een spionagemethode waarbij een spion een geheime locatie gebruikt om een artikel aan een andere spion over te dragen zonder dat ze elkaar hoeven te ontmoeten.

FSB – Federale veiligheidsdienst van de Russische Federatie. De belangrijkste binnenlandse veiligheidsdienst van Rusland, vergelijkbaar met de FBI en MI5.

GCHQ – Government communications Headquarters. De Britse inlichtingendienst die verantwoordelijk is voor 'signals intelligence' (SIGINT) aan de regering en de strijdkrachten van het Verenigd Koninkrijk.

Groupement des Commandos Parachutistes – een zeer goed getrainde verkenningseenheid van het parachutistenregiment van het Franse vreemdelingenlegioen (2ème Regiment Étranger de Parachutistes).

GRU – Glavnoye Razvedyvatel'noye Upravleniye. Het directoraat buitenlandse militaire inlichtingen van de generale staf van de strijdkrachten van de Russische Federatie.

98ste Guards Airborne Division – een luchtlandingsdivisie van de Russische paratroepers.

217de Guards Airborne Regiment – onderdeel van Ruslands 98ste Guards Airborne Regiment, gelegerd in Ivanovo.

Heckler & Koch USP Compact Tactical pistool – een halfautomatisch pistool ontworpen in Duitsland door Heckler & Koch, schiet met 9mm patronen en wordt in vele landen geprefereerd door speciale (politie-)eenheden.

Household Cavalry – term die wordt gebruikt voor de cavalerie van de Commonwealth of Nations (voorheen British Commonwealth) van de Koninklijke Garde.

HS 2000 pistool – een halfautomatisch pistool, gefabriceerd in Kroatië. Er bestaan verschillende varianten van het wapen. Elke variant gebruikt patronen van een ander kaliber.

Il-76M vrachtvliegtuig – een Russisch multifunctioneel strategisch vrachtvliegtuig.

Increment – de term voor de eenheid binnen MI6 die bestaat uit speciaal geselecteerde elitesoldaten van de Britse Special Forces.

60ste Independent Motor-Rifle Brigade – een eenheid onder het commando van Ruslands 5de Leger binnen het militaire district van het Verre Oosten.

IR/TG-7 thermische bril – een krachtig, lichtgewicht infrarood optisch apparaat dat in de hand kan worden gehouden of op een helm of hoofddeksel kan worden bevestigd.

KGB – Komitet gosudarstvennoy bezopasnosti, ofwel Comité voor staatsveiligheid. Het was van 1954 tot 1991 de nationale veiligheidsorganisatie van de Sovjet-Unie en was in die periode de eerste organisatie die zich bezighield met interne veiligheid, inlichtingen en geheime politietaken.

MI5 – De Britse binnenlandse veiligheidsdienst, vergelijkbaar met de FBI in de Verenigde Staten.

MI6 – Secret Intelligence Service (SIS). Britse buitenlandse inlichtingendienst, voornamelijk belast met het verzamelen van inlichtingen van buitenlandse menselijke bronnen. Voert ook speciale operaties uit.

MIG-29K – Russisch gevechtsvliegtuig. Stijgt op van vliegdekschepen. Multi-inzetbaar onder alle weersomstandigheden.

MIT – Millî İstihbarat Teşkilâti, oftewel Nationale Inlichtingenorganisatie. Inlichtingendienst van de Turkse overheid.

MR-445 Varjag-pistool – Een Russisch halfautomatisch pistool, schiet met 10mm patronen.

MZKT-79221 rijdende lanceerinstallaties – een van zestien wielen voorzien Russisch militair voertuig voor het lanceren van raketten van het type Topol-M, een intercontinentale ballistische raket.

OCP – Operational Cover Premise. Een huis of bedrijfsgebouw dat wordt gebruikt om de identiteit van een medewerker van de inlichtingendienst te verhullen.

Ohio-onderzeeër – een onderzeeër aangedreven door kernenergie die wordt gebruikt door de marine van de Verenigde Staten. Ohio-onderzeeërs worden uitgerust met conventionele raketten of kernraketten.

Oscar II onderzeeër – een Russische onderzeeër met kernraketten, in staat om conventionele en nucleaire wapens af te vuren.

104de Parachuteregiment – deel van de 76ste Air Assault Division en het eerste Russische regiment landstrijdkrachten dat volledig bestond uit professionele soldaten in plaats van dienstplichtigen.

QSZ-92 pistool – een Chinees halfautomatisch pistool, schiet met 9mm Parabellum-patronen of 5.8mm munitie die pantserbekleding kan doorboren.

QBZ-95G aanvalsgeweer – een Chinees aanvalsgeweer, schiet met 5.8mm patronen.

RT-2UTTKh intercontinentale raketten – een Russische raket met een enkele kernkop van 800 kiloton. In staat om een afstand van elfduizend kilometer af te leggen.

SAS – Special Air Service. De oudste, meest ervaren en effectiefste Special Operations Unit. De Britse SAS wordt beschouwd als de maatstaf voor alle elite-eenheden en Special Forces over de hele wereld.

SBU – Sluzba Bezpeky Ukrayiny. De veiligheidsdienst van Oekraïne, vergelijkbaar met de Britse MI5 en de Amerikaanse FBI.

SBS – Special Boat Service. Een Special Forces-eenheid van het Verenigd Koninkrijk, vergelijkbaar met de DEVGRU (SEAL, Team 6) van de Verenigde Staten, hoewel de SBS ouder is en meer ervaring heeft. De rekrutering en selectie voor de SBS wordt als nog zwaarder beschouwd dan de rekrutering voor de befaamde SAS.

SEALS – Sea Air Land. De SEALS van de Verenigde Staten bestaan uit medewerkers van Special Operations die in elke willekeurige gevechtssituatie kunnen opereren. Zeer goed getraind en uiterst effectief.

Sig Sauer P226-pistool – een populair wapen bij Special Forces en wetshandhavers over de hele wereld. Verscheidene kalibers.

Slava slagkruiser – een groot, conventioneel aangedreven Russisch oorlogsschip.

SOG – Special Operations Group. De paramilitaire vleugel van de Special Activities Division van de CIA. Veel medewerkers worden gerekruteerd bij Delta Force en DEVGRU.

Sovremenny torpedobootjager – een Russisch oorlogsschip dat jacht maakt op onderzeeërs.

Spartan-programma – het twaalf maanden durende selectieprogramma voor MI6-officieren waarin ze proberen de codenaam 'Spartan' te verwerven. Slechts één officier per keer mag het programma ondergaan en slecht één succesvolle deelnemer mag de codenaam dragen. Dit geldt tot aan zijn dood of pensionering.

Spetznaz – De generieke term voor Russische Special Forces. Het Russische leger, de marine, GRU en SVR maken allemaal gebruik van Spetsnaz-eenheden. Het zijn volledig zelfstandig opererende eenheden. Spetsnaz Alpha (SVR) is bijvoorbeeld volkomen verschillend in vergelijking met Spetsnaz Vympel (GRU) en rekrutering, selectie en training geschiedt op andere wijze.

SPS Serdyukov halfautomatisch pistool – een Russisch handwapen met een geringe terugstoot, schiet met 9mm patronen.

Su-33s – Sukhoi Su-33, Russisch gevechtsvliegtuig, stijgt op vanaf een vliegdekschip.

SVR – Sluzhba Vneshney Razvedki. Ruslands belangrijkste buitenlandse inlichtingendienst, vergelijkbaar met de Britse MI6 en de CIA van de Verenigde Staten.

Udalay 1 torpedobootjager – Russisch oorlogsschip gericht op het bestrijden van onderzeeërs.

WTO – World Trade Organization, Wereldhandelsorganisatie. Een organisatie die als opdracht heeft toezicht te houden op de internationale handel en deze te liberaliseren. De WTO is opgericht bij het verdrag van Marrakesh in 1995 en heeft 157 lidstaten (op het moment dat dit boek werd gedrukt).